GRANDES ESCRITORES DA LITERATURA FRANCESA

• • • • • •

GUSTAVE FLAUBERT

MADAME BOVARY

16ª EDIÇÃO

TRADUÇÃO
SÉRGIO DUARTE

PREFÁCIO
CAROLA SAAVEDRA

Editora
Nova
Fronteira

Título original: *Madame Bovary*

Direitos de edição da obra em língua portuguesa no Brasil adquiridos pela EDITORA NOVA FRONTEIRA PARTICIPAÇÕES S.A. Todos os direitos reservados. Nenhuma parte desta obra pode ser apropriada e estocada em sistema de banco de dados ou processo similar, em qualquer forma ou meio, seja eletrônico, de fotocópia, gravação etc., sem a permissão do detentor do copirraite.

EDITORA NOVA FRONTEIRA PARTICIPAÇÕES S.A.
Rua Candelária, 60 — 7ª andar — Centro — 20091-020
Rio de Janeiro — RJ — Brasil
Tel.: (21) 3882-8200

Imagem de capa: Alamy

Dados Internacionais de Catalogação na Publicação (CIP)

F587m Flaubert, Gustave

  Madame Bovary / Gustave Flaubert ; traduzido por Sérgio Duarte. – 16. ed. – Rio de Janeiro: Nova Fronteira, 2022.
  352 p. ; 15,5 x 23 cm

  ISBN: 9786556404219

  1. Literatura francesa. I. Duarte, Sérgio. II. Título.

CDD: 843
CDU: 821.133.1

André Queiroz – CRB-4/2242

IMPRESSO NA GRÁFICA SANTA MARTA

Prefácio

Madame Bovary: uma cartografia do desejo

Emma Bovary é, antes de tudo, uma mulher que deseja: deseja uma vida cheia de amor, emoção, bailes, viagens, riquezas. Filha de um pai viúvo, cresce na província, é educada num convento. Mas Emma Bovary é também uma leitora, e essa vida com a qual ela sonha é o mundo que vê nos romances, o mundo do amor romântico e suas paixões. Ela sonha em casar com um homem especial, que faça dela uma mulher especial, desejada. Ela sonha com um homem que lhe dê o brilho que ela não teria como obter por si só, mulher burguesa do século XIX. Porém, quem chega em sua vida é Charles Bovary. Mas Charles é o contrário disso, é apenas um homem comum. Um médico de província, viúvo, que se apaixona pela beleza e pelo brilho de Emma. Um homem sem ambições, que vive uma vida morna, num dia a dia sem grandes acontecimentos. Assim, ao olhar para o marido, em vez da luz prometida, o que Emma Bovary vê é apenas decepção, em suas próprias palavras: "Mas um homem não devia saber tudo, ser hábil em múltiplas atividades, iniciar as mulheres nas energias da paixão, no refinamento da vida e em todos os mistérios? Aquele, porém, não ensinava nada, não sabia nada, não desejava nada. Acreditava-a feliz e ela o detestava por aquela calma assentada, aquela serenidade pesada, feita da felicidade que ela própria lhe dava." O trecho resume bem o seu sentimento, o desprezo que sente por Charles, pela pequena felicidade dele, mas, principalmente, por ele não ser capaz de oferecer-lhe o que ela tanto ansiava. Daí sua angústia, sua demanda insatisfeita, porque o que mais restaria se não houvesse mais desejo para desejar? Assim, após o casamento, Emma logo se dá conta de que aquilo foi um erro e que ela se encontra numa armadilha. Para onde ir?

A partir desse momento o livro nos apresenta a derrocada de Emma Bovary, impulsionada por um desejo de vida que a vida, dia após dia, lhe nega e, quando lhe dá, é sempre a juros altíssimos. Emma é uma mulher do século XIX, Emma é uma mulher infeliz. Sua infelicidade é a infelicidade burguesa dos que têm tudo, mas não só isso: há na personagem algo que a ultrapassa e a redime, pois na infelicidade de Emma se imiscui uma angústia que atravessa classes sociais, culturas e gerações, uma dor sem palavras, que é a infelicidade de uma vida que não se escolheu, a infelicidade das amarras que nos prendem ao destino inabalável de não ter armas próprias, ou, como diria Virginia Woolf, um teto todo seu. Um destino que julga com mão de ferro as mulheres que se atrevem à insurreição. Porque as heroínas como Emma são muitas na literatura do século XIX: Luísa em *O primo Basílio*, Effi Briest no romance de Theodor Fontane, ou Anna Karenina de Tolstói. O que todas elas têm em comum? A insatisfação no casamento, o adultério e o castigo radical. Porque sempre há o castigo.

Por isso, passado mais de um século e meio da publicação do romance, *Madame Bovary* continua atual, apontando para a insatisfação do desejo, um desejo que se desloca de objeto em objeto sem nunca encontrar seu pouso. Mas também para uma sombra que se estende até hoje, essa sombra que pesa sobre o destino das mulheres, a sombra da solidão, da pobreza e da misoginia. Uma misoginia que castiga e muitas vezes mata. Libertar-se dela é um trabalho de toda a sociedade.

Carola Saavedra
Escritora

Primeira parte

I.

Estávamos em plena hora de estudo quando o provedor entrou, seguido por um novato de roupas burguesas e por um empregado que trazia uma carteira nos braços. Os alunos que dormiam despertaram, e todos nós nos levantamos como se tivéssemos sido surpreendidos em pleno trabalho.

O provedor fez-nos sinal para sentarmos e voltou-se para o mestre do estudo:

— Monsieur Roger — disse em voz baixa —, eis aqui um aluno que lhe recomendo. Vai entrar no quinto ano. Se o seu aproveitamento e a sua conduta o fizerem merecedor, passará para a turma dos maiores, por causa da idade.

De pé no ângulo da parede, por trás da porta, de modo que dificilmente podia ser visto inteiramente, estava o novato. Era um rapazinho do campo de uns 15 anos, se tanto, mais alto que qualquer um de nós. Tinha o cabelo cortado rente sobre a fronte, como um padre da cidade, a expressão simpática e acanhada. Embora não tivesse os ombros largos, o paletó verde, de botões pretos, apertava-o nas costuras e deixava ver, pelas fendas, punhos vermelhos habituados ao contato do sol. As pernas, vestidas de meias azuis, saíam de calças amarelas já um tanto gastas. Calçava sapatos grossos, mal engraxados e ferrados nas solas.

Começou a recitação das lições. O novato escutou-as e era todo ouvidos; atento como ao sermão, sem mesmo ousar cruzar as pernas nem se apoiar no cotovelo: às dez horas, quando a sineta tocou, o mestre foi obrigado a chamá-lo para que ele fosse ter conosco na formação.

Tínhamos o hábito, ao entrarmos na sala de aula, de jogar nossos bonés ao chão para ficarmos com as mãos mais livres. Da soleira da porta nós os atirávamos por cima das carteiras, fazendo-os bater nas paredes para levantar bastante poeira.

Mas, fosse porque não tivesse percebido a manobra ou porque não quisesse praticá-la, o novato mantinha ainda seu boné sobre os joelhos quando acabávamos de rezar. Era uma dessas coisas heterogêneas, em que se encontram os elementos da boina, do "chapska", do chapéu redondo, do boné de caça e do de algodão, uma dessas pobres coisas cuja muda feiura tem profundezas de expressão como o rosto de um imbecil. Ovoide e armada com barbatanas, começava por três abas circulares; em seguida se alternavam, separados por uma faixa vermelha, losangos de veludo e de pele de coelho. Logo depois vinha uma espécie de saco que terminava num polígono contornado, trabalhosamente costurado e de onde pendia, na ponta de um cordão muito fino, um bordado de fio de ouro. O boné era novo: a pala brilhava.

— Levante-se — disse o professor.

O menino ergueu-se: o boné caiu. Toda a classe pôs-se a rir.

Abaixou-se para apanhar o boné. Um aluno a seu lado o fez cair novamente com um golpe de cotovelo: o menino apanhou-o novamente.

— Deixe isso de lado — disse o professor, que era um homem de espírito.

Houve nova gargalhada dos alunos, desconcertando o pobre menino, que já não sabia mais se mantinha o boné nas mãos, se o deixava cair por terra ou recolocava-o na cabeça. Finalmente sentou-se e colocou-o sobre os joelhos.

— Levante-se — repetiu o professor — e diga-me seu nome.

O calouro articulou com voz trêmula um nome ininteligível.

— Repita!

Ouviu-se o mesmo som de sílabas trêmulas, abafado pelo riso da classe.

— Mais alto! — disse o mestre. — Mais alto!

O novato, tomando então uma decisão suprema, abriu desmesuradamente a boca e gritou a plenos pulmões, como se estivesse chamando alguém, este nome:

— Charbovari.

Foi uma tempestade de risos em *crescendo*, entremeada de vozes agudas (berrava-se, gritava-se, urrava-se, repetindo: *Charbovari! Charbovari!*), morrendo às vezes em notas isoladas, como se custasse a acalmar-se, e de quando em quando recrudescendo repentinamente por toda uma fila onde estourava aqui e ali, como um petardo mal deflagrado, uma ou outra gargalhada abafada.

Finalmente, sob a chuva de zombaria, a ordem pouco a pouco se restabeleceu na sala, e o professor, que conseguira compreender o nome de Charles Bovary e mandara seu possuidor ditá-lo, repeti-lo e soletrá-lo, ordenou ao pobre-diabo que se fosse sentar no banco de castigo, ao pé da cátedra. O menino começou a caminhar, mas antes de partir hesitou.

— Que procura? — perguntou o professor.

— Meu bo... — começou timidamente o calouro, olhando inquieto em derredor.

— Quinhentos versos a copiar para toda a classe! — foram as palavras furiosas do professor que, energicamente pronunciadas, evitaram nova tempestade. — Fiquem quietos! — continuou o mestre indignado, enxugando com o lenço o suor da fronte. — E quanto a você, novato, vai copiar vinte vezes o verbo "ridiculus sum".

E, com voz tranquila, rematou:

— Você encontrará o boné: ninguém o roubou!

Tudo voltou à calma. As cabeças curvaram-se sobre os cadernos e o novato permaneceu durante duas horas em comportamento exemplar, embora de vez em quando uma bola de papel molhada em tinta e catapultada com o uso de uma pena de escrever atingisse-lhe o rosto. Ele limitava-se a enxugar-se com a mão e continuava imóvel, de olhos baixos.

À tarde, no estudo, arrumou seu material na carteira e pôs-se a trabalhar. Reparamos que estudava diligentemente, procurando todas as palavras no dicionário e encontrando muita dificuldade. Graças, sem dúvida, a essa boa vontade demonstrada, não teve de baixar à classe inferior, pois, embora soubesse passavelmente as lições, faltavam-lhe elegância e vivacidade. Aprendera os rudimentos do latim com o vigário de sua aldeia, e seus pais, por economia, tinham-no mandado para o colégio o mais tarde possível.

Seu pai, monsieur Charles-Denis-Bartholomé Bovary, antigo major-cirurgião, destacado desde 1812 para os serviços de conscrição e posteriormente aposentado, aproveitara seu encanto pessoal para agarrar um dote de sessenta mil francos que se lhe oferecera na pessoa da filha de um chapeleiro, apaixonada por sua figura. Era um homem bonito, bem-falante, que sabia exibir os galões e os bigodes fartos, os dedos cheios de anéis e as roupas vistosas. Tinha o aspecto de um herói e a conversa fácil de um caixeiro-viajante. Depois de casado, viveu durante dois ou três anos gastando a fortuna da mulher, jantando bem, levantando-se tarde, fumando em grande cachimbo de porcelana, frequentando teatros e cafés. O sogro morreu deixando pouca coisa. Bovary indignou-se e começou a jogar, perdendo algum dinheiro. Retirou-se então para o interior, decidido a recuperar-se. Mas, como nada entendia de agricultura, montava nos cavalos em vez de mandá-los para o arado, bebia as garrafas de sidra em lugar de vendê-las, comia as mais gordas galinhas da criação e engraxava as botas com a gordura dos porcos: não tardou a perceber que precisava parar com aquilo.

Possuindo ainda uma renda de duzentos francos anuais, encontrou para alugar, numa aldeia nos confins da região de Caux e da Picardia, uma espécie de propriedade, metade fazenda metade casa-grande: e tristonho, cheio de queixas, acusando os céus, despeitado de tudo e de todos, lá se refugiou, desde a idade de 45 anos, desgostoso dos homens, ao que dizia, e decidido a levar uma vida tranquila.

A mulher tinha-lhe votado verdadeira adoração. Amara-o com servidão, o que contribuíra para afastá-lo ainda mais dela. Alegre de início, expansiva e carinhosa, tornara-se, na velhice (como o vinho exposto ao tempo, que se transforma em vinagre), de temperamento difícil, ranzinza e nervosa. Sofrera muito, sem se queixar, vendo o marido correr atrás de todas as decaídas da aldeia e vendo-o voltar à noite, Deus sabe de que lugares, irritado e bêbado. Seu orgulho finalmente se revoltara. Encerrou-se no mutismo, engolindo a raiva estoicamente até a morte. Ocupava-se sempre dos negócios, conferenciava com advogados, cuidava do vencimento das letras, obtinha prorrogações; em casa passava, cosia, lavava, supervisionava os empregados, pagava-os, enquanto o marido, sem se importar com coisa alguma, numa sonolência doentia de que não saía senão para dizer coisas desagradáveis, deixava-se ficar fumando ao pé do fogo, cuspindo sobre as cinzas.

Quando lhe nasceu um filho, foi necessário uma ama de leite. Enquanto crescia, o menino foi criado como um príncipe. A mãe o enchia de guloseimas; o pai deixava-o brincar descalço e, para fazer-se de filósofo, chegava a dizer que preferia que a criança andasse nua, como os filhotes de animais. Ao contrário das tendências maternas, o pai tinha a ideia de que a infância deve ser forte e assim procurava formar o filho, insistindo em educá-lo com dureza, espartanamente, para fortalecer sua constituição. Mandava-o dormir sem lareira no quarto, ensinava-o a beber rum em grandes goles e a insultar as procissões. Mas o menino, de natureza pacífica, não correspondia aos esforços paternos. A mãe o trazia sempre junto de si: cortava-lhe figurinhas, contava-lhe histórias, entretinha-se com ele em monólogos sem-fim, cheios de alegria melancólica e de tagarelice ridícula. No isolamento de sua vida, transferia para aquela cabeça de criança todas as suas vaidades esparsas e destruídas. Sonhava com altas posições, via-o crescido, belo, cheio de espírito, estabelecido no exército ou na magistratura. Ensinou-o a ler e chegou mesmo a dar-lhe lições de música num velho piano, em que o menino conseguiu aprender duas ou três canções. Mas a tudo isso monsieur Bovary, que não dava importância às letras, dizia que não valia a pena! Jamais lhes seria possível manter o menino numa escola do governo, comprar-lhe uma patente ou estabelecê-lo no comércio. Além disso, rematava ele, com um pouco de audácia qualquer homem triunfa na vida. Madame Bovary mordia os lábios e o menino vagabundeava pela aldeia.

Acompanhava os camponeses e caçava corvos, atirando-lhes torrões de terra endurecida. Comia amoras silvestres nas ravinas, guardava os perus com uma varinha, ajudava na colheita, corria pelo bosque, jogava amarelinha no adro da igreja e nos dias de festa suplicava ao sacristão que lhe permitisse tanger os sinos, para pendurar-se à grande corda e sentir-se levado por ela em seu impulso.

Cresceu forte como um carvalho, de mãos grandes e belas cores.

Aos 12 anos, a mãe conseguiu que começasse os estudos. Encarregou-se disso, inicialmente, o vigário, mas as aulas eram tão curtas e descontínuas que não poderiam servir para muita coisa. Eram dadas em horas de folga, na sacristia, de pé e rapidamente, entre um batismo e um enterro. Ou então o vigário mandava chamá-lo depois do Angelus, quando não tinha de sair. Subiam então ao quarto do padre: os moscardos e as mariposas noturnas esvoaçavam ao redor da vela. Fazia calor, a criança dormia: e o vigário, cruzando as mãos sobre o ventre, não tardava a roncar também, de boca aberta. Outras vezes, quando o padre, de volta da visita a algum doente das cercanias, avistava Charles a andar à toa pela campina, dava-lhe um sermão de 15 minutos e aproveitava a ocasião para fazê-lo conjugar um verbo, ao pé de uma árvore. A chuva os vinha interromper, ou um conhecido que passava. Contudo, o vigário mostrava-se satisfeito com o aluno, dizia mesmo que o rapazinho tinha boa memória.

Charles não podia continuar assim. Madame foi enérgica. Envergonhado, ou talvez cansado, o marido cedeu sem resistência. Esperou-se ainda um ano para que o menino fizesse a primeira comunhão.

Seis meses se passaram ainda: e no ano seguinte Charles foi definitivamente mandado para o colégio em Rouen, para onde o levou o próprio pai, no fim de outubro, depois da feira de Saint-Romain.

Seria agora impossível a qualquer de nós lembrar-se dele. Era um menino de temperamento moderado, que brincava na hora de recreio, dedicava-se aos livros na hora de estudo, prestava atenção nas horas de aula, dormia bem no dormitório, comia bem no refeitório. Um comerciante de ferragens da rua Ganterie levava-o a passear uma vez por mês, aos domingos, depois de fechar a loja. Iam ao cais ver os navios e depois voltavam ao colégio, lá pelas sete horas, antes do jantar. Toda quinta-feira, à tardinha, escrevia à mãe uma longa carta, com tinta vermelha, fechada a lacre; depois passava a limpo os cadernos de história ou lia um velho volume do *Anacharsis*, que rolava pela estante. Nos passeios, conversava com o comerciante, que era do campo como ele.

De tanto aplicar-se, conseguia manter-se na média da classe; certa feita chegou mesmo a conquistar um primeiro lugar em história natural. No fim do terceiro período, seus pais tiraram-no do colégio para que estudasse medicina, achando que poderia chegar a diplomar-se.

A mãe arranjou-lhe um quarto na casa de um tintureiro conhecido. Fez as combinações para a pensão do rapaz, comprou-lhe móveis, uma mesa e duas cadeiras, fez transportar de casa uma cama velha e comprou ainda um fogão de lenha com a provisão de combustível que devia aquecer seu pobre filho. Partiu no fim da semana, depois de mil recomendações para que se portasse bem, agora que passaria a ser responsável por si mesmo.

O programa do curso, que leu no quadro de avisos, atordoou-o um pouco: cursos de anatomia, de patologia, de farmácia, de química, de botânica, de clínica, de terapêutica, sem contar a higiene. Nomes cujo significado ignorava e que eram portas de santuários cheios de trevas sagradas.

Não compreendia nada das aulas; pouco lhe adiantava prestar atenção, não conseguia penetrar a ciência. Mesmo assim, dedicava-se com afinco, copiando cadernos após cadernos. Seguia todos os cursos, não perdia uma só aula. Cumpria sua tarefa quotidiana como um cavalo de moinho, que gira incessantemente com os olhos vendados, sem tomar conhecimento da farinha que mói.

Para reduzir-lhe as despesas, a mãe remetia-lhe todas as semanas, pelo mensageiro, um pedaço de vitela cozido no forno, que era seu desjejum matinal. Depois ele corria às aulas, ao anfiteatro, ao hospital, voltando finalmente ao quartinho. À noite, depois do magro jantar que lhe fornecia o senhorio, subia novamente ao quarto e estudava, com as roupas molhadas que desprendiam vapor ao calor do fogão.

Nas belas noites de verão, na hora em que as ruas mornas ficavam vazias e as empregadas tagarelavam nas portas, ele abria a janela e debruçava-se. O rio, que fazia daquela parte de Rouen um arremedo infame de Veneza, corria embaixo, amarelo, violeta ou azul por entre as pontes. Os operários, acocorados nas margens, lavavam os braços nas águas. Nas cordas estendidas por sobre os sótãos, lençóis de algodão secavam ao vento. E, acima de tudo, além dos tetos, o céu se estendia, iluminado pelo sol poente. Como devia ser bom estar lá longe, como devia estar fresco sob os caramanchões! Charles abria as narinas como se pudesse aspirar os odores suaves do campo, que não chegavam até ele. Emagrecera, e seu rosto tomara uma expressão dolente que o tornava quase interessante.

Naturalmente, por descaso, acabou por esquecer todas as boas resoluções que tinha tomado. Certa feita, faltou à aula; no dia seguinte, não foi ao hospital; e pouco a pouco, saboreando a indolência, não voltou mais às aulas.

Passou a frequentar os cabarés, onde jogava dominó. Encerrar-se todas as noites num lugar público sujo, para jogar sobre as mesas de mármore com as peças de osso de carneiro marcadas de pontos negros, parecia-lhe uma atividade digna de sua liberdade, que o enchia de admiração por si mesmo. Era como a iniciação no mundo, o acesso aos prazeres proibidos. Ao entrar, tocava a maçaneta da porta com uma alegria quase sensual. Daí em diante, muitas coisas recalcadas em si se dilataram. Decorou as canções que as decaídas cantavam, iniciou-se na mistura de bebidas e finalmente conheceu o amor.

Graças a esses trabalhos preparatórios, foi reprovado sem apelação nos exames para o licenciado. Naquela mesma noite, esperavam-no em casa para comemorar o sucesso!

Partiu a pé e parou na entrada da aldeia, onde mandou chamar a mãe, a quem contou tudo. Ela o desculpou, lançando a culpa do fracasso na injustiça dos examinadores e animando-o um pouco, encarregando-se de ajeitar as coisas.

Monsieur Bovary só foi saber da verdade cinco anos mais tarde. Aceitou-a por ser já coisa velha e consumada, além de não poder compreender que um homem que dele descendia fosse um idiota.

Charles voltou então aos estudos e se preparou sem descanso nas matérias do exame, cujas perguntas decorou com antecedência. Passou com nota satisfatória. Que grande dia para sua mãe! Houve um grande jantar em homenagem ao novo médico.

Onde iria exercer sua profissão? Em Tostes. Lá só havia um velho médico. Madame Bovary esperava, havia muito, a morte do velho, e, nem bem terminado o enterro, já Charles se instalava como sucessor.

Mas não bastava ter criado o filho, feito dele um médico e descoberto Tostes para o exercício da profissão; faltava uma esposa. E foi ainda a mãe quem a encontrou: a viúva de um oficial de justiça de Dieppe, que tinha 45 anos e duzentas libras de renda.

Embora fosse feia, seca como um graveto e enrugada como uma passa, certamente madame Dubuc não tinha falta de pretendentes. Para conseguir seus objetivos, a mamãe Bovary foi obrigada a despachá-los todos e a destroçar até mesmo os esforços de um açougueiro que era apoiado pelos padres.

Charles entrevira no casamento a aurora de uma situação melhor, imaginando que seria mais livre para dispor de sua pessoa e de seu dinheiro. Mas a mulher era autoritária: ele só podia falar o que ela queria diante dos outros, tinha de fazer jejum às sextas-feiras, vestir-se como ela ordenava, perseguir por sua ordem os clientes que não pagavam. Ela abria suas cartas, observava-lhe os passos e chegava a escutar, por trás do tabique, as consultas que ele dava quando eram mulheres as pacientes.

Exigia chocolate todas as manhãs e cuidados sem-fim. Queixava-se sem cessar dos nervos, de dores no peito, de arrepios. O barulho de passos lhe fazia mal; se o marido saía, a solidão se lhe tornava atroz; se voltava, era para vê-la morrer, sem dúvida. À tarde, quando Charles voltava, ela retirava os braços magros de sob os lençóis e passava-os ao pescoço do marido, fazendo-o sentar-se na beira do leito e falando-lhe de suas tristezas: ele a esquecia, certamente amava outra! Bem lhe tinham dito que seria infeliz. E terminava pedindo um remédio para seus males e um pouco mais de amor.

II

Certa noite, cerca de 11 horas, despertaram com o barulho das patas de um cavalo que parava à porta. A empregada abriu o postigo e parlamentou durante algum tempo com um homem que lhe falava da rua. Vinha em busca do médico, com uma carta. Nastácia desceu as escadas resfolegando e abriu a porta, retirando as trancas. O homem largou o cavalo e, seguindo-a, entrou na casa. Tirou de dentro do boné de lã cinzenta uma carta e apresentou-a delicadamente a Charles, que se reclinou no travesseiro para melhor ler. Nastácia, junto à cama, segurava a lâmpada, enquanto Madame, por pudor, virara-se de costas.

A carta, selada com um pingo de lacre azul, suplicava ao dr. Bovary que seguisse imediatamente até a fazenda Bertaux para encanar uma perna quebrada. Ora, de Tostes a Bertaux eram umas boas seis léguas, passando por Longueville e Saint-Victor. A noite estava escura. Madame Bovary temia que seu marido sofresse algum acidente. Decidiu-se então que o empregado da cavalariça iria na frente. Charles partiria três horas mais tarde, quando a lua se erguesse. Um rapazinho da fazenda seria enviado a seu encontro para abrir-lhe as cancelas e guiar-lhe o caminho.

Cerca das quatro da manhã, Charles, bem enrolado em seu sobretudo, partiu para Bertaux. Ainda sonolento, deixava-se embalar pelo trote pacífico do cavalo. Quando o animal parava por conta própria diante dos buracos cercados de espinheiros ou à margem dos valados, Charles acordava sobressaltado, lembrava-se da perna quebrada e tratava de fazer voltar à memória as fraturas que conhecia. A chuva parara de cair; o dia se aproximava e nos galhos das macieiras desfolhadas os pássaros ficavam imóveis, eriçando suas peninhas ao vento frio da manhã. A campina plana estendia-se a perder de vista, e as moitas de árvores, em volta das fazendas, formavam, a intervalos, manchas de um violeta-escuro sobre aquela superfície cinzenta que se perdia no horizonte, confundindo-se com o céu. Charles, de quando em quando, abria os olhos; em seguida, presa novamente de sonolência fatigada, entrava numa espécie de beatitude em que, misturando suas sensações recentes com as recordações, se via como estudante e como homem casado, deitado na cama como ainda havia pouco ou entrando na sala de operações como no hospital. O odor morno dos cataplasmas misturava-se em sua mente com o perfume verde dos roseirais; ouvia o ranger dos leitos de ferro e o ressonar de sua esposa... Ao passar por Vassonville avistou, junto a uma vala, um rapazinho sentado na grama.

— O senhor é o médico? — perguntou o menino.

Diante da resposta de Charles, agarrou os tamancos e seguiu andando rapidamente à sua frente.

Enquanto caminhavam, Charles compreendeu, pelas palavras de seu guia, que monsieur Rouault deveria ser um fazendeiro dos mais prósperos. Quebrara a perna na véspera, ao voltar de uma visita a um vizinho. Era viúvo havia dois anos, e não tinha ninguém senão a "senhorita", que o ajudava a cuidar da fazenda.

As marcas de rodas tornavam-se mais profundas. Aproximavam-se de Bertaux. O pequeno guia, esgueirando-se então por um buraco na sebe, desapareceu, mostrando-se novamente pouco adiante para abrir a cancela. O cavalo escorregava na grama molhada; Charles abaixava-se para passar sob os galhos das árvores. Os cães de guarda ladraram, puxando pelas correntes. Ao entrar nos terrenos de Bertaux, o cavalo assustou-se e empinou.

A fazenda era de boa aparência. Nas cavalariças, pelas portas abertas, viam-se os vigorosos cavalos de trabalho que comiam tranquilamente em manjedouras novas. Ao longo dos edifícios estendiam-se as esterqueiras, de onde se evolava vapor; por entre galinhas e perus, passeavam cinco ou seis pavões, luxo dos galinheiros da região de Caux. O curral dos carneiros era enorme, os silos, altos e de paredes lisas. No barracão havia duas grandes charretes e quatro arados, com seus chicotes, arreios, enfim, com o equipamento completo, cujas mantas de lã azulada estavam cobertas de poeira que caía do teto. O terreno era em aclive, com árvores simetricamente espaçadas. O ruído agradável de um bando de gansos fazia-se ouvir junto ao lago.

Uma moça vestida de lã azul com três saias apareceu à soleira da porta para receber monsieur Bovary, levando-o para a cozinha, onde ardia um belo fogo. O almoço dos empregados fervia em redor, em pequenos potes de barro de formato desigual. Roupas úmidas secavam no interior da chaminé. A pá do fogo, as pinças e o bico do fole, todos de proporções colossais, brilhavam como aço polido, enquanto ao longo das paredes se espalhava uma abundante bateria de cozinha em que se refletia desigualmente a chama clara da lareira, misturando-se com os primeiros raios do sol que atravessavam as janelas.

Charles subiu para ver o doente. Encontrou-o na cama, suando sob as cobertas, e tendo já atirado para longe de si o barrete de algodão. Era um homem baixo e gordo de uns cinquenta anos, pele branca, olhos azuis, calvo na parte anterior da cabeça, com brinco nas orelhas. A seu lado, sobre uma cadeira, havia uma grande garrafa de aguardente de que se servia de vez em quando para criar coragem; mas, ao ver chegar o médico, sua disposição desapareceu e, em vez de praguejar como vinha fazendo havia 12 horas, passou a gemer debilmente.

A fratura era simples, sem qualquer complicação. Charles não poderia imaginar trabalho mais fácil. Em seguida, lembrando-se das maneiras de seus mestres à cabeceira dos doentes, confortou o paciente com toda espécie de palavra de consolo e carícias cirúrgicas que são como o óleo lubrificante dos bisturis. Para improvisar as talas, mandou buscar pequenas ripas, escolheu algumas e poliu-as com um pedaço de vidro, enquanto uma empregada cortava tiras de pano para as ataduras e mademoiselle Emma tratava de costurar almofadas. Como demorou a encontrar o estojo de costura, o pai impacientou-se. Ela nada respondeu, mas picou o dedo com a agulha enquanto cosia, levando-o à boca para limpar o sangue.

Charles admirou a brancura de suas unhas. Eram brilhantes, finas na ponta, mais limpas que os marfins de Dieppe e talhadas em forma de amêndoa. A mão não era tão bela, um pouco pálida demais, talvez, e enrugada nas falanges. A moça era esbelta, mas sem muita suavidade nas linhas. O que tinha de mais belo eram os olhos; embora fossem castanhos, pareciam negros por causa dos cílios longos, e seu olhar era franco e com um atrevimento cândido.

Pronta a atadura, o médico foi convidado pelo próprio monsieur Rouault a comer qualquer coisa antes de partir.

Charles desceu à sala, ao rés do chão. Dois lugares, com talheres de prata, estavam postos em uma mesinha, junto a um grande divã coberto com uma colcha com bordados que representavam figuras turcas. Um perfume de flores e de panos úmidos evolava-se do grande armário de carvalho fronteiro à janela. No chão, pelos cantos, arrumavam-se pilhas de sacos de trigo. O silo vizinho estava cheio demais e comunicava-se com a sala por degraus de pedra. Para decorar a peça, havia na parede, cuja pintura verde já se desfazia, uma cabeça de Minerva desenhada a *crayon* e emoldurada em dourado, em cuja parte inferior se lia a seguinte inscrição em letras maiúsculas: "A MEU QUERIDO PAPAI".

Falaram inicialmente do doente, depois do tempo, do inverno frio, dos lobos que corriam pelos campos à noite. Mademoiselle Rouault não gostava do campo, especialmente agora que teria de ficar praticamente sozinha para cuidar da fazenda. A sala estava fresca e ela estremecia ao comer, mostrando um pouco os lábios carnudos que tinha o costume de mordiscar nos momentos de silêncio.

Seu pescoço surgia do colo branco e bem-feito. Os cabelos, cujos dois lados negros pareciam, cada qual, um pedaço separado, tão lisos eram, ficavam divididos no alto da cabeça por uma lista fina, que afundava ligeiramente seguindo a curvatura do crânio. Deixando apenas entrever a ponta da orelha, iam confundir-se atrás da cabeça num coque abundante, ondulado em direção às têmporas, que o médico notava pela primeira vez. As maçãs do rosto eram róseas. Trazia, como um homem, passado entre dois botões da blusa, um *lorgnon* de tartaruga.

Quando Charles, depois de subir para despedir-se do velho Rouault, passou pela sala novamente, antes de partir, encontrou-a de pé, a fronte colada à janela, olhando para a horta, onde os suportes dos pés de vagens haviam sido jogados por terra pelo vento. Emma voltou-se.

— Procura alguma coisa? — perguntou ela.

— Minha chibata — respondeu ele —, por favor.

Ela começou a procurar sob o divã, atrás das portas, embaixo das cadeiras. A chibata caíra ao chão, por entre os sacos, junto à parede. mademoiselle Emma avistou-a e debruçou-se sobre os sacos de trigo. Charles, por delicadeza, precipitou-se e, como estendera também o braço no mesmo movimento, sentiu seu peito roçar as costas da moça, curvada sob ele. Ela ergueu-se, enrubescida, olhando-o por cima do ombro e estendendo-lhe o chicote de couro de boi.

Em lugar de voltar a Bertaux três dias depois, como prometera, Charles foi novamente no dia seguinte, e depois regularmente duas vezes por semana, sem contar as visitas inesperadas que fazia de vez em quando, como por acaso.

Tudo, aliás, corria bem; a cura seguia o curso normal, e, quando depois de 46 dias se viu o pai Rouault tentando andar sozinho em seu quarto, monsieur Bovary passou a ser considerado um grande médico. O pai Rouault dizia que não poderia ter sido mais bem tratado mesmo pelos melhores médicos de Yvetot ou de Rouen.

Quanto a Charles, nem se preocupava em perguntar a si mesmo de onde provinha o prazer que lhe dava ir a Bertaux. Talvez tivesse imaginado que aquilo se devia à gravidade do caso, ou então ao pagamento que esperava. Seria por isso, entretanto, que as visitas à fazenda constituíam, nas pobres ocupações de sua vida, uma encantadora exceção? Naqueles dias levantava-se cedo, partia a galope, desmontando para limpar os pés na grama molhada e calçar as luvas antes de entrar. Gostava de ver-se chegar ao terreiro, sentir às costas a cancela que se fechava, ouvir o galo que cantava e as crianças que vinham ao seu encontro. Gostava do pai Rouault, que lhe afagava as mãos chamando-o de seu salvador; gostava de ouvir os passos de mademoiselle Emma no assoalho lavado da cozinha. Os saltos altos faziam-na mais alta, e, quando ela caminhava à frente dele, as solas de madeira, erguendo-se com rapidez, batiam com um ruído seco.

Ela o levava sempre até o primeiro degrau da escada. Enquanto não lhe traziam o cavalo, ela ficava com ele. Já se tinham despedido e não falavam mais; o vento erguia os cabelos curtos da nuca da moça ou fazia esvoaçar as pontas do avental, que dançavam como bandeirolas. Uma vez, no inverno, quando a casca das árvores do terreiro deixava escapar resina e a neve nos telhados se fundia, ela estava de pé à soleira da porta e foi buscar o guarda-chuva de Charles, abrindo-o. A seda transparente permitia que o sol iluminasse sua pele branca com reflexos móveis; Emma sorria sob o guarda-chuva, enquanto as gotas de neve derretida, uma a uma, tombavam sobre o tecido distendido.

Desde os primeiros tempos em que Charles passara a frequentar Bertaux, madame Bovary não cessava de pedir notícias do doente, e chegara a separar para monsieur Rouault uma bela página em branco do livro de contabilidade. Mas, quando soube que o velho tinha uma filha, procurou informar-se. Ficou sabendo que mademoiselle Rouault, que fora interna do convento das Ursulinas, recebera, como se costuma dizer, uma bela educação, sabia dançar, conhecia geografia e desenho e aprendera a bordar e a tocar piano. Aquilo era o cúmulo!

— Então é por isso — dizia ela — que ele fica tão contente quando vai vê-la e veste o colete novo, arriscando-se a estragá-lo na chuva? Ah, essa mulher, essa mulher...

Passou a detestá-la instintivamente. Primeiro, vingou-se por meio de indiretas. Charles não compreendeu. Depois passou a alusões rápidas, que ele deixava passar por temer uma tempestade; e finalmente atacou com interpelações candentes, às quais ele não sabia o que responder. Por que continuava ele a ir a Bertaux, agora que monsieur Rouault estava curado e, além disso, não tinha ainda pago? Ah! É que lá havia alguém, alguém que sabia conversar, bordar, que tinha espírito. Era disso que ele gostava: moças da cidade! E ela continuava:

— A filha do pai Rouault, uma moça da cidade! Essa é boa! Fique sabendo que o avô dela era pastor, e que eles têm um primo que quase foi processado por tribunais. Ela não precisava se exibir tanto aparecendo de vestido de seda aos domingos na igreja, como uma condessa. E o velho, coitado, se não fosse a boa colheita do ano passado, estaria em dificuldade para pagar as contas atrasadas!

Por indolência, Charles deixou de ir a Bertaux. Heloise fizera-o jurar que lá não voltaria, jurar com a mão sobre o missal, depois de uma crise de soluços e de beijos numa grande explosão de amor. Ele obedeceu; mas a força de seu desejo protestou contra o servilismo de sua conduta, e uma espécie de hipocrisia ingênua passou a acreditar que essa proibição de vê-la fosse para ele como um direito de amá-la. E, além disso, a viúva emagrecia, tinha os dentes longos e trazia em qualquer estação um xale negro sobre os ombros, cuja ponta lhe descia entre as omoplatas; estava sempre metida em vestidos que a envolviam como uma bainha a uma faca, curtos demais, mostrando-lhe os tornozelos sob as meias cinzentas.

A mãe de Charles vinha visitá-los de vez em quando, mas depois de alguns dias a nora começava de cochichos com a sogra e então as duas mulheres, como dois aguilhões, passavam a espicaçá-lo com suas observações e reflexões. Ele comia demais! Por que será que oferecia sempre bebida ao primeiro que entrasse em casa? E teimava em não vestir agasalhos de flanela!

Aconteceu que no começo da primavera um tabelião de Ingouville, depositário do dinheiro da viúva Dubuc, fugiu para o exterior levando consigo todo o ouro de seus clientes. Heloise, na verdade, possuía ainda, além de títulos avaliados em seis mil francos, a casa da rua Saint-François. Mas o fato era que, de toda aquela fortuna de que se tinha falado em altos brados, nada, a não ser alguns móveis e pratos, havia aparecido na casa. Era preciso esclarecer o assunto. A casa de Dieppe estava enterrada em hipotecas até o teto; o que estivera depositado com o tabelião somente Deus sabia agora, e os títulos não excediam mil escudos. A mulher mentira sobre suas posses. Em sua exasperação, monsieur Bovary pai, atirando e espatifando uma cadeira contra o chão, acusou a mulher de haver feito a infelicidade do filho, amarrando-o a uma égua magra, cujos arreios não lhe valiam a pele. Foram ambos a Tostes. Houve explicações. Houve cenas. Heloise, em prantos, lançando-se aos braços do marido, suplicou-lhe que a defendesse dos sogros. Charles fez menção de defendê-la; seus pais se zangaram e partiram.

Mas o golpe estava dado. Oito dias depois, enquanto estendia roupa no quintal, teve um acesso de tosse e escarrou sangue. No dia seguinte, quando Charles estava de costas, fechando a cortina da janela, ela falou de repente:

— Ah, meu Deus! — Suspirou e desmaiou. Estava morta! Que coisa inesperada!

Quando tudo terminou no cemitério, Charles voltou à casa. Não havia ninguém no andar térreo. Subiu ao primeiro andar, entrou no quarto, viu o vestido dela ainda pendurado no cabide. Encostando-se então à secretária, deixou-se ficar até a noite perdido numa alucinação dolorosa. Ela o amara, apesar de tudo.

III

Certa manhã o pai Rouault foi levar a Charles o pagamento pela cura da perna: 75 francos em peças de quarenta *sous* e uma perua. Soubera da desgraça e procurou consolar o médico.

— Eu sei o que é isso! — dizia o velho, batendo-lhe nas costas. — Sofri o mesmo. Quando perdi minha pobre mulher, costumava caminhar pela campina para ficar só; deixava-me cair ao pé das árvores, chorava, clamava a Deus, dizia-Lhe coisas loucas. Desejava ser como um animal comido por vermes, morto, enfim. E, quando pensava que outros homens, naqueles momentos, estavam com suas mulheres junto a si, abraçadas, batia na terra com meu bastão. Cheguei quase a ficar louco, já não comia e tinha náuseas só em pensar no café. Pois bem, lentamente, com o passar do tempo, tudo foi melhorando, pouco a pouco. Sempre ficou alguma coisa, no fundo, assim, como um peso no coração. Mas esse é o destino de todos nós, e não vale a pena desesperar nem desejar morrer porque outros morreram... É preciso esquecer, monsieur Bovary; isso passará! Venha ver-nos; minha filha de vez em quando pensa no senhor e diz que o senhor se esqueceu dela. Em pouco virá a primavera, e nós vamos assar um coelho para distraí-lo.

Charles seguiu o conselho. Voltou a Bertaux. Encontrou tudo como estava cinco meses antes. As pereiras estavam floridas, e o velho Rouault, já de pé, ia e vinha, animando a fazenda.

Achando ser de seu dever dispensar ao médico o máximo possível de polidez, por causa do transe doloroso por que passara, rogou-lhe que não descobrisse a cabeça, falando em voz baixa como se ele estivesse doente e fingindo mesmo zangar-se porque não haviam sido preparados para ele pratos mais leves do que os postos na mesa, como potes de creme ou peras cozidas. Contou histórias; Charles surpreendeu-se a rir, mas a lembrança de sua esposa, voltando-lhe de repente, escureceu-lhe o semblante. Ao vir o café, porém, esqueceu-se completamente.

Cada vez pensava menos naquilo, à medida que se habituava a viver só. O sentimento novo de independência logo lhe tornou a vida mais suportável. Podia agora mudar as horas de suas refeições, entrar e sair sem dar explicações e, quando estava cansado, estender--se tomando toda a cama. Assim, tratava-se com carinho e aceitava os pêsames que lhe davam. Além disso, a morte da mulher não lhe atrapalhava a vida funcional; até pelo contrário, pois durante um mês toda a população repetira:

— Coitado! Que infelicidade!

Seu nome espalhara-se, sua clientela crescera. Podia ir a Bertaux com toda a tranquilidade. Tinha uma esperança, sem objetivo, uma felicidade vaga; achava-se mais elegante cofiando as suíças diante do espelho.

 Chegou um dia à fazenda cerca de três horas. Todos estavam no campo. Entrou na cozinha, mas não viu Emma. As janelas estavam fechadas; pelas fendas da madeira, o sol lançava no chão estreitas faixas amarelas que se quebravam nos ângulos dos móveis e tremiam no teto. As moscas na mesa subiam nos copos servidos e zumbiam ao afogar-se na sidra que ficara no fundo. Entre a janela e a lareira, Emma cosia. Não trazia xale e sobre as espáduas nuas apareciam gotinhas de suor.

 Seguindo a tradição do campo, ela lhe ofereceu de beber. Charles recusou, ela insistiu e finalmente propôs, rindo, que ele tomasse com ela um copo de licor. Foi procurar no armário uma garrafa, trouxe dois cálices, encheu um até a borda e o outro, muito pouco. Brindou e levou-o à boca. Como estava quase vazio, virou-se para engolir; e, com a cabeça para trás, os lábios distendidos, o pescoço tenso, ria-se ao beber, enquanto sua língua, passando entre os dentes, sorvia lentamente o líquido do fundo do cálice.

 Depois se sentou e retomou a costura, que era uma meia de algodão branco para remendar. Trabalhava de cabeça baixa, sem falar. Charles igualmente nada dizia. O vento, passando sob a porta, lançava um pouco de poeira sobre o assoalho. Charles observava-a, ouvindo apenas as batidas secretas de seu coração e os gritos das aves no terreiro. Emma de vez em quando refrescava o rosto, passando nele a palma das mãos depois de segurar o aço frio dos suportes da lareira.

 Queixava-se de sentir, desde o início da estação, vertigens e tonteiras e queria saber se banhos de mar lhe fariam bem. Depois, ela começou a falar do convento e Charles, de seu colégio. Palestraram animadamente. Emma levou o médico a seu quarto, mostrou-lhe seus antigos cadernos de música, os livros que ganhara de prêmio e as coroas de folhas de carvalho, agora abandonadas num armário.

Falou-lhe de sua mãe, do cemitério, chegando a mostrar-lhe no jardim o canteiro onde colhia flores toda primeira sexta-feira de cada mês, para colocar no túmulo. Mas o jardineiro da fazenda não entendia de nada; era-se tão malservido nesses tempos! Ela gostaria de morar na cidade, nem que fosse durante o inverno, embora o comprimento dos dias tornasse, sem dúvida, o verão mais tedioso. Conforme o que dizia, sua voz apresentava-se ora clara, ora aguda, ou langorosa de repente, com modulações que terminavam quase em murmúrios, como se falasse consigo mesma; às vezes alegre, arregalando os olhos ingênuos, às vezes cerrando as pálpebras, com o olhar cheio de aborrecimento, o pensamento divagando.

À tardinha, ao partir, Charles recordou uma a uma as frases que ela dissera, procurando completar-lhes o sentido, a fim de identificar-se com o tempo em que não a conhecia ainda. Mas não conseguia vê-la em seu pensamento de modo diferente daquele em que a vira da primeira vez ou tal como acabara de deixá-la, ainda havia pouco. Depois se perguntou o que aconteceria a ela, se é que se casaria, e com quem. Ora! O pai Rouault era bem rico e ela, tão bonita! O rosto de Emma voltava a colocar-se diante de seus olhos, e algo monótono como o zumbido de um inseto repetia a seus ouvidos: "E se tu te casasses? Se te casasses?"

Naquela noite não dormiu, com a garganta apertada, sentindo sede. Levantou-se para beber água e abriu a janela; o céu estava coberto de estrelas, um vento morno soprava e cães ladravam ao longe. Voltou a cabeça em direção a Bertaux.

Achando que afinal de contas não arriscava nada, Charles prometeu a si mesmo que faria o pedido quando a ocasião se apresentasse; mas, cada vez que se oferecia uma oportunidade, o medo de não encontrar as palavras convenientes selava-lhe os lábios.

O pai Rouault não se zangaria se alguém lhe levasse a filha, que não era muito útil na casa. Desculpava-a, interiormente, achando que a moça tinha muito espírito para ser, como ele, simples agricultora, ocupação sem dúvida maldita, pois não há agricultores milionários. Longe de estar rico, o velho perdia dinheiro todos os anos, e cada vez o ofício lhe agradava menos. Não tirava as mãos dos bolsos com muita boa vontade, mas também não poupava nas despesas para seu conforto, pois gostava de estar bem alimentado, bem-vestido, bem repousado. Gostava de sidra grossa, dos pernis de carneiro sangrentos, dos confeitos. Comia na cozinha, a sós, numa mesinha que mandava trazer já servida, como no teatro. Logo que percebeu que Charles se interessava por sua filha, começou a meditar sobre o assunto. Achava o médico um tanto insignificante, não era lá um genro como sonhara; mas dizia-se que se portava bem, que era econômico, instruído e, além disso, ele certamente não especularia muito sobre o dote. Ora, como o pai Rouault ia ter de perder 22 acres de suas terras, como devia dinheiro ao pedreiro, disse para si mesmo:

— Se ele pedir, eu a dou.

Na época das festas de São Miguel, Charles foi passar três dias em Bertaux. O último dia passou como os precedentes, lentamente. Na partida, o pai Rouault levava-o pela alameda, antes de se despedirem. Era a ocasião. Charles caminhou até junto a sebe, e enfim, quando a ultrapassava, murmurou:

— Pai Rouault, preciso dizer-lhe uma coisa.

Pararam. Charles calou-se.

— Mas diga-me o que deseja! Como se eu já não adivinhasse...! — disse o pai Rouault, sorrindo um pouco.

— Pai Rouault... Pai Rouault... — balbuciou Charles.

— Não poderia desejar coisa melhor — continuou o fazendeiro. — Embora acredite que a pequena concorde comigo, será preciso perguntar também a ela. Espere aqui; vou voltar até a casa. Se a resposta for sim, o senhor não precisará voltar, e, além disso, ela poderá emocionar-se. Mas, para que não se mortifique, baterei com toda a força a janela contra a parede; o senhor poderá vê-la por sobre a sebe.

E afastou-se.

Charles amarrou o cavalo a uma árvore e esperou. Passou-se meia hora, depois mais 19 minutos de relógio. De repente se ouviu o barulho de algo que batia na parede; a janela abrira-se com estrondo, o fecho tremia ainda.

* * *

No dia seguinte, chegou à fazenda cerca das nove horas da manhã. Emma enrubesceu quando ele entrou, esforçando-se por sorrir. O pai Rouault beijou o futuro genro. Passaram a conversar sobre as providências necessárias. Havia bastante tempo para tudo, pois o casamento não poderia realizar-se antes do fim do luto de Charles, isto é, na primavera do ano seguinte.

Passou-se o inverno naquela espera. Mademoiselle Rouault cuidou de seu enxoval. Parte foi encomendada em Rouen; ela confeccionou camisolas e toucas de dormir tirando moldes de figurinos. Nas visitas que Charles fazia à fazenda, conversavam sobre os preparativos da boda: como seria o jantar, quantos pratos, que iguarias.

Emma tinha desejado casar-se à meia-noite, sob a luz de tochas, mas o pai Rouault não queria saber de fantasias. Houve, pois, uma cerimônia a que compareceram 43 pessoas; permaneceu-se 16 horas à mesa recomeçando a festa no outro dia e também nos dias seguintes.

IV

Os convidados chegaram cedo em suas charretes, em carroças de um cavalo, em velhos cabriolés sem capota, alguns em carroças grandes em que tinham de ficar de pé, apoiados nos lados e sacudidos pelo trote dos cavalos. Vinham de um raio de duas léguas em torno, de Goderville, de Normanville e de Cany. Haviam sido convidados todos os parentes das duas famílias, reconciliando-se com amigos com quem se tinha brigado, escrevendo a conhecidos havia muito perdidos de vista.

De vez em quando a cancela se abria e uma charrete entrava. Galopando até o primeiro degrau da escada e aí parando repentinamente, a charrete esvaziava-se. Todos saíam esfregando os joelhos e estirando os braços. As mulheres, de chapéu, vestiam-se à moda da cidade, com relógios de pulseira de ouro e capas cruzadas na cintura, ou echarpes coloridas presas às costas com alfinetes e que lhes descobriam a nuca. As crianças, vestidas à semelhança dos pais, pareciam incomodadas pelas roupas novas (muitas calçavam naquele dia o primeiro par de sapatos na vida). Ao lado deles, sem dizer palavra, no vestido branco da primeira comunhão, aumentado para a ocasião, via-se uma ou outra menina maior, mocinhas de 14 ou 16 anos, primas ou irmãs mais velhas sem dúvida, coradas, com pomada de rosa nos cabelos e temerosas de sujar as luvas.

Como não havia empregados suficientes para desatrelar as charretes, os homens arregaçavam as mangas e punham-se a trabalhar. Segundo as diversas posições sociais, as vestimentas variavam muito: sobretudos, cercados da consideração de toda uma família e que não saíam dos baús senão nas grandes solenidades; casacos de abas que flutuavam ao vento, de corpo cilíndrico e bolsos amplos como sacos; coletes de panos grossos, com dois botões às costas, muito juntos, como dois olhos, e cujos lados pareciam ter sido cortados em um só bloco, como pelo machado de um lenhador. Ainda outros (e esses certamente jantariam nos lugares de honra, à mesa) vestiam roupas de cerimônia, com camisas de colarinho virado sobre as espáduas, costas pregueadas e cintura muito justa.

E as camisas eram engomadas como couraças! Todos haviam cortado os cabelos, as orelhas pareciam afastar-se das cabeças, as barbas estavam todas escanhoadas; alguns até, que se tinham levantado antes da aurora e que não tinham podido barbear-se com luz suficiente, mostravam esparadrapos em diagonal sob o nariz ou no queixo, ou arranhões na pele, largos como moedas de três francos, que o ar fresco da estrada enrubescera e que marcavam de manchas rosadas aqueles rostos brancos.

A pretoria ficava a cerca de meia légua da fazenda, e por isso foram todos a pé e voltaram da mesma forma, depois da cerimônia na igreja. O cortejo, a princípio unido como uma só fita de cor que ondulava na campina, ao longo do caminho estreito entre as plantações verdes de trigo, logo se fracionou em grupos diferentes, que se retardavam a conversar. O menestrel ia à frente com o violino enfeitado de fitas. Os noivos vinham em seguida, depois os pais, os parentes, os amigos misturados e finalmente as crianças, que se deixavam ficar, arrancando os brotos de aveia ou brigando às escondidas. O vestido de Emma, comprido demais, arrastava um pouco. De vez em quando ela se abaixava para puxá-lo e então, delicadamente, com os dedos enluvados, retirava as ervas que tinham ficado presas, enquanto Charles, de mãos vazias, esperava que ela acabasse. O pai Rouault, de chapéu de seda novo à cabeça e com as mangas do casaco preto cobrindo-lhe as mãos até as pontas dos dedos, dava o braço à mãe de Charles. Quanto ao Bovary pai, que no íntimo desprezava toda aquela gente, e viera vestido simplesmente com um casaco de botões retos e corte militar, prodigalizava galanterias a uma jovem camponesa loura. Ela se curvava, enrubescia, sem saber o que responder. Os outros convidados palestravam sobre os mais diversos assuntos ou antegozavam os divertimentos. Quem prestasse atenção poderia ouvir o som do violino que continuava a gemer na campina. Quando o menestrel percebia que tinha deixado para trás o cortejo, parava para recobrar o fôlego e encerava a crina do arco, a fim de que as cordas gemessem melhor, e retomava a marcha, baixando e levantando o braço do instrumento para marcar o compasso. O barulho fazia os pássaros levantarem voo de longe.

A mesa fora posta sob o telheiro das charretes. Havia quatro lombos, seis galinhas ensopadas, vitela de caçarola, três pernis de carneiro e, no meio da mesa, um belo leitão assado, rodeado de linguiças. Nos cantos, as garrafas de aguardente e licor. A sidra doce mostrava a espuma nos bordos das garrafas e pipas, e todos os copos tinham sido enchidos previamente de vinho até em cima. Grandes pratos de gelatina amarela, que estremeciam à toa, ao menor choque na mesa, exibiam as iniciais dos recém-casados em letras arabescadas com confeitos sobre a superfície. Um confeiteiro fora chamado de Yvetot para preparar as tortas e os doces. Como era novo na região, o homem caprichara. Chegou a trazer, na sobremesa, pessoalmente, um bolo enfeitado que arrancou gritos de aplauso. A base era um quadrado de papelão azul, representando um templo com pórticos, colunatas e estatuetas de estuque ao redor de nichos constelados de estrelas de papel dourado; no segundo andar um castelo feito de bolo da Savoia, circundado de fortificações de amêndoas, passas secas e quartos de laranja; e enfim, na plataforma superior, uma pradaria verde com rochedos e lagos de confeitos em que vogavam barquinhos de casca de noz e onde se via um pequeno Cupido balançando-se em um trapézio de chocolate, cujos travessões terminavam em dois botões naturais de rosa no topo.

 Comeu-se até a noite. Quando alguém se cansava de estar sentado, levantava-se para passear pelo terreiro ou jogar uma partida de bochas na granja, voltando depois à mesa. Alguns, já no fim, adormeceram roncando. Mas ao café tudo se reanimou; cantaram-se canções, organizaram-se torneios de força, carregaram-se pesos, tentaram erguer charretes, contaram-se anedotas e beijaram-se as mulheres. À noite, para partir, os cavalos empanturrados de aveia até as narinas custaram a entrar nos varais. Pularam, empinaram, partindo os arreios. Os donos riam ou praguejavam; e durante toda a noite, ao luar, pelas estradas da região, correram charretes a galope, sacolejando nos valados, saltando sobre as pedras, com mulheres que se debruçavam para pegar as alças de segurança.

Os que ficaram em Bertaux passaram a noite a beber na cozinha. As crianças adormeceram nos bancos.

Emma suplicara ao pai que a poupasse das brincadeiras tradicionais. Mesmo assim, um dos primos afastados (que, por ser pescador, trouxera dois peixes como presente de casamento) começou a soprar água pelo buraco da fechadura, quando o pai Rouault chegou mesmo a tempo de impedi-lo, explicando que a grave posição do genro não permitia tais inconveniências. O primo, entretanto, custou a ceder ante aquela razão. No íntimo, acusou o pai Rouault de orgulhoso e foi juntar-se num canto a quatro ou cinco outros convidados que, por terem sido acidentalmente malservidos durante a refeição, consideravam-se também destratados e cochichavam injúrias contra o anfitrião, desejando sua ruína nos negócios.

Madame Bovary mãe não abriu a boca durante todo o dia. Não tinha sido consultada sobre a toalete da noiva nem sobre a festa; por isso partiu cedo. Seu marido, em vez de acompanhá-la, mandou buscar charutos em Saint-Victor e fumou até a madrugada, tomando goles de *kirsch*, bebida desconhecida dos demais, o que serviu para torná-lo alvo ainda de maior consideração.

Charles, por não ser de temperamento comunicativo, não brilhara na festa. Respondera mediocremente aos trocadilhos, piadas, palavras de duplo sentido, felicitações e cumprimentos que todos lhe dirigiam.

No dia seguinte, entretanto, parecia outro homem. Seria possível tomá-lo pela virgem da véspera, enquanto a noiva não demonstrava nada que deixasse adivinhar qualquer coisa. Os mais maliciosos não sabiam o que dizer e observavam-na, quando ela passava por perto, com curiosidade exagerada. Mas Charles não dissimulava. Chamava-a "minha mulher", tratava-a com intimidade, perguntava a todos por ela, procurava-a, levando-a muitas vezes para os terreiros, onde era visto abraçando-a e caminhando com a cabeça curvada muito junto à dela, amarrotando-lhe a blusa.

Dois dias depois do casamento, os recém-casados partiram; Charles não podia permanecer mais tempo longe de seus doentes. O pai Rouault emprestou-lhe sua charrete e acompanhou-o pessoalmente até Vassonville. Lá beijou a filha mais uma vez, saltou e voltou pelo caminho. Depois de andar cerca de cem passos, virou-se e viu a charrete que se afastava, com as rodas levantando poeira. O pai Rouault suspirou profundamente. Depois, lembrou-se de seu próprio casamento, dos tempos antigos, da primeira gravidez de sua mulher. Recordou como estava contente no dia em que a levara da casa do pai, a cavalo por sobre a neve, pois fora perto do Natal e a campina estava coberta por um manto branco. Ela lhe dava um braço, segurando com o outro sua bolsa enquanto o vento agitava o penteado típico da região de Caux, soprando-lhe os cabelos às vezes até a boca. Virando a cabeça ele a via ali, tão perto dele, o rosto pequeno e rosado encostado em seu ombro, sorrindo silenciosamente. Para esquentar as mãos, ela as colocava, de vez em quando, sobre o peito do marido. Como se passara o tempo, desde então! O filho que haviam perdido teria agora trinta anos! O pai Rouault olhou mais uma vez e já não viu mais nada na estrada. Sentiu-se triste como uma casa sem mobília; as lembranças ternas misturavam-se aos pensamentos melancólicos em seu cérebro obscurecido pelos vapores do álcool, e ele teve vontade, por um momento, de dar um pulo até a igreja. Temendo, entretanto, que essa visita o entristecesse ainda mais, voltou diretamente para casa.

Monsieur e madame Charles Bovary chegaram a Tostes cerca das seis horas. Os vizinhos foram para as janelas a fim de ver a nova esposa do médico.

A velha empregada apresentou-se, saudou-os, pediu desculpas porque o jantar ainda não estava pronto e sugeriu à madame, enquanto esperava, que viesse conhecer sua casa.

V

A fachada de tijolos ficava exatamente sobre o alinhamento da rua, ou melhor, da estrada. Atrás da porta estavam pendurados um sobretudo de gola e um boné de couro negro; e num canto, no chão, um par de botas ainda cobertas de lama seca. À direita ficava a sala, isto é, o cômodo onde se comia e que era também sala de estar. O papel de parede era amarelado e rematado no alto por uma guirlanda de flores pálidas. As cortinas brancas, bordadas com um galão vermelho, entrecruzavam-se ao longo das janelas, e, sobre a prateleira da lareira, via-se um relógio com a cabeça de Hipócrates, entre dois lampiões de prata cujos globos tinham forma oval. Do outro lado do corredor ficava o consultório de Charles, pequeno aposento de seis passos de largura, com uma mesa, três cadeiras e uma poltrona de couro. Os volumes do *Dicionário de ciências médicas*, ainda não abertos, mas cujas capas mostravam os sinais das vendas sucessivas pelas quais tinham passado, tomavam conta, quase que sozinhos, das seis prateleiras de uma estante de madeira. O aroma dos temperos atravessava a parede, do mesmo modo que na cozinha, durante as consultas, podia-se ouvir os doentes tossirem no consultório e desfiarem o rosário de seus males. Em seguida, abrindo diretamente para o quintal, onde estava a cavalariça, vinha uma peça grande e malconservada que tinha um forno e que servia atualmente de despensa, celeiro e depósito. Estava cheia de velhas ferragens, tonéis vazios, instrumentos agrícolas imprestáveis e vários outros objetos empoeirados cuja utilidade era impossível definir.

O jardim, mais comprido que largo, era limitado por muros de argila, cobertos de trepadeiras, e ia até uma sebe de espinheiros que o separava dos campos. Tinha no centro um relógio de sol de ardósia sobre um pedestal de alvenaria. Quatro canteiros rodeavam simetricamente a horta. No fundo, sob a cerca-viva, um padre de alvenaria lia seu breviário.

Emma subiu aos quartos. O primeiro não estava mobiliado, mas o segundo, que era o quarto conjugal, tinha uma cama de acaju enfeitada com cortinados vermelhos. Uma caixa revestida de conchas decorava a cômoda. Sobre a secretária, junto à janela, estava numa garrafa um buquê de flores de laranjeira amarrado com fitas de cetim branco. Era um buquê de noiva, o buquê da outra! Charles percebeu-o, apanhou a garrafa e levou-a para o sótão, enquanto Emma, sentada numa poltrona (sua bagagem estava sendo colocada à sua volta) sonhava com seu buquê de noiva, que estava encerrado numa caixa, e perguntava-se, num devaneio, o que seria feito dele se por acaso viesse a morrer.

Ocupou os primeiros dias no planejamento das modificações na casa. Tirou os globos dos lampiões, mandou colar papéis novos nas paredes, repintar a escada e fazer bancos no jardim, em toda a volta do relógio de sol. Chegou a informar-se das providências para construir um lago com esguicho e peixinhos. Enfim, o marido, sabendo que ela gostava de passeios, encontrou uma charrete de ocasião, que, depois de reformada, com lanternas novas e cobertura de couro picotado, assemelhava-se até mesmo a um tílburi.

Charles estava, pois, feliz e sem preocupações. Uma refeição a sós, um passeio à tarde pela estrada, um gesto da mão dela em seus cabelos, a visão do chapéu de palha no peitoril de uma janela, essas e muitas outras coisas, nas quais Charles nunca sonhara encontrar prazer, compunham agora a continuidade de sua felicidade. Na cama, de manhã, lado a lado sobre o travesseiro, ele contemplava a luz do sol iluminar-lhe o rosto corado, meio encoberto pela touca. Vistos tão de perto, os olhos de Emma pareciam-lhe maiores; especialmente quando ela piscava muitas vezes ao acordar. Negros na sombra e de um tom azul-escuro durante o dia, aqueles olhos tinham como que camadas de cores sucessivas, mais espessas no fundo e que se tornavam claras na superfície da pupila. Os olhos de Charles perdiam-se naquelas profundezas e ele se via refletido ali até os ombros, com a camisa de dormir entreaberta. Levantava-se então. Ela se punha à janela para vê-lo partir e deixava-se ficar debruçada no peitoril, entre dois vasos de gerânios, vestida de penhoar largo em volta do corpo. Charles, na rua, afivelava as esporas, e ela continuava a falar-lhe lá de cima, arrancava com a boca alguma pétala de flor que atirava para ele, girando, sustendo-se no ar, fazendo semicírculos como um pássaro para, finalmente, antes de cair, prender-se na crina mal penteada do jumento branco parado à porta. Charles, já montado, soprava-lhe um beijo a que ela respondia com um sinal, fechando a janela. Ele partia. E então, pela grande estrada que desenrolava sem-fim sua longa fita de poeira, pelos caminhos intransitáveis, onde as árvores se curvavam como berços nos atalhos, onde os trigais iam até os joelhos, com o sol a queimar-lhe as costas e com o frescor do ar matinal nas narinas, o coração cheio de prazeres da noite e o espírito tranquilo, a carne contente, lá se ia ele, ruminando sua felicidade, como quem mastiga ainda, depois do jantar, os gostosos pratos já digeridos.

Até então, que tinha havido de bom em sua existência? Teriam sido os tempos de colégio, quando ficava prisioneiro entre muros altos, solitários entre os colegas mais ricos ou mais inteligentes, que riam de seu sotaque do interior e zombavam de seus hábitos, e cujas mães, nas visitas semanais, traziam-lhes doces e guloseimas finas? Teria sido mais tarde, quando estudava Medicina e não tivera jamais a bolsa suficientemente cheia para pagar uma noite a qualquer operariazinha que se tornasse sua amante? Em seguida vivera 14 meses com a viúva, cujos pés, na cama, eram frios como o gelo. Agora, porém, possuía para toda a vida aquela mulher linda, a quem adorava. O universo, para ele, limitava-se à roda de suas saias; achava que não a amava o suficiente, sentia saudades dela e voltava depressa, subindo a escada com o coração a bater. Emma, no quarto, fazia a toalete, ele chegava, pé ante pé, beijava-a nas costas e ela dava um gritinho.

Charles não se podia conter e mexia continuadamente nos pentes dela, em seus anéis; às vezes dava-lhe no rosto fortes beijos, ou então era uma série de beijos pequeninos ao longo do braço nu, desde a ponta dos dedos até a espádua. E ela o empurrava, meio sorrindo, meio aborrecida, como se faz com uma criança que vive agarrada à gente.

Antes de casar-se, ela acreditava amá-lo; mas, como a felicidade que deveria resultar desse amor não aparecera, ela pensava estar enganada. E Emma procurava saber o que significavam exatamente na vida as palavras *felicidade, paixões e embriaguez de amor,* que lhe haviam parecido tão belas nos livros.

VI

Ela lera *Paulo e Virgínia* e sonhara com a casinha de bambu, o negro Domingo, o cão Fiel, mas especialmente com a doce amizade de algum irmãozinho que traz os frutos maduros das grandes árvores, mais altas que campanários, ou que corre de pés nus sobre a areia, trazendo um ninho de pássaro.

Quando fizera 13 anos, o pai levara-a à cidade para interná-la no convento. Entraram num albergue do bairro de Saint Gervais, onde o jantar lhes foi servido em pratos pintados que representavam a história de mademoiselle de La Vallière.[1] As explicações das legendas, cortadas aqui e ali, glorificavam a religião, os sentimentos delicados do coração e as pompas da Corte.

Longe de aborrecer-se no convento, no início, Emma sentiu-se feliz na companhia das boas irmãs, que, para distraí-la, levaram-na à capela, onde se penetrava por um longo corredor que partia do refeitório. Ela brincava pouco nos períodos de recreio, compreendia

---

[1] Duquesa de La Vallière, favorita de Luís XIV, que terminou seus dias num convento de carmelitas. (N.T.)

bem o catecismo e era sempre quem respondia ao senhor vigário nas questões difíceis. Vivendo assim, sem jamais sair da atmosfera morna das aulas e entre aquelas mulheres de hábitos brancos e chapéus encimados por cruzes, entregou-se facilmente ao langor místico que se evola dos perfumes do altar, do frescor dos repositórios de água benta e do brilho dos círios. Em lugar de acompanhar a missa, ela olhava no livro as vinhetas piedosas impressas em azul, amando o Cordeiro de Deus, o Sagrado Coração transpassado de flechas agudas ou o pobre Jesus que caía ao carregar a cruz. Tentou, por mortificação, passar um dia inteiro sem comer, e procurava, na imaginação, um voto qualquer para cumprir.

Quando ia confessar-se, inventava pequenos pecadinhos, só para ficar mais tempo ali ajoelhada na penumbra, de mãos juntas, o rosto colado à grade, escutando o sussurro da voz do padre. As comparações de noivo, esposo, amante celeste e casamento eterno que se empregavam nos sermões suscitavam-lhe, no fundo da alma, ternuras inesperadas.

À noitinha, antes da prece, fazia-se no estudo uma leitura religiosa. Durante a semana era um resumo da história sagrada ou as *Conferências* do abade Frayssinous, e, no domingo, passagens do *Gênio do cristianismo*, à guisa de recreação. Com que atenção ela escutou, pela primeira vez, as lamentações sonoras das melancolias românticas repetindo-se em todos os ecos da Terra e da eternidade! Se sua infância se tivesse passado num bairro comercial, seria o momento de abrir-se à contemplação lírica da natureza, que ordinariamente só nos chega através da sensibilidade dos escritores. Ela, porém, conhecia bem o campo; conhecia o mugido dos animais, tinha visto tirar leite das vacas pela manhã, contemplara o trabalho das charruas nos campos. Habituada aos aspectos calmos, voltava-se para os acidentados. Amava o mar pelas tempestades e a verdura quando crescia, selvagem, entre ruínas. Era-lhe preciso retirar das coisas uma espécie de proveito pessoal; assim, rejeitava como inútil tudo aquilo que não contribuía para a admiração imediata de seu coração — seu temperamento era mais sentimental do que artístico, em busca de emoções e não de paisagens.

Havia no convento uma moça que vinha todos os meses, durante oito dias, para trabalhar na costura. Protegida pelo arcebispado, por pertencer a uma antiga família de fidalgos arruinados pela Revolução, comia na mesa das irmãs no refeitório e conversava com elas depois das refeições, antes de retomar o trabalho. Muitas vezes as internas escapavam do estudo para ir ter com ela. A moça sabia de cor as canções galantes do século passado, que cantava a meia voz, sem largar a agulha. Contava histórias, trazia as novidades, levava recados para a cidade e emprestava às meninas maiores, às escondidas, algum romance que sempre trazia nos bolsos do avental e que ela própria lia nos intervalos de seu trabalho. Esses livros só falavam de amores, amantes, damas perseguidas que desapareciam em pavilhões solitários, postilhões que morrem em todas as estações de troca, cavalos em disparada em todas as páginas, florestas sombrias, problemas sentimentais, juramentos, soluços, lágrimas e beijos, barquinhos ao luar, rouxinóis nos bosques, cavalheiros valentes como leões, mansos como cordeiros, virtuosos como ninguém e sempre de fortuna e ainda por cima chorões. Durante seis meses, na idade de 15 anos, Emma se iniciou nessa espécie de literatura. Com Walter Scott, mais tarde, apaixonou-se pelas coisas históricas e sonhou com cofres, salas de guarda e menestréis. Desejou ter vivido em um feudo antigo, como aquelas castelãs de vestidos longos que, sob a curva das ogivas, passavam os dias com os cotovelos sobre o peitoril de pedra e o queixo entre as mãos, à espera de que viesse do fundo da floresta um cavaleiro de pluma branca, montado num corcel negro. Alimentou naquela época o culto de Maria Stuart e venerou entusiasticamente outras mulheres ilustres ou infortunadas. Joana d'Arc, Heloísa, Agnés Sorel, a bela Ferrornière e Clemence Isaure, para ela, destacavam-se como cometas sobre a imensidão tenebrosa da história, em que apareciam ainda, aqui e ali, porém mais perdidos na sombra e sem qualquer relação entre si, são Luís com seu carvalho, Bayard moribundo, algumas das ferocidades de Luís XI, um pouco de Saint Barthélemy e sempre a lembrança dos pratos pintados que glorificavam a corte de Luís XIV.

Na aula de música, nas canções que ela cantava, só apareciam anjinhos de asas de ouro, madonas, lagunas, gondoleiros, composições pacíficas que a deixavam entrever, através da frivolidade da letra, a atraente fantasmagoria das realidades sentimentais. Algumas de suas amigas traziam ao convento os álbuns de recordações que haviam recebido de presente de Ano-Bom. Era preciso escondê-los, pois aquilo era uma aventura; liam-nos em segredo, nos dormitórios. Manuseando delicadamente as belas fitas de cetim, Emma fitava, embevecida, os nomes dos autores desconhecidos que tinham assinado abaixo de suas peças, geralmente condes e viscondes.

E ela fremia, soerguendo com a respiração o papel de seda das gravuras, que se erguia meio dobrado e caía lentamente sobre a página. As ilustrações figuravam jovens mancebos que, por trás da balaustrada de um balcão, apertavam nos braços donzelas de vestido branco; retratos anônimos de *ladies* inglesas de cabelos louros soltos que, sob os redondos chapéus de palha, fitavam o observador com grandes olhos claros. Viam-se nobres nas carruagens que atravessavam parques, galgos que saltavam à frente do veículo conduzido por lacaios de uniforme branco. Outras figuras, devaneando em sofás, contemplavam a lua, pelas janelas entreabertas, meio ocultas por uma cortina negra. Ainda outras, donzelas ingênuas, com uma lágrima no rosto, acariciavam pombinhas presas em gaiolas góticas ou, sorrindo, desfolhavam margaridas com os dedos pontudos. E lá estavam também os sultões com grandes cachimbos, deitados sob tendas luxuosas, nos braços das concubinas, além de cimitarras, sabres turcos, barretes gregos, paisagens de regiões estranhas com palmeiras, pinheiros, tigres à direita, leões à esquerda, minaretes tártaros no horizonte, ruínas romanas no primeiro plano e camelos descansando — tudo enquadrado numa floresta virgem bem limpa, com um grande raio perpendicular de sol refletindo-se na água, em que se destacam, como manchas brancas num fundo de cor cinza--aço, alguns cisnes que nadam.

E o abajur de óleo, preso à parede acima da cabeça de Emma, iluminava todas aquelas ilustrações do mundo, que passavam à sua frente, umas após as outras, no silêncio do dormitório e ao som longínquo de algum fiacre retardatário que ainda rolava pelas ruas.

Quando sua mãe morreu, ela chorou muito nos primeiros dias. Mandou fazer um medalhão fúnebre com os cabelos da defunta e, numa carta que escreveu a Bertaux, cheia de reflexões tristes sobre a vida, pedia que a sepultassem no mesmo túmulo. O pai Rouault pensou que ela estivesse doente e foi vê-la. Emma sentiu-se interiormente satisfeita por ver-se chegar àquele raro ideal das existências pálidas ao qual não podem alcançar os corações medíocres. Deixava-se, portanto, deslizar pelos meandros lamartinianos, escutando harpas sobre os lagos, cânticos de cisnes moribundos, ruídos de folhas que caíam, virgens puras que subiam ao céu e a voz do Eterno estrugindo sobre os vales. Por fim, aborreceu-lhe tudo aquilo, mas continuou por hábito, em seguida por vaidade, até que se surpreendeu por se sentir tranquila, sem tristezas no coração nem rugas na fronte.

As boas religiosas, que haviam pressentido na pequena uma vocação, perceberam com estranheza que mademoiselle Rouault parecia escapar-lhes aos cuidados. Elas lhe tinham, com efeito, prodigalizado tantos ofícios, retiros, novenas, sermões, pregações sobre o respeito devido aos santos e mártires, conselhos piedosos sobre a modéstia do corpo e a salvação da alma, que ela acabou fazendo como os cavalos puxados pelas rédeas: parou de repente e o freio escapou-lhe dos dentes. Aquele espírito positivo no meio de seu entusiasmo, que amara a Igreja por suas flores, a música pelas palavras, os romances e a literatura pela exaltação passional, insurgia-se diante dos mistérios da Fé, do mesmo modo que se irritava contra a disciplina, que era algo de antipático à sua constituição. Quando seu pai a retirou do convento, as freiras não se zangaram. A superiora achou mesmo que ela se tornara, nos últimos tempos, pouco respeitadora da comunidade.

Emma, novamente em casa, dedicou-se inicialmente à direção dos empregados domésticos, mas logo detestou a fazenda e lamentou ter deixado o convento. Quando Charles foi a Bertaux pela primeira vez, ela se considerava uma desiludida, nada mais tendo a aprender nem a sentir.

Mas a ansiedade de um novo estado, ou talvez a irritação causada pela presença daquele homem, foi suficiente para fazê-la crer que tinha, enfim, aquela paixão maravilhosa que até então se sustentara como um grande pássaro de asas róseas planando no esplendor dos céus poéticos — e não podia imaginar que a calma em que vivia fosse a felicidade com que sonhara.

VII

Ela pensava, entretanto, de vez em quando, que aqueles eram os dias mais belos de sua vida, a lua de mel, como se diz. Para saborear-lhe a doçura, seria preciso, sem dúvida, viajar para aqueles países de nomes sonoros onde as manhãs seguintes aos casamentos são feitas de suave preguiça! Nas cadeirinhas elegantes, sob os cortinados de seda azul, sobem-se as estradas escarpadas, ouvindo a música do guia, que se repete, na montanha, nos sininhos do pescoço das cabras e no ruído surdo das cascatas. Quando o sol se deita, respira-se o perfume das árvores; e à noite, nos terraços das *villas*, a sós e de mãos entrelaçadas, contemplam-se as estrelas, fazendo projetos. Parecia-lhe que certos lugares da Terra deviam produzir felicidade, como uma planta que se dá bem em certo tipo de solo. Por que não poderia ela debruçar-se num balcão de chalé suíço ou encerrar sua melancolia num *cottage* escocês, com um marido vestido de veludo negro, de botas e chapéu pontudo, com renda nas mangas?

Talvez ela tivesse sonhado em fazer a alguém a confidência de todas essas coisas. Mas como relatar uma angústia indizível, que muda de aspecto como as nuvens, que roda em turbilhão como o vento? Faltavam-lhe as palavras, a ocasião, a habilidade.

Se Charles tivesse desejado, entretanto, se tivesse percebido, se seu olhar, uma só vez que fosse, tivesse ido ao encontro de seus pensamentos, ela acreditava que uma abundância súbita se desprenderia de seu coração, como caem os frutos maduros das árvores quando se lhes encosta a mão. Mas, à medida que se estreitava mais a intimidade de suas vidas, alguma coisa gradativamente a separava dele.

A conversa de Charles era sem graça como uma calçada, e nela desfilavam as ideias de todos, em roupagens comuns, sem suscitar emoções, risos ou sonhos. Ele dizia que jamais sentira curiosidade, quando morava em Rouen, de ir ver nos teatros os atores de Paris. Não sabia nadar, nem lutar, nem atirar de pistola; e um dia não foi capaz de explicar um termo de equitação que ela encontrara num romance.

Mas um homem não devia saber tudo, ser hábil em múltiplas atividades, iniciar as mulheres nas energias da paixão, no refinamento da vida e em todos os mistérios? Aquele, porém, não ensinava nada, não sabia nada, não desejava nada. Acreditava-a feliz e ela o detestava por aquela calma assentada, aquela serenidade pesada, feita da felicidade que ela própria lhe dava.

De vez em quando ela desenhava. Era para Charles um grande divertimento ficar de pé contemplando-a debruçada sobre o cartão, cerrando os olhos para melhor ver sua obra, ou arredondando, no polegar, bolinhas de miolo de pão. Quando ao piano, mais ele se maravilhava com a velocidade dos dedos no teclado.

Emma tinha certa facilidade em tocar e percorria o teclado de alto a baixo sem se interromper. Assim, sacudido por ela, o velho instrumento, de velhas cordas, fazia-se ouvir em todos os cantos da propriedade quando a janela estava aberta. Muitas vezes o ajudante do tabelião, passando pela estrada de cabeça descoberta e de tamancos, parava para ouvi-lo, com a folha de papel na mão.

Emma, por seu turno, sabia tomar conta da casa. Enviava aos clientes as contas das visitas, em cartas bem escritas que não cheiravam a fatura. Quando, num domingo, tinham algum vizinho para jantar, ela sempre arranjava meio de oferecer um belo prato, arrumar a mesa, preparar sobremesas elaboradas. Tudo isso contribuía para aumentar a consideração de que gozava Bovary.

Charles acabou por congratular-se consigo mesmo por possuir tal mulher. Mostrava com orgulho, na sala, dois pequenos croquis feitos por ela, que mandara emoldurar e pendurar contra o papel da parede por meio de grandes cordões verdes. Na saída da missa, ele era visto na porta com belas pantufas adamascadas.

Chegava sempre tarde; dez horas, às vezes meia-noite. Pedia de comer e, como a empregada já estivesse deitada, era Emma quem o servia. Ele tirava o casaco para jantar mais à vontade. Dizia o nome das pessoas que encontrara, as residências em que estivera, as receitas que dera e, por fim, satisfeito consigo mesmo, comia o resto do prato, acabava com o queijo, mordiscava uma maçã, esvaziava a garrafa e ia meter-se na cama, de barriga para cima e roncando.

De manhã, acordava com os cabelos em desalinho sobre o rosto e esbranquiçados pela paina do travesseiro, cujos cordões se desatavam durante a noite. Calçava sempre botas grossas, que tinham no peito do pé duas dobras espessas, oblíquas em direção aos tornozelos, enquanto para a frente, até a ponta dos dedos, continuava em linha reta, esticada e dura. Ele dizia que assim era ótimo para andar no campo.

A mãe aprovava essas economias. Vinha vê-lo, como antigamente, quando nessa casa havia uma borrasca mais ou menos violenta. Mas madame Bovary mãe parecia prevenida contra a nora. Achava que ela gostava de luxos que a situação financeira do marido não permitia; a lenha, o açúcar e as velas gastavam-se como em casa de fidalgos e o carvão que se queimava na cozinha daria para uma família cinco vezes maior! A sogra arrumava os armários e ensinava Emma a vigiar o açougueiro quando trazia a carne. Emma recebia essas lições; as palavras "minha filha" e "mamãe" eram trocadas durante todo o dia, acompanhadas de um estremecimento dos lábios, cada qual lançando as palavras ternas com uns tons de cólera.

Nos tempos de madame Dubuc, a velha mãe sentia-se ainda a preferida. Mas agora o amor de Charles por Emma parecia-lhe uma deserção de sua ternura, uma inversão contra algo que lhe pertencia; e ela observava a felicidade do filho com um silêncio triste, como alguém que, arruinado, olha por entre as grades da janela as pessoas que moram em sua antiga casa. Lembrava constantemente a Charles suas tristezas e sacrifícios, comparando-os às negligências de Emma e concluindo que não era sensato adorá-la de forma tão exclusiva assim.

Charles não sabia o que responder. Respeitava a mãe e amava infinitamente a mulher; considerava o julgamento de uma infalível e, ao mesmo tempo, achava a outra sem defeitos. Quando a velha partia, ele tentava arriscar, timidamente, e nos mesmos termos, uma ou duas das mais suaves observações que ouvira a mãe fazer. Com uma palavra, Emma provava que ele estava enganado e o mandava de volta aos doentes.

Enquanto isso, ela desejava o amor segundo as teorias em que acreditava. Ao luar, no jardim, recitava tudo o que sabia de cor, em versos apaixonados, e cantava para ele adágios suspirantes e melancólicos; mas, quando terminava, continuava tão calma quanto antes, e Charles não parecia mais amoroso nem mais excitado.

Depois de ter assim procurado despertar o amor do marido, sem jamais conseguir uma centelha, incapaz, aliás, de compreender o que não sentisse e de crer no que não se manifestasse pelas formas convencionais, Emma persuadiu-se facilmente de que a paixão de Charles não tinha nada de extraordinário. Suas expansões haviam-se tornado regulares; beijava-a a horas certas. Era um hábito como outro qualquer, como uma sobremesa prevista após a monotonia do jantar.

Um guarda-florestal, curado por Charles de um catarro do peito, dera a madame uma cadelinha italiana. Ela a levava a passear, pois costumava sair de vez em quando a fim de não ter mais sob os olhos o eterno jardim e a estrada poeirenta.

Ia até o bosque de Banneville, que faz esquina com o muro, ao lado da campina. Ali, num lugar chamado Salto do Lobo, entre as ervas, existiam grandes roseirais selvagens de galhos espinhentos.

Começava por olhar em volta, para ver se nada se modificara desde a última vez em que lá estivera. Encontrava nos mesmos lugares os tufos de folhagem e as flores, os buquês de urtiga em volta da pedras e as placas de líquen junto às três janelas cujas folhas, sempre fechadas, enegreciam ao apodrecer sobre as barras roliças de ferro. Seu pensamento, a princípio sem objetivo, vagava ao acaso, como a cadelinha que fazia círculos na campina, saltando atrás das borboletas amarelas, caçando aranhas e mordiscando os cogumelos. Depois suas ideias pouco a pouco se fixavam, e, sentada na grama, que cavava lentamente com a ponta da sombrinha, Emma repetia:

— Por que, meu Deus? Por que me casei?

Perguntava-se se haveria meio, mediante novas combinações do acaso, de encontrar outro homem, e imaginava como seriam esses acontecimentos não sucedidos, essa vida diferente, esse marido que ela não conhecera. Nada do que imaginava se parecia com o que efetivamente sucedera. O marido seria belo, espiritual, distinto, atraente, tal como os homens que sem dúvida se tinham casado com suas antigas companheiras do convento. Que fariam elas agora? Nas cidades, com o movimento das ruas, as multidões dos teatros e a luminosidade dos bailes, elas certamente levavam uma existência em que o coração se expande e os sentidos se embriagam. Mas ela, Emma, tinha uma vida fria como um sótão no inverno, e o tédio, aranha silenciosa, fiava sua teia na penumbra em todos os cantos de seu coração. Lembrou-se dos dias de distribuição de prêmios, quando subia ao palco improvisado para receber suas medalhas. Com tranças nos cabelos, vestido branco e sapatos abertos, tinha maneiras gentis; os senhores, quando ela voltava a seu lugar, curvavam-se para cumprimentá-la. O pátio ficava cheio de carruagens, mãos diziam adeus, o maestro da orquestra passava, saudando a todos, carregando uma caixa de violino. Como estava distante tudo aquilo! Como estava distante!

Emma chamava Djali, punha-a entre os joelhos, corria os dedos pela cabeça comprida e fina da cadela e dizia:

— Vamos, beija tua dona, tu que não tens tristezas.

Depois, observando a expressão melancólica do esbelto animal, que bocejava lentamente, ela se enternecia e comparava-o consigo mesma, falando-lhe em voz alta, como se consolasse uma pessoa aflita.

Às vezes sopravam ventos frios, brisas do mar que atravessavam num salto o platô da região de Caux e traziam um frescor salgado até o interior dos campos. Os capins assobiavam junto à terra e as folhas dos arbustos estremeciam rapidamente, enquanto as copas das árvores, balançando-se sempre, continuavam seu murmúrio incessante. Emma apertava o xale nas costas e erguia-se.

O dia claro, com reflexos verdes na folhagem, iluminava a grama que estalava docemente sob seus pés. O sol se punha; o céu avermelhava-se por entre os ramos, e os troncos sempre iguais das árvores plantadas em linhas retas pareciam colunas marrons que se levantavam, destacando-se sobre um fundo dourado. Ela sentia medo, chamava Djali e voltava depressa para Tostes pela estrada, afundava numa poltrona e não falava pelo resto da noite.

Mas, lá para o fim de setembro, algo de extraordinário aconteceu em sua vida; foi convidada para ir a Vaubyessard, ao castelo do marquês d'Andervilliers.

O marquês, que fora Secretário de Estado durante a Restauração, procurava voltar à vida política e preparava, havia muito, sua candidatura à Câmara dos Deputados. No inverno, fazia numerosas distribuições de presentes e, no Conselho Geral, reclamava com veemência novas estradas para a região. Sofrera, no verão, de um abscesso na boca, que Charles curara, como que por milagre, com uma picada da lanceta. O empregado mandado a Tostes para pagar a operação contou, na volta, que vira belas cerejas no jardim do médico. Ora, as cerejas não davam bem em Vaubyessard, e o senhor marquês pediu algumas mudas a Bovary, indo pessoalmente agradecer. Assim conheceu Emma, achando-a elegante e de maneiras diferentes das moças camponesas, de modo que não pensou estar ultrapassando os limites da condescendência nem cometendo uma gafe ao convidar o jovem casal.

Numa quarta-feira, às três horas, monsieur e madame Bovary, em sua charrete, partiram para Vaubyessard, com uma grande mala amarrada atrás e uma caixa de chapéus junto à boleia.

Chegaram à noitinha, no momento em que começavam a acender-se os lampiões do parque, a fim de iluminar os veículos.

VIII

O castelo, de construção moderna, à italiana, com duas alas que avançavam e três entradas, dominava enorme pradaria onde pastavam algumas vacas, entre tufos espaçados de grandes árvores, enquanto as moitas dos arbustos menores espalhavam manchas desiguais de verdura na linha curva da alameda de saibro. Um rio passava sob uma ponte; através da bruma, viam-se construções de teto de palha na pradaria limitada por bosques, e, por trás, na parte mais elevada, ficavam as cavalariças e o lugar para os veículos, em duas linhas paralelas, restos conservados do antigo castelo, já demolido.

A charrete de Charles parou diante da entrada do meio. Os criados apareceram, o marquês adiantou-se e, oferecendo o braço à esposa do médico, introduziu-a no vestíbulo.

A peça era calçada de mármore e de umbral muito elevado. O barulho dos passos ecoava como numa igreja. Em frente havia uma escadaria e, à esquerda, uma galeria que dava para o jardim e conduzia à sala de bilhar, de onde se ouvia, pela porta, o carambolar das bolas de marfim. Atravessando a galeria para chegar ao salão, Emma viu em volta da mesa alguns homens de fisionomia grave, com o queixo sobre os colarinhos altos, todos condecorados, sorrindo silenciosamente a segurar os tacos. Sobre a parte revestida de madeira das paredes, grandes molduras douradas traziam nomes escritos em letras negras. Emma leu: "Jean-Antoine d'Andervilliers d'Yverbonville, conde de Vaubyessard e barão de Fresnayes, morto na Batalha de Coutras, em 20 de outubro de 1587". E numa outra "Jean-Antoine-Henry-Guy d'Andervilliers de la Vaubyessard, almirante de França e Cavaleiro da Ordem de Saint-Michel, ferido no combate de Hogue-Saint-Vaast, em 29 de maio de 1692, falecido em Vaubyessard em 23 de janeiro de 1693". Em seguida vinham outros mais difíceis de distinguir, pois a luz das lâmpadas, refletida no forro verde do bilhar, lançava a penumbra no resto do aposento. No brilho das telas horizontais, a penumbra quebrava-se contra elas em arestas finas, segundo as rachaduras do verniz. E de todos aqueles grandes quadrados escuros de molduras douradas saltavam, aqui e ali, em porções mais claras da pintura, uma fronte pálida; dois olhos fixos, perucas que caíam sobre espáduas revestidas de mantos vermelhos ou fivelas de jarreteiras em pernas dobradas.

O marquês abriu a porta do salão. Uma das damas levantou-se (era a marquesa em pessoa) e veio ao encontro de Emma, fazendo-a sentar-se junto a si, numa poltrona, onde se pôs a conversar amigavelmente, como se a conhecesse havia muito tempo. Era uma mulher de cerca de quarenta anos, de belas espáduas, nariz arredondado, voz arrastada, que trazia naquela noite, sobre os cabelos castanhos, apenas um véu de *guipure* que caía atrás, em triângulo. Uma mocinha loura estava ao lado, numa cadeira de espaldar alto, e alguns cavalheiros, com pequenas flores na lapela do casaco, conversavam com as damas em volta da lareira.

Às sete horas foi servido o jantar. Os homens, mais numerosos, sentaram-se à primeira mesa, no vestíbulo, e as damas, na segunda, no salão de jantar, com o marquês e a marquesa.

Ao entrar, Emma sentiu-se rodeada por uma atmosfera morna, misto de perfume de flores e do cheiro do linho de boa qualidade, do odor das carnes e dos cogumelos. As velas dos candelabros refletiam labaredas nos relógios de prata; os cristais facetados, cobertos por uma condensação opaca, luziam palidamente. As flores se alinhavam por todo o comprimento da mesa e, nos pratos lavrados, os guardanapos, colocados em forma de chapéu de bispo, tinham entre as dobras um pequenino pão ovalado. As patas vermelhas das lagostas transbordavam dos pratos, grandes frutas em cestas empilhavam-se sobre folhagens, as perdizes conservavam as penas e fumaças evolavam-se. Com meias de seda, casaco curto, gravata branca, grave como um juiz, o chefe dos garçons passava por entre os ombros dos convivas os pratos enfeitados, fazendo saltar com um golpe hábil do talher o bocado escolhido. Sobre o forno de aquecimento, de porcelana lavrada, uma estatueta de mulher coberta até o queixo contemplava, imóvel, a sala cheia de gente.

Madame Bovary notou que diversas damas não haviam colocado as luvas nos copos.

Enquanto isso, na cabeceira da mesa, sozinho entre todas aquelas mulheres, curvado sobre o prato cheio e com o guardanapo amarrado à nuca como uma criança, um ancião comia, deixando cair grandes gotas de molho da boca. Tinha os olhos cansados e trazia na mão um taco enfeitado com uma fita vermelha. Era o sogro do marquês, o velho duque de Laverdière, antigo favorito do conde de Artois, nos tempos das caçadas em Vaudreuil, nas terras do marquês de Conflans, e que fora, ao que se dizia, amante da rainha Maria Antonieta entre os senhores de Coigny e de Lauzun. Levava uma vida agitada de orgias, cheia de duelos, de apostas, de mulheres raptadas; devorara a fortuna e enchera de cuidados a família. Um criado, atrás de sua cadeira, dizia-lhe em voz bem alta, junto ao ouvido, os nomes dos pratos que o velho mostrava com o dedo trêmulo. Os olhos de Emma não desfitavam aquele velho de lábios pendentes, como se fosse algo de extraordinário e augusto. Vivera na Corte e dormira no leito de rainhas!

Serviu-se champanha gelada. Emma estremeceu, sentindo o frio na boca. Nunca vira romãs e jamais comera abacaxi. O próprio açúcar pulverizado pareceu-lhe mais branco e mais fino do que em outro lugar qualquer.

Depois do jantar, as damas subiram aos seus quartos a fim de se prepararem para o baile.

Emma fez sua toalete com cuidado meticuloso de uma atriz na estreia. Ajeitou os cabelos de acordo com as recomendações do cabeleireiro e meteu-se no vestido de lã fina, até então estendido na cama. O paletó de Charles apertava o estômago.

— Os sapatos vão me atrapalhar para dançar — disse ele.

— Dançar? — perguntou Emma.

— Claro!

— Mas tu perdeste a cabeça? Todos ririam de ti. Fica em teu lugar. Além disso, é mais próprio para um médico — ajuntou ela.

Charles calou-se e ficou andando para cá e para lá, à espera de que Emma ficasse pronta. Podia vê-la por trás, ao espelho, entre duas velas. Seus olhos negros pareciam mais negros. Duas fitas, graciosamente viradas para as orelhas, luziam num brilho azul; uma rosa tremia sobre o vestido, com falsas gotas de orvalho nas folhas. O vestido era de tom pálido, realçado pelas rosas entremeadas de folhas verdes.

Charles veio beijá-la no ombro.

— Deixa-me! — exclamou ela. — Assim tu me amarrotas.

Ouviram-se as notas de um violino e de uma trompa. Emma desceu as escadarias, contendo-se para não correr.

As quadrilhas começavam. Mais gente chegava, alguns se empurravam. Emma ficou perto da porta.

Quando a dança acabou, o salão ficou livre para os grupos de homens, que conversavam de pé, e para os criados de libré, que traziam grandes salvas. Na linha de mulheres sentadas, agitavam-se os leques, escondendo a meio os sorrisos, e apareciam frascos de tampas douradas seguros por mãos entreabertas, cujas luvas brancas marcavam a forma das unhas e apertavam a carne dos pulsos. Os colares de pedras, os broches de diamantes, os braceletes com medalhões estremeciam nos colos, cintilavam sobre os vestidos, tilintavam nos braços nus. As cabeleiras, coladas às frontes e reviradas nas nucas, mostravam coroas ou diademas de miosótis, jasmins e de outras flores. Tranquilas em seus lugares, senhoras de rostos calmos traziam turbantes vermelhos.

O coração de Emma bateu mais forte quando seu par, trazendo-a pelas pontas dos dedos, colocou-a em linha, esperando o sinal do arco do violino para o início da dança. Mas logo a emoção desapareceu, e, balançando-se ao ritmo da orquestra, deslizou pelo salão, com leves movimentos de pescoço. Um sorriso subia-lhe aos lábios a certas notas delicadas do violino, que às vezes tocava só, quando os demais instrumentos se calavam. Ouviu-se então o ruído sonoro dos luíses de ouro lançados sobre as mesas do jogo; e de repente tudo recomeçava, com o pistão lançando uma fanfarra alegre. Os pés batiam em cadência, as saias estufavam-se e roçavam-se, as mãos davam-se e retiravam-se; os mesmos olhos, abaixando-se diante dos de Emma, voltavam a fixar-se em seu rosto.

Alguns homens (cerca de 15) de 25 a quarenta anos, disseminados entre os dançarinos ou conversando nas arcadas das portas, distinguiam-se dos demais por uma espécie de ar de família, qualquer que fosse a diferença de idade, vestimenta ou fisionomia.

Suas roupagens, mais bem-feitas, pareciam ser de tecido mais fino, e seus cabelos, enrolados em cachos nas têmporas, lustrados por pomadas, mais elegantes. Tinham a cor da riqueza, essa cor pálida que realça a brancura das porcelanas, as dobras do cetim e o verniz dos bons móveis e que precisa, para sua manutenção, de um discreto regime de alimentos finos. Seus pescoços voltavam-se com elegância dentro dos colarinhos, sobre os quais tombavam as longas suíças; enxugavam os lábios com lenços bordados com uma grande inicial, de onde se evolava um aroma suave. Os que começavam a envelhecer tinham um ar juvenil, enquanto uma expressão de madureza aparecia no rosto dos jovens. Em seus olhares indiferentes flutuava a calma das paixões diariamente satisfeitas, e, através de suas maneiras calmas, entrevia-se aquela brutalidade peculiar trazida pelo domínio das coisas meio fáceis, nas quais se exerce a força e se diverte a vaidade, como a criação dos cavalos de raça ou a companhia das mulheres perdidas.

A três passos de Emma, um cavalheiro de azul conversava sobre a Itália com uma moça pálida, que tinha um adereço de pérolas. Falavam da grossura das colunas de São Pedro, de Tivoli, do Vesúvio, de Castellamare e dos Cassinos, das rosas de Gênova, do Coliseu ao luar. Emma escutava disfarçadamente aquela conversação cheia de palavras que não compreendia. Um grupo cercava um jovem que na semana anterior vencera Miss Arabelle e Romulus e ganhara dois mil luíses numa aposta, saltando um fosso na Inglaterra. Outro se queixava de seus cavalos, que engordavam; ainda outro, de erros de impressão no programa que haviam comprometido o nome de seu cavalo.

A atmosfera do baile estava pesada; as lâmpadas empalideciam. Muitos convidados passaram para a sala do bilhar. Um criado subindo numa cadeira quebrou duas vidraças. Ao som dos vidros estilhaçados, madame Bovary virou a cabeça e viu no jardim, do lado de fora das grades, o rosto dos camponeses que a olhavam. Veio-lhe à lembrança a fazenda em Bertaux; reviu-a mentalmente, com seu lago, o pai em mangas de camisa sob as macieiras e ela própria, retirando o creme dos bujões de leite com os dedos. Mas, nas fulgurações daquele baile, sua vida passada, tão nítida até então, desaparecia toda, de maneira que ela chegava a duvidar que a tivesse vivido. Ela estava ali, e sobre o resto não havia senão sombras e esquecimento. Tomava um sorvete, cuja taça dourada segurava na mão esquerda, cerrando os olhos com a colher entre os dentes.

Uma dama, junto dela, deixou cair o leque. Um dançarino passava.

— Quer fazer-me a gentileza, senhor — disse a dama —, de apanhar meu leque, que caiu atrás deste sofá?

O cavalheiro inclinou-se, e, enquanto fazia o movimento de estender o braço, Emma viu a mão da jovem dama lançar em seu chapéu algo branco, dobrado em triângulo. O cavalheiro, tendo já o leque nas mãos, ofereceu-o respeitosamente à dama; ela agradeceu com um aceno de cabeça e pôs-se a examinar seu buquê.

Depois da ceia, onde houve fartura de vinhos da Espanha e do Reno, pudins de amêndoa, pudins Trafalgar e toda sorte de carnes frias com geleias em volta, tremendo nos pratos, os veículos começaram a partir, uns após os outros. Puxando-se as cortinas de musselina, viam-se as lanternas a deslizar nas sombras. Alguns jogadores continuavam às mesas, os músicos refrescavam os dedos, lambendo-lhes as pontas, e Charles cochilava, encostado a um portal.

Às três horas da manhã começou o *cotillon*. Emma não sabia valsar. Todo o mundo valsava, inclusive a marquesa e sua filha. Restavam na festa apenas os anfitriões e cerca de uma dúzia de pessoas.

Entretanto, um dos dançarinos, que era chamado familiarmente visconde, cujo colete muito aberto parecia moldado no peito, veio pela segunda vez convidar madame Bovary, assegurando-lhe que a guiaria e que ela iria gostar muito.

Começaram lentamente, depois aumentaram a velocidade. Rodavam no salão e tudo rodava em volta: as lâmpadas, os móveis, os "lambris", o chão, como um disco num eixo. Passando junto às portas, o vestido de Emma levantava-se, as pernas dos dois se entrelaçavam. Ele baixou os olhos para ela, ela ergueu os seus para ele, um torpor dominou-a e ela parou. Recomeçaram em seguida, e, num movimento mais rápido, puxada pelo visconde, ela desapareceu com ele para o fim da galeria, onde, ofegante, quase caiu, apoiando por um instante a cabeça no peito de seu par. Depois, rodando sempre, porém mais lentamente, ele a reconduziu ao ponto de partida. Emma encostou-se à parede e cobriu os olhos com as mãos.

Quando os abriu novamente, viu no meio do salão uma moça, sentada em um banquinho, que tinha diante de si três dançarinos ajoelhados. A moça escolheu o visconde e o violino recomeçou a tocar.

Todos contemplavam o par. Passavam e voltavam, ela com o corpo imóvel e o queixo abaixado, e ele sempre na mesma pose, a cintura reta, o cotovelo arredondado, o rosto para a frente. Aquela, sim, sabia valsar! Continuaram durante muito tempo, fatigando todos os demais.

Mais alguns minutos e, depois das despedidas, ou melhor, dos bons-dias, os hóspedes do castelo foram se deitar.

Charles subiu as escadarias com dificuldade, as pernas trôpegas. Passara cinco horas seguidas de pé diante das mesas, olhando os jogos, sem nada compreender. Suspirou profundamente, de satisfação, ao retirar as botas.

Emma cobriu os ombros com um xale, abriu a janela e debruçou-se.

A noite estava escura. Caíam algumas gotas de chuva. Ela aspirou a brisa úmida que lhe refrescava as pálpebras. A música do baile zumbia ainda em seus ouvidos e ela fazia esforços para manter-se acordada, a fim de prolongar a ilusão daquela vida luxuosa que dali a pouco seria preciso abandonar.

A aurora apareceu. Ela contemplou longamente as janelas do castelo, procurando adivinhar quais seriam os quartos de todos aqueles que tinha observado na véspera. Gostaria de conhecer suas vidas, penetrar nelas, confundir-se com elas.

Tremia de frio, porém. Despiu-se e meteu-se na cama, encostada a Charles, que roncava.

Muita gente desceu para tomar café. A refeição durou dez minutos; não foram servidas bebidas alcoólicas, o que espantou o médico. Em seguida, mademoiselle d'Andervilliers apanhou as migalhas de pão e juntou-as numa cesta, para levá-las aos cisnes do lago. Todos foram passear na estufa, onde plantas bizarras, de espinhos eriçados, empilhavam-se em pirâmides sob os vasos suspensos, que, como ninhos de serpentes cheios demais, deixavam transbordar longos cordões verdes entrelaçados. O laranjal ficava em seguida. O marquês, para divertir a jovem senhora, levou-a para ver as cavalariças. Sob as manjedouras em forma de *corbeilles*, havia placas de porcelana com os nomes dos cavalos escritos em letras negras. Cada animal se agitava em sua cela quando alguém passava perto. O assoalho da selaria brilhava como se fosse um salão. Havia arreios de todas as espécies no meio da selaria, em duas colunas, enquanto as esporas, os chicotes, os freios, as barrigueiras e demais apetrechos estavam arrumados em linha ao longo das paredes.

Enquanto isso, Charles foi pedir a um criado que atrelasse sua charrete. Trouxeram o veículo para diante da porta. Depois de tudo preparado, o casal Bovary apresentou seus agradecimentos e despedidas ao marquês e à marquesa e partiu de volta a Tostes.

Emma, em silêncio, olhava as rodas girarem. Charles, sentado na ponta do banco, guiava o carro com os braços afastados do corpo, enquanto o cavalinho trotava solto entre os varais, largos demais para ele. As rédeas frouxas batiam-lhe no dorso, molhando-se em seu suor, e a mala amarrada atrás da charrete batia regularmente na parte posterior do veículo.

Estavam na altura de Thibourville quando de repente alguns cavaleiros os ultrapassaram, rindo, de charutos na boca. Emma pensou reconhecer o visconde, mas no instante seguinte só percebeu no horizonte o movimento das cabeças que se abaixavam e se erguiam de acordo com a cadência desigual do trote ou do galope.

Um quilômetro e meio adiante tiveram de parar a fim de consertar, com uma corda, um arreio que se arrebentara.

Charles, olhando mais uma vez o conserto, antes de retomar a viagem, viu alguma coisa no chão, entre as patas do cavalo. Curvou-se e apanhou uma charuteira de seda verde, com um brasão no meio, como na porta de uma carruagem.

— Há ainda dois charutos — disse ele. — Serão para logo mais, depois do jantar.

— Tu fumas, então? — perguntou ela.

— Às vezes, quando a oportunidade aparece.

Meteu o achado no bolso e chicoteou o cavalo.

Quando chegaram à casa, o jantar não estava pronto. Madame zangou-se. Nastasie respondeu com insolência.

— Vá-se embora! — disse Emma. — Não tolero impertinências.

Havia para jantar sopa de cebolas e um pedaço de vitela com molho. Charles, sentado diante de Emma, exclamou, esfregando as mãos de prazer:

— É bom estar de novo em casa!

Ouviram Nastasie, que chorava. Charles gostava da pobre moça. Em outros tempos, ela lhe fizera companhia, durante a viuvez. Fora a primeira pessoa que ele conhecera na região.

— Tu a mandaste embora de vez? — perguntou ele, finalmente.

— Sim. Quem me impede? — retrucou ela.

Aqueceram-se na cozinha, enquanto o quarto era preparado. Charles pôs-se a fumar. Tirava as baforadas esticando os lábios, cuspindo a todo momento, curvando-se a cada tragada.

— Isso vai fazer-te mal — disse Emma, com desdém.

Charles largou o charuto de lado e correu a beber um copo d'água fresca. Emma, agarrando a charuteira, jogou-a com força no fundo de um armário.

O dia seguinte escoou-se lentamente. Emma passeou pelo jardinzinho, passando e voltando pelas mesmas alamedas, parando diante de cada canteiro, diante do caramanchão, diante do padre de gesso, olhando com um misto de admiração e surpresa todas aquelas coisas antigas que ela conhecia tão bem. Como lhe parecia distante o baile! Que força seria aquela que separava a manhã do dia anterior e aquela tarde? Sua ida a Vaubyessard criara um vazio em sua vida, como os grandes sulcos que a tempestade, numa só noite, abre nas montanhas. Resignou-se, contudo; guardou cuidadosamente na cômoda o belo vestido e os sapatos de cetim, cujas solas se tinham tornado amareladas em contato com a cera do assoalho. Seu coração era como eles: em contato com a riqueza, algo de indelével se lhe aderira.

A lembrança daquele baile ficou, pois, no coração de Emma. Todas as vezes que chegava a quarta-feira, ela dizia para si mesma:

— Ah! Há oito dias... há 15 dias... há três semanas, eu estava lá!

Pouco a pouco, as fisionomias confundiram-se em sua memória, ela foi esquecendo as melodias, deixou de recordar claramente as librés dos empregados e o interior dos aposentos. Os pormenores desapareceram, mas a saudade permaneceu.

IX

Muitas vezes, quando Charles estava fora, ela ia buscar no armário, entre roupas, a charuteira de seda verde.

Olhava-a, abria-a, aspirava o odor de suas dobras, misto de verbena e de tabaco. A quem pertenceria? Ao visconde. Seria talvez um presente de sua amante? Havia sido tecida em alguma alcova escondida, ocupando horas da mulher que a bordara. Um sopro de amor passara por entre as malhas do tecido; cada furo da agulha fixara uma esperança e uma lembrança, e todos aqueles fios de seda entrelaçados não representavam senão a continuidade da mesma paixão silenciosa. E, certa manhã, o visconde levara consigo a charuteira. De que teriam falado, enquanto ela ficava sobre a lareira, entre os vasos de flores e os relógios Pompadour? Emma estava em Tostes. Ele, em Paris, naquele momento. Paris! Como seria Paris? Que nome imenso! Ela o repetia para si mesma, a meia voz, para divertir-se. A palavra soava a seus ouvidos como um sino de catedral, brilhando a seus olhos como uma chama.

À noite, quando os pescadores, em suas carroças, passavam sob as janelas cantando a "Marjolaine", ela acordava; e, escutando o ruído das rodas ferradas que a terra fofa amortecia, dizia para si mesma:

— Amanhã eles estarão lá!

E seguia-os em pensamento, subindo e descendo as encostas, atravessando as vilas, percorrendo a estrada sob a luz das estrelas. Ao fim de uma distância indeterminada, encontrava-se sempre num lugar confuso, onde terminava o sonho.

Comprou um mapa de Paris e fez excursões, com o dedo, pela capital. Subia os bulevares, parando em cada esquina diante dos retângulos brancos que figuravam as casas. Por fim, com os olhos fatigados, fechava as pálpebras e via nas trevas os lampiões de gás açoitados pelo vento, as calçadas e as caleças que paravam ruidosamente diante da entrada dos teatros.

Passou a assinar a *Corbeille*, jornal feminino, e o *Silfo dos Salões*. Devorava, em minúcia, as críticas das estreias, os noticiários elegantes das corridas e das sessões de gala, interessava-se pela estreia de uma cantora, pela abertura de uma loja. Sabia das novas modas, dos endereços das boas modistas, dos dias de ópera. Estudou, em Eugène Sue, descrições de modelos de decoração; leu Balzac e George Sand, procurando na imaginação alívio para suas ambições pessoais.

Chegava a levar o livro para a mesa, folheando-o enquanto Charles lhe falava. A lembrança do visconde voltava em todas as leituras. Ela estabelecia relações entre ele e as personagens inventadas; mas o círculo do qual ele era o centro foi se alargando pouco a pouco, e a auréola que ele tinha, afastando-se de sua figura, passou a iluminar outros sonhos.

Paris, mais vasta que o oceano, luzia-lhe com uma atmosfera exaltada. As numerosas vidas que se agitavam naquele tumulto eram, então, divididas em partes, classificadas em quadros distintos. Emma só percebia dois ou três, que a impediam de ver os demais e representavam por si só a humanidade inteira. O mundo dos embaixadores caminhava sobre tacos luzentes, em salões de paredes espelhadas rodeando mesas ovais cobertas de toalhas de veludo com enfeites de ouro. Lá estavam as casacas de cauda, os grandes mistérios, as angústias dissimuladas em sorrisos. Depois vinha a sociedade das duquesas. Todas eram pálidas, levantavam-se às quatro horas. As mulheres, coitadas, vestiam rendas da Inglaterra por baixo das saias, e os homens, capacidades esquecidas por trás de exteriores fúteis, galopavam até matar os cavalos, por simples divertimento, iam passar o verão em Bade e, finalmente, por volta dos quarenta anos, desposavam herdeiras ricas. Nos reservados dos restaurantes que serviam ceias após a meia-noite, a multidão alegre dos literatos e dos artistas ria à claridade das velas. Eram pródigos como reis, cheios de ambições ideais e delírios fantásticos. Era uma existência mais elevada que as outras, entre o céu e a Terra, acima das tempestades; algo de sublime. Quanto ao resto do mundo, estava perdido, sem lugar determinado e como se não existisse. Aliás, quanto mais próximas as coisas, mais o pensamento dela se afastava. Tudo o que a cercava de perto, a campina aborrecida, os pequenos-burgueses imbecis, a mediocridade da existência, parecia-lhe uma exceção no mundo, um acaso particular a que ela estava presa, enquanto além daquilo se estendia a perder de vista a imensa região das felicidades e das paixões. Ela confundia, em seu desejo, as sensualidades do luxo com as alegrias do coração, a elegância dos hábitos e as delicadezas dos sentimentos. Não seria necessário ao amor, como a certas plantas, terrenos preparados e temperatura exata? Os suspiros ao luar, os longos abraços, as lágrimas que correm sobre as mãos abandonadas, todas as febres da carne e os langores da ternura não se separam dos grandes castelos cheios de lazeres, dos toucadores de cortinas de seda e tapetes espessos, das jardineiras cheias de flores, de um leito sobre um estrado, nem do brilho das pedras preciosas e das lantejoulas das librés.

O menino do estábulo, que vinha todas as manhãs escovar o jumento, atravessava o corredor com seus tamancos grosseiros; sua camisa tinha remendos, seus pés estavam nus dentro do calçado. Era aquele o criado de libré com quem ela devia contentar-se. Quando sua tarefa estava terminada, ele não voltava mais naquele dia, pois Charles, quando regressava, levava pessoalmente seu cavalo à cavalariça e retirava a sela e os arreios, enquanto a empregada trazia um pouco de palha, que jogava de qualquer maneira dentro da manjedoura.

Para substituir Nastasie (que finalmente partira de Tostes derramando rios de lágrimas), Emma tomou a seu serviço uma mocinha de 14 anos, órfã e de fisionomia serena. Proibiu-a de usar toucas de algodão, ensinou-a a tratá-la de Madame, a trazer um copo d'água num pires, a bater nas portas antes de entrar, a passar, a engomar, e a ajudá-la a vestir-se, com a intenção de fazer dela sua camareira. A nova empregada obedecia sem discutir, para não ser despedida; e como madame, habitualmente, não fechava o guarda-comida, Félicité, todas as noites, apanhava um pouco de açúcar, que comia, sozinha, na cama, depois de rezar.

Durante a tarde, às vezes, ela ia à rua conversar com os homens do correio. Madame ficava em seus aposentos.

Emma usava um penhoar aberto, que deixava ver, no peito, uma blusa plissada com três botões de ouro. O cinto era uma faixa larga de seda, e suas pequenas pantufas de cor grená tinham um tufo de fitas que caíam sobre o peito do pé. Comprou um tinteiro, papel, pena e envelopes, embora não tivesse a quem escrever. Arrumava sua escrivaninha, olhava-se ao espelho, apanhava um livro, depois, devaneando nas entrelinhas, e deixava-o cair nos joelhos. Tinha desejos de viajar ou de voltar a viver no convento. Queria ao mesmo tempo morrer e morar em Paris.

Charles, na neve e na chuva, cavalgava pelos atalhos. Comia omeletes nas fazendas, entrava em mansardas úmidas, recebia no rosto o jato morno das sangrias, escutava gemidos, examinava urinas, trabalhava duro, enfim; mas encontrava, todas as noites, um fogo alegre, a mesa posta, os móveis limpos, uma mulher bem-vestida, encantadora e perfumada, perfume que ele mesmo não sabia de onde vinha, ou se não seria sua pele que lhe aromatizava as roupas.

Ela o encantava com inúmeras delicadezas; era uma nova maneira de decorar os candelabros, uma fita que mudava em seu vestido, ou o nome extraordinário de uma iguaria simples, cujo preparo a empregada não sabia fazer, mas que Charles engolia até o fim com prazer. Emma vira, em Rouen, mulheres que usavam berloques pendurados em seus relógios; imediatamente comprou berloques. Encomendou dois grandes vasos de vidro azul para colocar sobre a lareira e, pouco tempo depois, uma caixa de costura de marfim, com dedal de prata. Quanto menos Charles compreendia essas elegâncias, mais se curvava ante o seu encantamento. Aquilo acrescentava algo ao prazer de seus sentidos e à doçura de seu lar. Era como uma poeira de ouro que cobria todo o desenrolar do estreito caminho de sua vida.

Ele trabalhava bastante, ganhava prestígio; sua reputação estava já estabelecida. Os camponeses gostavam dele porque não era vaidoso. Brincava com as crianças, nunca entrava em cabarés, inspirava confiança por sua moral. Sua especialidade eram os catarros e as doenças do pulmão. Temendo muito matar seus pacientes, Charles, com efeito, não receitava senão poções calmantes, vomitórios, banhos de pés, sanguessugas. Não que tivesse medo da cirurgia; na verdade, aplicava muitas sangrias e tinha a mão extremamente hábil para a extração de dentes.

Para manter-se atualizado, tomou uma assinatura da *Colmeia Médica*, jornal novo cujo prospecto de propaganda recebera. Lia um pouco depois do jantar, mas o calor do aposento, além da digestão, fazia com que em cinco minutos adormecesse. Ficava ali, com o queixo apoiado nas mãos e os cabelos revoltos, junto à lâmpada. Emma o olhava e dava de ombros. Nem ao menos tinha por marido um desses homens de ardores taciturnos, que trabalhavam à noite grudados aos livros, mas que traziam, enfim, aos sessenta anos, quando chega a idade dos reumatismos, uma condecoração sobre o paletó surrado! Ela gostaria que aquele nome, Bovary, que era o seu, fosse ilustre, repetido nas livrarias, citado nos jornais, conhecido em toda a França. Mas Charles não tinha ambição! Um médico de Yvetot, com o qual Charles formara uma junta, chegara a humilhá-lo diante do leito do doente e dos parentes. Quando Charles lhe contou, à noite, o episódio, Emma falou contra o colega em termos violentos. Charles enterneceu-se e beijou-a na fronte, com uma lágrima. Mas ela estava exasperada de vergonha, tinha vontade de bater-lhe, e correu a abrir a janela para aspirar ar fresco e acalmar-se.

— Que idiota! Que idiota! — dizia ela baixinho, mordendo os lábios.

Ela se sentia, além disso, mais irritada com ele. Charles, com a idade, tomava modos deselegantes; cortava, à sobremesa, as rolhas das garrafas vazias; passava a língua pelos dentes depois de comer; fazia barulho com a garganta a cada colherada de sopa, e, como começava a engordar, seus olhos, já pequenos, pareciam subir para as têmporas, forçados pelas maçãs do rosto.

Emma, de vez em quando, consertava-lhe o colete, ajustava-lhe a gravata ou jogava fora as luvas velhas que ele se dispunha a usar.

Fazia aquilo por si mesma, por expansão de egoísmo, reflexo nervoso. Às vezes, também, ela lhe falava das coisas que lera, como uma passagem de romance, uma nova peça de teatro ou uma anedota do "alto mundo" que encontrara num folhetim, porque, afinal, Charles era alguém, um ouvinte sempre disposto, uma aprovação sempre pronta. E ela fazia confidências à cadelinha. Teria feito confidências aos tijolos da chaminé e ao pêndulo do relógio.

No fundo do coração, entretanto, ela esperava que algo acontecesse. Como os marinheiros em perigo, ela lançava os olhos desesperados para a solidão de sua vida, procurando ao longe alguma vela branca nas brumas do horizonte. Não sabia o que seria, que ventos trariam esse acontecimento para si, para onde a levaria, se viria carregado de angústias ou de felicidade. Mas, cada manhã ao despertar, ela esperava o dia, ouvindo todos os ruídos, erguendo-se sobressaltada; e espantava-se por nada suceder. Ao pôr do sol ficava mais triste, desejando que o dia seguinte chegasse logo.

A primavera voltou. Emma sentiu-se mal aos primeiros dias quentes, quando as pereiras começavam a florir.

Desde o início de julho, ela contava nos dedos quantas semanas faltavam para o mês de outubro, pensando que o marquês d'Andervilliers talvez desse um novo baile em Vaubyessard. Mas todo o mês de setembro se passou sem cartas nem visitas.

Depois dessa nova decepção, seu coração ficou novamente vazio, e recomeçou a série dos dias de tédio. Às vezes uma aventura levava as peripécias ao infinito e o cenário mudava. Mas, para ela, nada acontecia! Era a vontade de Deus. O futuro era um corredor negro em cujo fundo tinha uma porta bem fechada.

Abandonou a música. Para que tocar? Quem a ouviria, já que não poderia nunca, num vestido de veludo de gala, num piano Erard, num concerto, tocar os dedos ágeis sobre as teclas de marfim, sentindo como que uma brisa que circulava a seu redor num murmúrio de êxtase? Deixou então no armário seus papéis de desenho. De que valia aquilo?

A costura irritava-a.

— Já li demais — dizia ela.

E ficava retocando a pintura ou vendo a chuva cair.

Como ficava triste, no domingo, quando tocavam as vésperas! Prestava atenção, num mutismo observador, uma a uma, às badaladas do sino. Algum gato no telhado, andando lentamente, ficava iluminado pelos raios pálidos do sol. O vento, na estrada, soprava lufadas de poeira. Ao longe, de vez em quando, um cão uivava; e o sino, a intervalos iguais, continuava a soar monotonamente, perdendo-se na campina.

Depois era a saída da igreja. As mulheres com sapatos engraxados, os camponeses de camisa nova, as crianças que saltitavam de cabeças nuas diante deles, todos voltavam para suas casas. E, até a noite, cinco ou seis homens, sempre os mesmos, ficavam a jogar bocha em frente à grande porta do albergue.

O inverno foi frio. As janelas, todas as manhãs, apareciam cobertas por uma camada de gelo, e a luz esbranquiçada, atravessando-as como a uma vidraça fosca, por vezes se mantinha invariável durante todo o dia. Depois das quatro da tarde era preciso acender a lâmpada.

Nos dias mais bonitos, ela ia ao jardim. O orvalho depositava sobre os repolhos longas rendas de prata, com fios que se estendiam de um ao outro. Não se ouvia o canto dos pássaros e tudo parecia dormir, o caramanchão coberto de folhagem seca e a parreira, como uma grande serpente enferma deitada no muro, onde ela via, ao aproximar-se, insetos de muitas patas que se arrastavam. Perto da sebe, o padre de tricórnio, que lia seu breviário, perdera um dos pés, e a caliça, castigada pelo frio, marcara o rosto de manchas brancas.

Emma subia então, fechava a porta, atiçava as brasas e, no calor da sala, sentia o tédio pesar mais fortemente. Tinha vontade de descer para conversar com a empregada, mas o orgulho a impedia.

Todos os dias, à mesma hora, o mestre-escola, com seu boné de seda preta, abria as janelas de sua casa; o guarda-florestal passava, levando o sabre. De manhã e à tarde, os cavalos do correio, de três em três, atravessavam a rua para beber no lago. De vez em quando, a campainha da porta de um cabaré tilintava, e, quando havia vento, ouvia-se a batida das insígnias de cobre que enfeitavam a loja do cabeleireiro. Havia ainda na porta da loja uma velha gravura de modas colada por dentro do vidro da janela e um busto de mulher, feito de cera, com os cabelos amarelos. O cabeleireiro também lamentava sua vocação perdida, seu futuro incolor, e sonhava ter uma loja em alguma grande cidade, em Rouen, por exemplo, no porto, perto do teatro. Passava o dia inteiro a passear pela rua, da prefeitura à igreja, pensativo, esperando a clientela. Quando madame Bovary erguia os olhos, via-o sempre lá, como uma sentinela na ronda, com seu boné grego sobre a orelha e seu colete de lã.

Durante a tarde aparecia, às vezes, um homem de suíças negras, que sorria tranquilamente, com seus dentes brancos, um sorriso suave. Começava imediatamente uma valsa, tocada ao realejo, e, no pequeno salão de fantasia, os dançarinos, da altura de um dedo, mulheres de turbantes cor-de-rosa, tiroleses, cavalheiros de culotes curtos rodavam, entre as poltronas e sofás, refletindo-se nos pedaços de espelhos unidos por fios de papel dourado. O homem girava a manivela, olhando para a direita e para a esquerda, para todas as janelas. De vez em quando, cuspindo sua saliva amarela num longo jato, erguia o instrumento com o joelho, pois a alça de couro duro lhe machucava as costas. Ora dolente e arrastada, ora alegre e precipitada, a música da caixa escapava em zumbidos através de uma cortina de tafetá rosa, sob uma grade de cobre com arabescos. Eram árias em voga, tocadas nos teatros, cantadas nos salões, dançadas nos bailes sob os lustres, ecos do mundo que chegavam até Emma. Melodias intermináveis desfilavam em seu cérebro, e, como uma dançarina, seus pensamentos saltavam com as notas, gingando de sonho em sonho, de tristeza em tristeza. Quando o homem recebia a esmola em seu boné, puxava uma velha capa de lã azul, colocava o realejo às costas e afastava-se com passos pesados. Ela o observava partir.

Mas era especialmente nas horas de refeição que ela sentia não aguentar mais, naquela sala pequena ao rés do chão, com o forno que fumegava, a porta que rangia, as paredes que cheiravam mal, o assoalho úmido; todo o amargor da existência afigurava-se-lhe estar servido em seu prato, e à fumaça do assado parecia juntar-se a do enfado que subia do fundo de sua alma. Charles comia devagar; ela quebrava algumas nozes ou então, apoiada no cotovelo, brincava com a ponta da faca, desenhando linhas retas na toalha.

Tornara-se indiferente ao que se passava em casa, e madame Bovary mãe, que viera a Tostes na Quaresma, espantou-se com aquela mudança. Com efeito, Emma, antes tão cuidadosa e interessada, passava agora dias inteiros sem se vestir, usava meias de algodão e iluminava a casa com velas. Repetia sempre que era preciso economizar, pois não eram ricos, acrescentando que estava muito contente e feliz, que gostava muito de Tostes, e outras coisas semelhantes, que faziam calar a sogra. De resto, Emma não parecia mais disposta a seguir seus conselhos; de certa feita em que madame Bovary insinuou que os patrões deviam cuidar da religião dos empregados, ela respondeu com um olhar tão colérico e com um sorriso tão frio que a boa mulher não insistiu mais.

Emma tornava-se difícil, caprichosa. Mandava preparar pratos especiais em que não tocava, tomava apenas leite puro num dia e, no outro, xícaras de chá, às dezenas. Às vezes teimava em não sair, depois se sentia sufocar, abria as janelas, vestia roupas leves. Zangava-se rudemente com a empregada e em seguida comprava-lhe presentes ou mandava-a passear na rua, ou jogava aos pobres todos os trocados da bolsa, embora não costumasse ser generosa nem facilmente acessível às desgraças alheias, como sucede frequentemente aos camponeses, que guardam sempre na alma algo da calosidade das mãos paternas.

Lá para o fim de fevereiro, o pai Rouault, em lembrança de sua cura, levou pessoalmente ao genro uma perua soberba, ficando três dias em Tostes. Como Charles vivia ocupado com os doentes, Emma fazia companhia ao pai. Ele fumava no quarto, cuspia na lareira, conversava sobre agricultura, vitelas, vacas, galináceos e conselho municipal. Quando partiu, Emma fechou a porta com um sentimento de satisfação que chegou a surpreendê-la. Aliás, ela já não escondia o desprezo por diversas coisas e pessoas e, às vezes, punha-se a exprimir opiniões estranhas, atacando o que era geralmente aceito e aprovando coisas tidas como perversas ou imorais, o que fazia o marido arregalar os olhos.

Será que aquela miséria duraria para sempre? Jamais conseguiria escapar àquilo? Merecia tanto quanto as outras mulheres que viviam felizes! Vira duquesas em Vaubyessard que tinham cinturas mais grossas e feições mais vulgares que as suas, e protestava contra a injustiça de Deus. Apoiava a cabeça nas paredes para chorar e invejava as existências tumultuosas, as noites de mascaradas, os prazeres insolentes com todas as loucuras que ela não conhecia e que eles deveriam trazer.

Empalidecia e frequentemente aceleravam-se as batidas do seu coração. Charles administrou-lhe valeriana e banhos de cânfora, mas tudo o que se tentava parecia irritá-la mais.

Em outros dias, tagarelava com exagero febril. A essas exaltações sucediam-se torpores repentinos, durante os quais ficava imóvel, sem falar. O que a reanimava, nessas ocasiões, era molhar-lhe os braços com água-de-colônia.

Como Emma se queixava continuamente de Tostes, Charles achou que a causa de sua doença era, sem dúvida alguma, influência local; fixando-se nessa ideia, considerou seriamente a possibilidade de estabelecer-se em outra cidade.

Desde então, ela passou a beber vinagre para emagrecer, contraiu uma tossezinha seca e perdeu inteiramente o apetite.

Era difícil a Charles abandonar Tostes depois de quatro anos de permanência e no momento em que consolidava sua reputação. Mas era preciso! Levou a mulher a Rouen, para ver seu antigo professor. Era uma doença nervosa: necessário mudar de ares.

Depois de voltar-se para diversos lados, Charles ficou sabendo da existência, no distrito de Neufchâtel, de um burgo chamado Yonville-l'Abbaye, cujo médico, refugiado polonês, retirara-se na semana anterior. Escreveu então ao farmacêutico do lugar para saber qual era a população, a que distância estava o colega mais próximo, quanto ganhava por ano seu predecessor etc. Como foram satisfatórias as respostas, resolveu mudar-se na primavera, se a saúde de Emma não melhorasse.

Um dia, quando, nos primeiros preparativos para a partida, ela arrumava uma gaveta, espetou o dedo em alguma coisa. Era um arame de seu buquê de noiva. As flores de laranjeiras estavam amareladas e as fitas de cetim, bordadas de prata, esgarçavam-se nas pontas. Emma lançou tudo ao fogo. O buquê inflamou-se mais rapidamente que palha seca, transformando-se em massa rubra sobre as cinzas, retorcendo-se lentamente. Ela observou a combustão. As flores de papelão ardiam, os fios de latão se retorciam, o galão fundia-se; e as corolas de papel, escurecidas, balançando-se pela lareira como borboletas negras, voaram finalmente pela chaminé.

Quando partiram de Tostes, no mês de março, madame Bovary estava grávida.

Segunda parte

I

Yonville-l'Abbaye (assim chamada por causa de uma antiga *abbaye*[2] de capuchinhos, cujas ruínas já não existem mais) é uma cidadezinha a oito léguas de Rouen, entre a estrada de Abbeville e a de Beauvais, no fundo de um vale banhado pelo Rieule, pequeno rio afluente do Andelle, que antes de nele se lançar faz rodar três moinhos perto da embocadura e onde há algumas trutas que os meninos, aos domingos, divertem-se a pescar.

Quem sai da grande estrada em Boissière e continua até os lados de Leux logo vê o vale. O rio que o atravessa divide-o em duas regiões distintas: a que fica à esquerda é pastagem, a que fica à direita é campo de cultura. A pradaria estende-se por sobre uma série de colinas baixas até encontrar os pastos da região de Bray, enquanto a leste a planície, elevando-se lentamente, alarga-se até que se percam de vista os louros trigais. A água que corre junto à verdura separa,

---

[2] "*Abbaye*" significa abadia, em francês. (N.E.)

com uma faixa branca, as cores diferentes da erva e da plantação, assemelhando-se assim a região a uma grande capa desdobrada, com um colarinho de veludo bordado com um galão de prata.

Quando se chega, percebe-se no horizonte a floresta de Argueil com seus carvalhos e as escarpas de Saint-Jean, cortadas de alto a baixo por linhas vermelhas desiguais; são os vestígios das chuvas, que têm essa cor contrastante com o tom cinzento da montanha em consequência da grande quantidade de fontes ferruginosas que ficam do lado de lá, na região vizinha.

Ali ficam os confins da Normandia, da Picardia e da Île-de--France, região bastarda onde a língua não tem individualidade, como a paisagem não tem personalidade. Ali se fazem os piores queijos de Neufchâtel e, além disso, a agricultura é cara, porque é necessário muito adubo para aproveitar aquelas terras friáveis, cheias de areia e pedras.

Até 1835 não havia estradas praticáveis para chegar a Yonville, mas, depois dessa época, construiu-se uma via de grande utilidade que liga a estrada de Abbeville à de Amiens e serve às vezes aos veículos que vão de Rouen a Flandres. Apesar disso, Yonville-l'Abbaye permaneceu estacionária. Em lugar de melhorar as culturas, os habitantes obstinam-se em manter pastagens, embora depreciadas, e a vila preguiçosa, afastando-se da planície, continuou naturalmente a crescer em direção ao rio. Pode ser vista de longe, deitada ao longo da margem, como um pastor de vacas fazendo a sesta junto da água.

Na parte mais baixa, junto à ponte, começa um calçamento, com árvores plantadas, que leva o viajante em linha reta até as primeiras casas. Estas são cercadas de sebes, no meio de terrenos cheios de construções esparsas, prensas e destilarias disseminadas sob as árvores copadas, com escadas, caniços e foices encostadas aos troncos. Os telhados de palha, como bonés de pele cobrindo os olhos, descem até o terço superior das janelas baixas, cujas vidraças grossas e convexas possuem um buraco no centro, como os gargalos das garrafas. Sobre os muros de alvenaria, encosta-se uma ou outra pereira esquelética, e as portas no nível do chão têm pequenas barreiras para defendê-las dos pintos, que vêm bicar na soleira migalhas de pão molhado em sidra. Depois os terrenos ficam menores, as casas, mais próximas, e as sebes, raras. Vasos de samambaias balançam-se sob as janelas. Aparece a forja de um ferreiro e, em seguida, o estabelecimento de um fabricante de carros, com duas ou três charretes novas na rua. Logo depois, uma casa branca, atrás de um gramado redondo enfeitado por um Cupido de dedo na boca, com dois vasos de ferro fundido, um de cada lado da entrada, e um escudo brilhando sobre a porta. É a casa do tabelião, a mais bela da cidade.

A igreja fica do outro lado da rua, a vinte passos. O pequeno cemitério que a rodeia, cercado por um muro baixo, está tão cheio de túmulos que as velhas lousas rentes ao chão formam um assoalho contínuo, em que a grama desenhou, por si mesma, quadrados verdes e regulares. A igreja foi reconstruída nos últimos anos do reinado de Carlos X. A abóbada de madeira começa a apodrecer em cima, e, de espaço em espaço, veem-se buracos negros na pintura azul. Acima da porta, onde deveria estar o órgão, há um balcão para os homens, que se atinge por uma escada em caracol que geme sob os passos.

A luz do dia, atravessando os vitrais, ilumina obliquamente os bancos alinhados perpendicularmente às paredes, onde se veem, aqui e ali, tabuletas pregadas com algo escrito em letras grandes: "Banco do Senhor Fulano". Mais longe, no lugar em que a igreja se estreita, está o confessionário, com uma estatueta da Virgem, vestida com um manto de cetim e com um véu de tule cheio de estrelas de prata e as maçãs do rosto tão vermelhas como um ídolo das ilhas Sandwich. Finalmente, há uma reprodução da Sagrada Família, "donativo do Ministro do Interior", que domina o altar-mor entre quatro candelabros e completa a perspectiva do fundo. As colunas de madeira do coro ficaram por ser pintadas.

O mercado, isto é, um telheiro erguido sobre uma vintena de postes de madeira, ocupa sozinho quase a metade da grande praça de Yonville. A prefeitura, construída "segundo o projeto de um arquiteto de Paris", imita um templo grego e fica ao lado da casa do farmacêutico. Tem três colunas jônicas no andar térreo e, no primeiro pavimento, uma ogiva cujo frontão terminal é decorado por um galo gaulês, apoiando um pé na Constituição e segurando na outra as balanças da Justiça.

Mas o que mais atrai a vista é a farmácia de monsieur Homais, em frente ao albergue Leão de Ouro. À noite, principalmente, quando os lampiões estão acesos e as luzes vermelhas e verdes que lhe enfeitam a fachada estendem para longe, sobre a terra, seus dois fachos coloridos, vê-se entre eles, como entre fogos de bengala, a sombra do farmacêutico curvado sobre sua mesa de trabalho. Sua casa, de alto a baixo, está cheia de inscrições em letra cursiva, em relevo, romanas: "Águas de Vichy, de Seltz, de Barèges, poções depurativas, remédio Raspail, *racahunt* árabe, pastilhas Darcet, pasta Regnault, ataduras, sais de banho etc." E a tabuleta, que toma toda a largura da loja, mostra em letras douradas: "Homais, farmacêutico". Além disso, no fundo, por trás das grandes balanças hermeticamente fechadas, sobre o balcão, aparece a palavra "laboratório" acima de uma porta de vidro onde, na metade da altura, repete-se ainda uma vez mais o nome "Homais" em letras douradas sobre o fundo negro.

Depois disso, nada mais há que ver em Yonville. A rua (a única), do alcance de um tiro de fuzil, tem algumas lojas e termina repentinamente ao entrar a estrada. Quem toma o lado direito e segue o cais de Saint-Jean logo chegará ao cemitério.

No tempo da epidemia de cólera, foi preciso ampliá-lo; derrubou-se um lado do muro e comprou-se o terreno adjacente. Mas toda essa parte nova está quase desabitada, e as tumbas, como dantes, continuam a amontoar-se junto à porta. O zelador, que é ao mesmo tempo coveiro e sacristão da igreja (tirando assim duplo lucro dos cadáveres da paróquia), aproveitou o terreno baldio para plantar algumas batatas. A cada ano, porém, sua pequena horta diminui; quando ocorre uma epidemia, ele não sabe se deve alegrar-se pelas mortes ou afligir-se pelo avanço das sepulturas.

— Você se alimenta de mortos, Lestiboudois! — disse-lhe um dia o vigário.

Aquela observação sombria fê-lo refletir e, durante algum tempo, interromper mesmo a cultura; mas a verdade é que hoje em dia ainda continua a plantar suas batatas e chega a afirmar, com cinismo, que elas brotam naturalmente.

Depois dos acontecimentos que vão ser narrados, nada realmente mudou em Yonville. A bandeira tricolor de ferro ainda gira no topo do campanário da igreja; a loja do vendedor de novidades ainda agita na entrada suas duas bandeirolas de algodão estampado; os fetos do farmacêutico, como massas esponjosas, apodrecem aos poucos em suas garrafas de álcool; e, sob a grande porta do albergue, o velho leão de ouro, desbotado pelas chuvas, mostra ainda aos transeuntes sua juba frisada, como um cão de luxo.

No dia em que o casal Bovary devia chegar a Yonville, a viúva madame Lefrançois, dona desse albergue, estava ocupadíssima, suando por todos os poros, enquanto remexia suas caçarolas. No dia seguinte haveria mercado na aldeia. Era preciso, com antecedência, cortar as carnes, tratar as galinhas, fazer sopa e café. Havia ainda as refeições dos hóspedes, a do médico, de sua mulher e da empregada. Da sala de bilhar vinham risadas; três moleiros, na sala, pediam bebida aos gritos; a lenha ardia, as brasas crepitavam e, sobre a comprida mesa da cozinha, entre os quartos de carneiro crus, erguiam-se pilhas de pratos que tremiam aos golpes desferidos sobre a tábua onde era cortado o espinafre. Ouviam-se os cacarejos das galinhas perseguidas, no galinheiro, pela empregada que lhes iria cortar o pescoço.

Um homem de chinelos verdes, com o rosto um pouco marcado de varíola benigna e com a cabeça coberta por um boné de veludo, aquecia as costas junto à chaminé. Sua fisionomia nada exprimia além de satisfação consigo mesmo, tal qual o passarinho na gaiola de vime suspensa sobre sua cabeça. Era o farmacêutico.

— Artémise! — gritou a dona do albergue. — Corta a lenha, enche os jarros, traz a aguardente, depressa! Se ao menos eu soubesse que sobremesa devo oferecer ao casal que o senhor espera, monsieur Homais. Meu Deus do céu! Já começa outra vez a bagunça na sala do bilhar! E a carroça que ficou parada na porta? A Andorinha é capaz de abalroá-la ao chegar! Chama o Polyte para que a tire dali. Imagine que desde a manhã, monsieur Homais, eles já jogaram 15 partidas e tomaram oito potes de sidra! E vão estragar-me o forro da mesa — continuou ela, olhando-os de longe, com a escumadeira na mão.

— O mal não seria grande — respondeu monsieur Homais. — A senhora compraria outro...

— Outro bilhar! — exclamou a viúva.

— É que esse não dá mais nada, madame Lefrançois. Repito que a senhora devia comprar outro! Além disso, os amadores agora preferem caçapas mais estreitas e tacos mais pesados. Tudo está modificado. É preciso acompanhar o progresso! Tellier, por exemplo...

A estalajadeira enrubesceu despeitada. O farmacêutico acrescentou:

— O bilhar dele, é preciso reconhecer, é menor que o seu; mas há a ideia, por exemplo, de fazer apostas patrióticas pela Polônia ou pelas vítimas das inundações de Lyon...

— Mendigos como ele não nos metem medo! — exclamou a viúva, encolhendo os ombros gordos. — Vamos, vamos, monsieur Homais, enquanto o Leão de Ouro existir, teremos freguesia. Nós temos tradição; em compensação, qualquer dia destes o senhor verá o Café Français fechado, com uma tabuleta na porta! Trocar meu bilhar — continuou ela, falando para si mesma —, que é tão bom para arrumar a roupa lavada e sobre o qual, na temporada de caça, já dormiram seis viajantes!... E esse idiota do Hivert que não chega!

— Está à espera dele para o jantar? — perguntou o farmacêutico.

— Esperar? E monsieur Binet, então? Às seis horas em ponto o senhor o verá entrar, pois não existe ninguém mais pontual do que ele sobre a Terra. Seu lugar está sempre preparado na sala! Ele nunca janta em outro lugar. E como incomoda! Exige sidra de muito boa qualidade. Não é como monsieur Léon; este chega às vezes às sete horas, até mesmo às sete e meia, e nem sequer olha para o que vai comer. Que moço bom! Nunca fala alto.

— Vê-se que há muita diferença entre um homem instruído e um antigo carabineiro que se tornou fiscal de rendas.

O relógio bateu seis horas. Binet entrou.

Vestia um casaco azul, que lhe caía por todos os lados do corpo magro; e o boné de couro, com cordões atados no alto da cabeça, deixava ver, sob a aba erguida, uma testa calva que o uso do boné havia deprimido. Seu colete era preto, o colarinho, duro, o paletó, cinzento e as botas, bem engraxadas em qualquer ocasião, com duas saliências paralelas por causa dos joanetes. As suíças louras eram como um colar que, rodeando-lhe o queixo, emoldurava-lhe o rosto terno, de olhos pequenos e nariz adunco. Perito em todos os jogos de cartas, bom caçador, com um belo talhe de letra, tinha em casa um forno onde, para divertir-se, fabricava pratos com que enchia a casa, com ciúmes de artista e egoísmo de burguês.

Dirigiu-se para a sala, mas foi preciso inicialmente fazer sair os três moleiros. Durante todo o tempo em que a mesa era posta, Binet ficou em silêncio em seu lugar, junto ao forno. Depois fechou a porta e tirou o boné, como de hábito.

— Ele não vai perder a língua por dar boa-noite! — disse o farmacêutico, quando ficou a sós com a hospedeira.

— Ele nunca fala demais — respondeu ela. — Na semana passada, vieram aqui dois mascates de tecido, jovens cheios de espírito, que contaram uma porção de anedotas. Eu chorava de rir, mas ele ficou mudo como um peixe, sem dizer palavra.

— Isso mesmo — disse o farmacêutico. — Não tem imaginação nem vivacidade, nada do que constitui o homem de sociedade.

— Mas dizem que ele tem talento — objetou a mulher.

— Talento? — replicou monsieur Homais. — Ele, talento? Em seu ofício, é possível — ajuntou, em tom mais calmo. Depois prosseguiu. — Que um negociante que tem relações consideráveis, ou um jurisconsulto, um médico, um farmacêutico, fiquem tão absortos, que se tornem caprichosos, melancólicos mesmo, compreendo; há mesmo referências históricas! Mas, pelo menos, eles pensam. A mim mesmo, quantas vezes sucedeu procurar a caneta na mesa para escrever uma etiqueta e descobrir, afinal, que estava com ela na orelha!

Enquanto isso, madame Lefrançois ia até a porta para ver se a Andorinha chegava. Estremeceu. Um homem vestido de preto entrou de repente na cozinha. Podia-se ver, aos últimos clarões do crepúsculo, que tinha rosto rubicundo e corpo atlético.

— Às suas ordens, senhor vigário — disse a dona do albergue, arrumando sobre a lareira os castiçais de cobre com suas velas. — Quer tomar alguma coisa? Um dedo de licor, um copo de vinho?

O eclesiástico recusou com delicadeza. Fora buscar seu guarda-chuva, que esquecera no outro dia, no convento de Ernemont; depois de pedir a madame Lefrançois que mandasse levá-lo ao presbitério, à noite, partiu para a igreja, onde já soava o "Angelus".

Quando o farmacêutico deixou de ouvir o ruído dos passos do padre, observou que a conduta dele lhe parecera inconveniente. A recusa do copo era uma hipocrisia das mais odiosas: todo mundo sabia que os padres bebiam às escondidas e só pensavam em restabelecer a obrigação do dízimo.

A hospedeira tomou a defesa do vigário:

— Está certo; e ele seria capaz, também, de quebrar quatro homens como o senhor sobre o joelho. No ano passado, ajudou-nos a armazenar o feno; carregava seis sacos de cada vez, tal é a sua força!

— Muito bem! — disse o farmacêutico. — Mande então suas filhas confessarem-se com um atleta de temperamento assim! Se eu estivesse no governo, ordenaria que sangrassem todos os padres uma vez por mês. Sim, madame Lefrançois, todos os meses uma boa flebotomia, no interesse da ordem e dos bons costumes!

— Cale-se, monsieur Homais! O senhor é um ímpio! Não tem religião!

— Tenho uma religião; a minha religião. E tenho mais do que eles, com seus trejeitos e palhaçadas! Adoro a Deus, ao contrário deles! Creio num Ser supremo, num Criador, que não sei quem é, que nos colocou aqui embaixo para cumprirmos com nosso dever de cidadãos e pais de família; mas não preciso ir a uma igreja, beijar bandejas de prata e engordar com meu dinheiro um grupo de farsantes que passam melhor do que nós! Pode-se honrar a Deus muito bem num bosque, numa campina ou mesmo contemplando a abóbada estrelada, como os antigos. O meu Deus é o Deus de Sócrates, de Franklin, de Voltaire e de Béranger! Sou pela "Profissão de fé do vigário da Savoia" e pelos princípios imortais de 89! E também não admito uma criatura de Deus que caminha de cajado na mão, coloca seus amigos em ventres de baleias, morre dando um grito e ressuscita ao fim de três dias, coisas em si mesmas absurdas e completamente opostas, além do mais, a todas as leis da física. O que nos demonstra que os padres sempre se chafurdaram numa ignorância torpe na qual se esforçam por colocar também o povo.

Calou-se, procurando público à sua volta, pois em seu entusiasmo o farmacêutico acreditara por um momento estar em pleno conselho municipal. A hospedeira, porém, já não o escutava; prestava atenção a um ruído longínquo. Distinguia-se o barulho de uma diligência, misturado com o bater de ferros na terra, e a Andorinha, finalmente, parou diante da porta.

Era uma caixa amarela sustentada por duas grandes rodas, que, subindo até quase a altura do teto, impedia os viajantes de verem a estrada e sujava-lhes os ombros. As pequenas janelas estreitas tremiam nos caixilhos quando a carruagem estava fechada e mostravam, aqui e ali, por sobre a velha camada de poeira, manchas de lama que nem mesmo as tempestades conseguiam lavar. Estava atrelada a três cavalos.

Alguns habitantes de Yonville apareceram, falando todos ao mesmo tempo, pedindo explicações, contando mexericos e querendo saber das novidades; Hivert não sabia a quem responder primeiro. Era ele quem fazia as encomendas da aldeia. Ia às lojas, trazia o couro curtido para o sapateiro, as ferragens para o ferreiro, um barril de arenques para sua patroa, bonés da modista, perucas do cabeleireiro. Ao longo da rua, quando voltava, ia distribuindo as encomendas, atirando-as por sobre as porteiras dos terreiros, de pé na boleia, gritando a plenos pulmões enquanto os cavalos corriam sozinhos. Um acidente havia-o atrasado: a cadelinha de madame Bovary fugira pela campina. Ficaram mais de um quarto de hora assobiando para chamá-la. Hivert chegara a retroceder cerca de meia légua, acreditando vê-la a cada momento. Mas fora preciso continuar a viagem. Emma chorara, zangara-se e acusara Charles daquela infelicidade. Monsieur Lheureux, negociante de peles, que estava também na diligência, tentara consolá-la, citando-lhe muitos casos de cães perdidos que tinham reconhecido seus donos depois de muitos anos. Citou mesmo um que, dizia-se, voltara de Constantinopla a Paris. Outro percorrera cinquenta léguas em linha reta e atravessara quatro rios a nado; e seu pai tivera um cão que, depois de 12 anos de ausência, saltara-lhe de repente às costas, em uma noite, na rua, quando ele ia jantar na cidade.

II

Emma desceu primeiro, depois Félicité, monsieur Lheureux e uma ama de leite. Fora preciso acordar Charles em seu canto, pois adormecera profundamente desde que a noite caíra.

Homais apresentou-se e exprimiu seus respeitos a madame, cumprimentou monsieur, dizendo que se sentia feliz de poder ser-lhe útil, acrescentando com ar cordial que ousara convidar-se a si mesmo para o jantar, uma vez que sua própria mulher estava ausente.

Madame Bovary, ao entrar na cozinha, aproximou-se da lareira. Com as pontas dos dedos, segurou a saia na altura do joelho e levantou-a até os tornozelos, estendendo para as chamas, acima do pernil que assava, o pé calçado de botina negra. O fogo iluminava-a toda, penetrando com uma claridade impiedosa o tecido do vestido, os poros iguais de sua pele branca e até mesmo as pálpebras de seus olhos, que ela piscava de vez em quando. O enorme clarão vermelho variava de acordo com o vento que soprava pela porta entreaberta. Do outro lado da lareira, um jovem de cabelos louros observava-a silenciosamente.

Como se aborrecia muito em Yonville, onde era empregado do tabelião, Gullamin, monsieur Léon Dupuis (era ele o segundo frequentador do Leão de Ouro) costumava retardar o momento de iniciar a refeição, na esperança de que viesse ao albergue algum viajante com quem pudesse conversar. Quando terminava o trabalho mais cedo, sem ter o que fazer, chegava ao albergue na hora exata, aguentando depois a refeição, da sopa ao queijo, na companhia de Binet. Fora, pois, com alegria que aceitara a sugestão da estalajadeira de jantar em companhia dos recém-chegados. Passaram então para a sala maior, onde madame Lefrançois, por ostentação, mandara pôr os quatro lugares.

Homais pediu permissão para conservar na cabeça seu boné grego, pois tinha medo de resfriar-se. Depois prosseguiu, virando-se para a cozinha:

— Madame sem dúvida estará cansada. A Andorinha joga tanto!

— É verdade — respondeu Emma —, mas a mudança é divertida. Gosto de viajar, ver outros lugares.

— É uma coisa tão enervante — suspirou Léon — viver preso aos mesmos lugares!

— Se o senhor fosse como eu — disse Charles —, obrigado a estar sempre andando a cavalo...

— Mas — continuou Léon, dirigindo-se a madame Bovary — nada é mais agradável que viajar, quando se pode. Pelo menos na minha opinião.

— Aliás — dizia o farmacêutico —, o exercício da medicina não é penoso aqui nas cercanias, porque o estado de nossas estradas permite o uso de cabriolé, e geralmente os camponeses são honestos e pagam bem. Quanto ao relatório médico, temos, além dos casos comuns de enterite, afecções biliosas etc., de vez em quando algumas febres intermitentes no tempo da colheita, mas, em suma, poucas coisas graves; nada de especial a notar, a não ser alguns humores frios, por causa, certamente, das deploráveis condições higiênicas das casas de nossos camponeses. Ah! O senhor encontrará alguns preconceitos que precisa combater, monsieur Bovary; muitas teimosias rotineiras, onde se chocarão quotidianamente os esforços de sua ciência. A gente daqui recorre ainda às novenas, às relíquias, ao padre, em vez de vir naturalmente ao médico ou ao farmacêutico. O clima, entretanto, não é realmente mau; temos até alguns nonagenários. O termômetro, segundo observações feitas por mim mesmo, desce no inverno até quatro graus, e no verão alcança os 25 ou trinta centígrados no máximo, o que nos dá 24 Réaumur, ou 54 Fahrenheit, medida inglesa, o que não é muito! Estamos abrigados dos ventos de norte pela floresta de Argueil, dos ventos de oeste pela encosta de Saint-Jean; e este calor, entretanto, que por causa do vapor d'água que o rio desprende e da presença contínua de animais nos campos, exalando, como sabe, muito amoníaco, isto é, azoto hidrogênio e oxigênio, e não azoto e hidrogênio apenas, e que, sugando o húmus do solo, misturando essas emanações diferentes, reunindo-as, por assim dizer, num feixe único e combinando-se com a eletricidade esparsa na atmosfera, quando existe, poderia, a longo prazo, como nos países tropicais, favorecer a existência de miasmas insalubres; este calor, dizia eu, está temperado justamente do lado de onde vem, ou melhor, de onde viria, o lado sul, pelos ventos de sudeste, que se refrescam ao passar sobre o Sena e às vezes nos chegam, de repente, como brisa da Rússia!

— Mas existem ao menos belos locais para passeios nas proximidades? — perguntou madame Bovary, dirigindo-se ao jovem Léon.

— Oh! Muito poucos! — foi a resposta. — Há um lugar chamado Pastagem; no alto da encosta, à margem da floresta. Às vezes aos domingos, vou até lá com um livro e espero o pôr do sol para apreciá-lo.

— Acho que não há nada mais lindo que o sol poente — concordou ela —, especialmente à beira-mar.

— Oh! Adoro o mar — disse monsieur Léon.

— E não lhe parece — acrescentou madame Bovary — que o espírito vagueia mais livremente sobre aquela amplidão sem limites, cuja contemplação eleva a alma e traz pensamentos de infinito, de ideal?

— O mesmo se dá nas paisagens montanhosas — disse Léon. — Tenho um primo que viajou pela Suíça no ano passado; ele me disse que é impossível descrever a poesia dos lagos, o encanto das cascatas, o efeito gigantesco das geleiras. Veem-se pinheiros de altura incrível junto à torrente e cabanas suspensas sobre precipícios; e, mil pés abaixo, veem-se vales inteiros quando as nuvens se entreabrem. Esses espetáculos devem entusiasmar, predispor à prece, ao êxtase! Não admira que certo músico célebre costumasse, para melhor excitar a imaginação, tocar seu piano diante de algum cenário impressionante.

— O senhor toca algum instrumento? — perguntou ela.

— Não, mas adoro a música.

— Ah! Não acredite nele, madame Bovary — interrompeu o farmacêutico, curvando-se sobre o prato. — É pura modéstia. Então, meu caro, no outro dia em seu quarto, o senhor cantava "O Anjo da Guarda" tão bem! Parecia um verdadeiro profissional. Eu o estava ouvindo do laboratório.

Léon, com efeito, morava na casa do farmacêutico, onde alugava um pequeno quarto no segundo andar. Enrubesceu ante o elogio de seu senhorio, que já se voltara para o médico enumerando os principais habitantes de Yonville. Contava anedotas, dava conselhos e informações. Não se sabia exatamente a fortuna do tabelião e havia a *maison* Tuvache, que fazia muita vergonha.

Emma continuava a conversa com o jovem louro:

— E que música o senhor prefere?

— Oh! A música alemã, que nos faz sonhar.

— Conhece os italianos?

— Ainda não; mas vê-los-ei no ano que vem, quando for para Paris terminar meu curso de direito.

— É como eu tinha a honra — disse o farmacêutico — de dizer ao senhor seu esposo, a propósito do pobre dr. Yanoda, que nos deixou. A senhora encontrará, graças às loucuras dele, uma das casas mais confortáveis de Yonville. O que há de mais confortável para um médico é uma porta de consultório que permita a qualquer um entrar e sair sem ser visto. Além disso, possui tudo o que necessita uma casa de família: lavanderia, cozinha e copa, sala de estar, despensa etc. O outro médico era um folgazão que não pensava no futuro. Chegou a mandar construir no fundo do jardim, junto ao rio, um pavilhão especial para tomar cerveja no verão; e, se madame gostar de jardinagem, poderá...

— Minha mulher não gosta de jardinagem — disse Charles. — O que mais lhe agrada, apesar de precisar de exercício, é ficar fechada em seu quarto, lendo.

— É como eu — disse Léon. — O que pode ser mais agradável do que ficar à noite junto ao fogo com um livro, enquanto o vento faz bater nas janelas e a lâmpada arde...?

— Realmente! — aprovou Emma, fitando-o com seus grandes olhos arregalados.

— Não se sonha com coisa alguma — disse ele, continuando. — As horas passam, a gente passeia, imóvel, pelas terras da imaginação, e o pensamento, misturando-se à ficção, rejubila-se com os detalhes das aventuras. Mistura-se com as personagens; parece que somos nós que vivemos em suas figuras.

— É isto mesmo! — exclamou Emma.

— Já lhe aconteceu alguma vez — perguntou Léon — encontrar num livro uma ideia vaga que alguém teve, alguma imagem obscurecida que vem de longe, e que é exatamente a exposição de um sentimento seu dos mais íntimos?

— Já me sucedeu — disse ela.

— É por isso — tornou ele — que gosto mais dos poetas. Creio que os versos são mais ternos que a prosa e nos fazem chorar mais facilmente.

— No entanto, cansam-no mais depressa — disse Emma. — Prefiro as histórias que se desenrolam rapidamente e que nos provocam medo. Detesto os heróis comuns e os sentimentos temperados, como os que existem na natureza.

— De fato — observou o escrivão —, as obras que não nos tocam o coração afastam-se, ao que me parece, do verdadeiro objetivo da Arte. É tão bom, entre os desencantos da vida, podermo-nos transportar em sonhos aos caracteres nobres, às feições puras e às visões de felicidade. Para mim, que vivo aqui, longe do mundo, é a única distração; mas Yonville oferece tão poucos recursos!

— Como Tostes, sem dúvida — disse Emma. — Eu ficava sempre restrita a uma sala de leitura.

— Se madame quiser dar-me a honra — disse o farmacêutico, que ouvira essas últimas palavras —, coloco à sua disposição minha biblioteca, composta dos melhores autores: Voltaire, Rousseau, Dellille, Walter Scott, *O Eco dos Folhetins* etc. Além disso, recebo periodicamente diversas folhas, inclusive o *Farol de Rouen*, quotidianamente, além de ser seu correspondente para as circunscrições de Buchy, Forges, Neufchâtel, Yonville e arredores.

Já estavam à mesa havia duas horas e meia, pois a empregada, Artémise, arrastando preguiçosamente seus chinelos de couro, trazia os pratos um de cada vez, esquecia tudo, não compreendia nada e frequentemente deixava aberta a porta da sala de bilhar, que batia na esquadria com toda a força. Sem ele próprio dar por isso, enquanto conversava, Léon colocara seu pé numa das barras inferiores da cadeira onde madame Bovary estava sentada. Ela usava uma gravatinha de seda azul, que se destacava sobre a blusa bordada; e, conforme os movimentos de sua cabeça, o queixo entrava nas dobras do tecido ou emergia suavemente. E assim, juntos um do outro, enquanto Charles e o farmacêutico tagarelavam, os dois entraram numa dessas conversações vagas em que o acaso das frases leva sempre os interlocutores ao centro fixo de uma simpatia comum. Espetáculos de Paris, nomes de romances, novas músicas e gente que não conheciam. Tostes, onde ela vivera, Yonville, onde estavam: tudo foi examinado. Conversaram até o fim do jantar.

Quando o café foi servido, Félicité saiu para preparar o quarto na nova casa, e os convivas, pouco depois, deixaram a mesa. Lefrançois cochilava junto à lareira, enquanto um rapazinho, de lanterna na mão, esperava monsieur e madame Bovary para levá-los à casa. Sua cabeleira ruiva estava entremeada de pedacinhos de palha e ele capengava da perna esquerda. Depois de pegar com a outra mão o guarda-chuva do vigário, o menino pôs-se a caminho, seguido dos demais.

A aldeia estava adormecida. As pilastras do mercado mergulhavam nas sombras. A terra estava toda cinzenta como numa noite de verão.

A casa do médico ficava a cinquenta passos do albergue, de modo que as despedidas foram logo trocadas e o grupo dispersou-se.

Desde o vestíbulo, Emma sentiu cair-lhe sobre as costas, como um manto úmido, o frio da caiação. As paredes eram novas e os degraus de madeira rangiam. No quarto, no primeiro andar, uma claridade esbranquiçada atravessava as janelas sem cortinas. Podia-se entrever as copas das árvores e, mais ao longe, a campina, meio mergulhada no nevoeiro iluminado pelo luar, que seguia o curso do rio. No centro do aposento, misturados, estavam as gavetas da cômoda, garrafas, ferragens de cortinas, colchões sobre as cadeiras e panelas no chão. Os dois homens que tinham trazido os móveis haviam largado tudo em qualquer lugar, negligentemente.

Era a quarta vez que Emma ia dormir num lugar desconhecido. A primeira fora quando entrara para o convento, a segunda, quando chegara a Tostes, a terceira, em Vaubyessard, e a quarta, ali; e cada qual representava em sua vida como que a inauguração de uma nova fase. Ela não acreditava que as coisas pudessem ser as mesmas em lugares diferentes; já que a fase anteriormente vivida tinha sido desagradável, sem dúvida a que se anunciava seria melhor.

III

No dia seguinte, ao acordar, ela olhou pela janela e viu o escrevente. Emma estava de penhoar. O rapaz ergueu a cabeça e saudou-a. Ela inclinou-se rapidamente e fechou a janela.

Léon esperou o dia inteiro até que chegassem as seis horas; mas, quando entrou no albergue, só encontrou monsieur Binet à mesa.

O jantar da véspera fora para ele um acontecimento marcante; jamais, anteriormente, pudera conversar duas horas seguidas com uma dama. Como pudera falar-lhe, e com que palavras, uma quantidade de coisas que nunca pudera dizer tão bem antes? Era habitualmente tímido e mantinha aquela reserva, feita ao mesmo tempo de pudor e de dissimulação. Em Yonville, todos achavam que ele tinha maneiras distintas. Ouvia o raciocínio dos mais velhos e não parecia exaltado em matéria de política, coisa notável num jovem. Além disso, tinha certos talentos: pintava aquarelas, sabia ler música na clave de sol e ocupava-se, por prazer, de literatura depois do jantar, quando não jogava cartas. Monsieur Homais considerava-o instruído; madame Homais apreciava-o por sua delicadeza, pois muitas vezes ele levava ao jardim os filhos dos Homais, meninos sempre sujos, mal-educados e um tanto linfáticos, como a mãe. Para cuidar deles, além da empregada, havia Justin, o aprendiz de farmacêutico, primo afastado de monsieur Homais, que ficara lá por caridade e que servia ao mesmo tempo de empregado.

O farmacêutico mostrou-se o melhor dos vizinhos. Aconselhou madame Bovary sobre os fornecedores de gêneros, mandou vir especialmente seu vendedor de sidra, provou ele mesmo da bebida e providenciou para que o tonel ficasse bem colocado no porão, orientando ainda como fazer para conseguir uma provisão de manteiga barata; arranjou os serviços de Lestiboudois, o sacristão, que, além de suas funções sacerdotais e mortuárias, cuidava dos principais jardins de Yonville, por hora ou por ano, segundo o gosto dos donos.

A vontade de ajudar os semelhantes não era a única coisa que impelia o farmacêutico a tanta cordialidade obsequiosa. Ele tinha um plano.

Ele infringira a lei de 19 *ventôse*, ano XI,[3] artigo 1º, que proíbe o exercício da medicina aos não portadores de diploma, e chegara a ser denunciado e mandado a Rouen, ao senhor procurador, em seu gabinete particular. O magistrado recebera-o de pé, vestido de toga e arminho. Foi de manhã, antes da audiência. Ouviam-se no corredor as botas fortes dos *gendarmes* e um ruído longínquo como o de fechaduras distantes que se trancam. Os ouvidos do farmacêutico zumbiam, fazendo-o crer que ia ter uma síncope; entrevia as masmorras infectas, sua família em prantos, a farmácia vendida, os medicamentos espalhados. Foi obrigado a entrar num café e pedir um copo de água de Seltz com rum para recobrar a coragem.

Pouco a pouco, a lembrança daquela reprimenda se foi apagando, e ele continuou como antes, a dar consultas inofensivas nos fundos da botica. Mas o prefeito desconfiava, os colegas tinham ciúmes,

---

[3] *Ventôse*: sexto mês do calendário revolucionário francês. A data indicada corresponde a 10 de março de 1801. (N.T.)

havia muito o que temer. Se ganhasse a afeição de monsieur Bovary, por meio de delicadezas, impediria que ele falasse, mais tarde, por gratidão, se viesse a descobrir alguma coisa. Assim, todas as manhãs Homais levava-lhe o jornal e muitas vezes, durante a tarde, deixava por um instante a farmácia e ia à casa do médico para conversar.

Charles estava preocupado; nada de clientes. Ficava sentado durante longas horas, ia dormir no gabinete ou contemplava a mulher, que cosia. Para distrair-se, passou a executar serviços pesados em casa, chegando a tentar pintar o sótão com um resto de tinta que os pintores tinham deixado. Mas os problemas financeiros preocupavam-no. Gastara tanto nas reformas da casa em Tostes, nas toaletes de madame e na mudança, que todo o dote, mais de três mil escudos, desaparecera em dois anos. Além disso, muitas coisas se haviam perdido ou danificado no transporte de Tostes a Yonville, sem contar o padre de gesso, que, caindo da carroça num sacolejão mais forte, partira-se em milhares de pedaços nas ruas de Quincampoix!

Outra preocupação, esta mais agradável, veio distraí-lo: a gravidez da mulher. À medida que se aproximava o termo, mais ele a amava. Era outro laço da carne que se estabelecia, como o sentimento contínuo de uma união mais complexa. Quando via de longe seu andar preguiçoso e a cintura girar lentamente sobre as ancas, quando, um em frente ao outro, ele a contemplava enquanto ela procurava na poltrona uma posição mais cômoda, Charles não se continha de felicidade. Levantava-se, beijava-a, acariciava-lhe o rosto, chamava-a mãezinha, queria fazê-la dançar e prodigalizava-lhe, rindo e chorando ao mesmo tempo, toda sorte de brincadeiras ternas que lhe vinham ao espírito. A ideia de ter gerado um filho encantava-o. Nada lhe faltava agora.

Emma, a princípio, ficara amedrontada; depois teve vontade de ter o filho logo para saber o que era ser mãe. Mas, não podendo fazer as despesas que queria — um berço de luxo com cortinas de seda cor-de-rosa e bordados —, renunciou ao enxoval, num acesso de amargura, encomendando-o de uma só vez a uma costureira de aldeia, sem escolher nem discutir nada. Não se distraiu portanto nos preparativos que criam a ternura materna; sua afeição, desde a origem, ficou por certo um pouco atenuada.

Entretanto, como Charles falava da criança em todas as horas, ela passou a pensar naquilo de maneira mais contínua.

Desejava um filho, que seria forte e moreno. Ela o chamaria Georges. A ideia de ter um filho homem era como a esperança de desforra de sua impotência passada. Um homem, pelo menos, é livre; pode percorrer as paixões e os países, atravessar os obstáculos, buscar os prazeres mais distantes. Mas uma mulher está sempre presa. Inerte e flexível ao mesmo tempo, tem contra si as fraquezas da carne e as imposições da lei. Sua vontade, como o véu da cabeça, estremece a todos os ventos, há sempre um desejo que atrai e uma convenção que a impede.

Deu à luz num domingo, cerca das seis horas da manhã.

— É uma menina! — exclamou Charles.

Emma virou o rosto para um lado e desmaiou.

Pouco depois madame Homais apareceu e abraçou o novo pai. Veio também madame Lefrançois, do Leão de Ouro. O farmacêutico, homem discreto, dirigiu-lhe apenas algumas palavras de felicitação provisória pela porta entreaberta. Quis ver a criança e achou-a bem-proporcionada.

Durante o resguardo, Emma procurou muito um nome para dar à filha. Inicialmente passou em revista todos os nomes com terminações italianas, como Clara, Louisa, Amanda, Atalá; gostava também de Galsuinda, e ainda de Yesult ou Léocadie. Charles queira que a menina tivesse o nome da mãe; Emma opôs-se. Percorreu o calendário de uma ponta à outra, consultando também alguns estrangeiros.

— Monsieur Léon — disse o farmacêutico —, com quem estive conversando no outro dia, espanta-se de que não a chamem Madeleine, que está muito na moda atualmente.

Mas a sogra desaprovou formalmente aquele nome de pecadora. Monsieur Homais, pessoalmente, tinha predileção pelos nomes que lembravam pessoas ilustres, fatos grandiosos ou concepções puras; nesse sistema batizara seus quatro filhos. Assim, Napoléon representava a glória e Franklin, a liberdade; Irma era talvez uma concessão ao romantismo, mas Athalie era uma homenagem à maior de todas as obras imortais da cena francesa. Isso porque suas convicções filosóficas não lhe impediam as admirações artísticas; o pensador nele não abafava o homem de sensibilidade. Sabia traçar a diferença entre a imaginação e o fanatismo. Na tragédia de Athalie, por exemplo, discordava das ideias, mas admirava o estilo; maldizia a concepção, aplaudindo os pormenores, e exasperava-se contra as personagens, entusiasmando-se com suas falas. Quando lia as grandes passagens, sentia-se transportado; mas, quando pensava que os carolas tiravam partido dos mesmos trechos para suas pregações, sentia-se desolado. Nessa confusão de sentimentos, embaraçado, desejava ao mesmo tempo coroar Racine com as duas mãos e discutir com ele durante um bom quarto de hora.

Finalmente, Emma lembrou-se de que em Vaubyessard ouvira a marquesa chamar uma jovem de Berthe. Desde então o nome ficou resolvido; como o pai Rouault não podia vir, monsieur Homais foi convidado para padrinho. Deu de presente mercadorias de seu estabelecimento: seis caixas de jujuba, um frasco de *racahut*, três caixas de pasta de malva e ainda seis bastões de açúcar-cande, que encontrara numa gaveta. Na tarde da cerimônia, houve um grande jantar. O vigário compareceu; havia muita comida. Na hora dos licores, monsieur Homais cantou "O Deus dos Homens"; monsieur Léon, uma barcarola; e madame Bovary mãe, que era a madrinha, uma canção do tempo do Império. Finalmente monsieur Bovary pai exigiu que levassem a criança para baixo, pondo-se a batizá-la com um copo de champanha que lhe derramava na cabeça. Esse desprezo pelo primeiro dos sacramentos indignou o abade Bournisien. O pai

Bovary respondeu com uma citação da *Guerra dos deuses*; o padre resolveu ir-se. As senhoras suplicaram, Homais interpôs-se, e acabaram fazendo com que o eclesiástico se sentasse novamente e continuasse a beber tranquilamente na pequena xícara de café ainda pela metade.

Monsieur Bovary pai ficou ainda um mês em Yonville, gozando a admiração dos habitantes pelo seu boné militar de galões de prata, que colocava de manhã, quando ia à praça fumar seu cachimbo. Como tinha também o hábito de beber muita aguardente, mandava frequentemente a empregada ao Leão de Ouro para comprar-lhe uma garrafa, cuja despesa ficava na conta do filho; e usava, para perfumar o lenço, toda a provisão de água-de-colônia da nora.

Mas a esta não desagradava a companhia do sogro. Monsieur Bovary correra o mundo e falava-lhe de Berlim, de Viena, de Estrasburgo, de seu tempo de oficial, das amantes que tivera, dos grandes almoços em que tomara parte. Mostrava-se amável e muitas vezes, na escada ou no jardim, abraçava Emma pela cintura e gritava:

— Charles, toma cuidado!

A mãe Bovary temia então pela felicidade do filho; receosa de que seu marido, no fim das contas, tivesse influência imoral sobre as ideias da jovem, procurava apressar a partida. Talvez tivesse mesmo preocupações mais sérias. Monsieur Bovary não era homem de respeitar nada.

Um dia, Emma sentiu repentinamente vontade de ver a filha, que fora entregue aos cuidados da ama de leite, mulher do sapateiro. Sem verificar se as seis semanas de resguardo já se haviam transcorrido, dirigiu-se para a casa de Rollet, que ficava do outro lado da aldeia, junto ao rio, entre a estrada e a pradaria.

Era meio-dia; as casas tinham as persianas fechadas, e os tetos de ardósia, que reluziam à luz áspera do céu azul, pareciam emitir fagulhas na crista das cumeeiras. Soprava um vento pesado. Emma sentia-se fraca enquanto caminhava, as pedras do caminho feriam-na. Hesitou entre voltar para casa ou entrar em algum lugar onde pudesse sentar.

Naquele momento, monsieur Léon saiu de uma porta vizinha, com um maço de papéis debaixo do braço. Veio saudá-la, e colocaram-se à sombra, diante da loja de Lheureux, sob o toldo cinzento.

Madame Bovary disse que ia ver a filha, mas que se sentira cansada.

— Se... — começou Léon, sem ousar prosseguir.

— O senhor tem o que fazer agora? — perguntou ela.

A resposta do rapaz foi pronta e ela suplicou-lhe que a acompanhasse. Já à noite, toda Yonville sabia daquilo; madame Tuvache, esposa do prefeito, disse diante da empregada que "madame Bovary se comprometia".

Para chegar à casa da ama, era preciso dobrar à esquerda na rua, como quem ia para o cemitério, e depois seguir, entre as casinhas e terreiros, um atalho cercado de arbustos. Tudo estava em flor, com verônicas, eglantinas e urtigas em moitas compactas. Pelos buracos das sebes, viam-se, nas casas em ruínas, um ou outro porco sobre um monte de esterco, ou vacas que esfregavam os chifres em troncos de árvores. Lado a lado, os dois caminhavam lentamente, ela apoiada nele e ele diminuindo o passo, medido pelo dela. Diante deles, um enxame de moscas esvoaçava, zumbindo no ar morno.

Reconheceram a casa por uma velha nogueira que lhe fazia sombra. Baixa e coberta de telhas marrons, tinha uma réstia de cebolas pendurada do lado de fora, na janela do sótão. Corria água suja pelo jardim, que se embebia na grama, e no corador havia várias peças de roupa: meias de tricô, camisolas, um lençol. Ao bater do portão, a ama apareceu, trazendo nos braços uma criança, que mamava. Puxava pela outra mão um menino franzino, cheio de feridas no rosto. Era filho de um chapeleiro de Rouen cujos pais, muito ocupados com os negócios, haviam confiado para que ficasse um pouco no campo.

— Entre — disse a ama. — Sua filha está dormindo.

O quarto, ao rés do chão, o único da casa, tinha ao fundo, encostada à parede, uma cama grande sem cortinado e, no canto, um misturador de massa para pão, junto à janela, cuja vidraça quebrada fora substituída por um pedaço de papel azul. No outro canto, junto à porta, diversos borzeguins de pregos luzentes estavam arrumados sob o lavatório, junto a uma garrafa cheia de óleo. Em cima da lareira misturavam-se pedras de fuzil, pedaços de vela e orelhas-de-pau. Finalmente, havia ainda uma figura de divindade mitológica que tocava trombeta, recortada sem dúvida de algum prospecto de produto farmacêutico e pregada na parede com cinco pregos de sapateiro.

A filha de Emma dormia num berço de madeira. A mãe ergueu-a juntamente com o lençol que a cobria e começou a cantar em surdina, caminhando para cá e para lá.

Léon caminhou também pelo quarto. Parecia-lhe estranho ver aquela bela mulher em meio a tanta miséria. Madame Bovary enrubesceu e Léon virou-se, acreditando que seus olhos tivessem sido indiscretos. Emma deitou novamente a criancinha, que acabara de vomitar no babador. A ama veio logo enxugá-la, assegurando que não era nada.

— Ela faz também outras coisas — dizia —, e estou sempre a limpá-la! Se a senhora quisesse fazer o favor de autorizar a Camus, o merceeiro, que me deixasse apanhar de vez em quando um pedaço de sabão, para quando precisar! Seria até mais cômodo para a senhora, pois eu não teria de ir lá pedir-lhe.

— Está bem — disse Emma. — Até logo, mãe Rollet.

E saiu, limpando os pés na soleira.

A ama acompanhou-a até o fim do terreiro, sempre falando do incômodo que lhe causava ter de levantar-se à noite.

— Às vezes fico tão cansada que durmo na cadeira. A senhora deveria dar-me pelo menos um meio quilo de café moído, que duraria o mês todo, para eu tomar de manhã com o leite.

Depois de ouvir os agradecimentos, Emma afastou-se; mas nem bem dera alguns passos, ouviu alguém que andava atrás de si. Voltou-se; era a ama, ainda.

— Que é agora?

E a mulher, chamando-a para um lado, à sombra de uma árvore, começou a falar do marido, que ganhava muito pouco, e que...

— Acabemos com isso depressa — disse Emma.

— Bem — disse a ama, suspirando a cada palavra —, tenho medo de que ele fique triste ao me ver tomar café sozinha; a senhora sabe, os homens...

— Eu darei café para os dois — disse Emma. — Como me aborrece!

— Sim, minha senhora, mas é que ele tem dores terríveis no peito, por causa dos ferimentos que recebeu na guerra. Diz mesmo que a sidra o enfraquece.

— Mas diga logo o que quer, mãe Rollet!

— Sendo assim — disse a mulher, fazendo uma reverência —, se não é pedir muito — e fez outra reverência —, gostaria que a senhora mandasse uma garrafa de aguardente — seu olhar era suplicante —, e eu poderia até friccionar os pezinhos de sua filha, que são tão delicados.

Livre da outra, Emma retomou o braço de monsieur Léon. Caminhou rapidamente durante algum tempo, mas depois diminuiu o passo. Seus olhos encontraram à sua frente os ombros do rapaz, cujo casaco tinha uma gola de veludo negro. Seus cabelos louros caíam pela nuca, firmes e bem penteados. Ela notou também as unhas, mais longas do que se costumava usar em Yonville. Uma das grandes preocupações do escrevente era cuidar delas; tinha até um canivete especialmente para isso na gaveta de sua escrivaninha.

Voltaram a Yonville margeando o rio. Na estação quente, as margens ficavam mais largas, mostrando os muros dos quintais até as sebes e as escadinhas que descem para a água. O rio corria silenciosamente, rápido e fresco, curvando a vegetação aquática como cabeleiras verdes à correnteza. Os raios de sol atravessavam os glóbulos azuis das ondas que se formavam e se desfaziam. Os velhos choupos de ramos esparramados refletiam na água seus troncos cinzentos. Além do rio, a pradaria imensa parecia vazia. Era a hora da refeição nas fazendas. A jovem e seu companheiro não ouviam à sua volta senão o ruído de seus próprios passos no atalho, as palavras que diziam e o farfalhar do vestido de Emma nas ervas e nos arbustos ao redor.

Os muros dos jardins, com os pedaços de vidro para defesa contra os ladrões, estavam quentes como os vidros de uma estufa. Nos tijolos haviam crescido trepadeiras. Madame Bovary, com a ponta da sombrinha fechada, transformava as florezinhas amarelas em poeira fina.

Conversavam sobre uma companhia de dançarinos espanhóis que ia estrear dali a alguns dias num teatro de Rouen.

— O senhor vai? — perguntou ela.

— Se puder — respondeu o rapaz.

Não teriam eles nada mais que conversar? Seus olhos estavam cheios de perguntas mais sérias; enquanto se esforçavam por encontrar frases banais, sentiam um mesmo langor que os invadia. Era como um murmúrio da alma, profundo, contínuo, que dominava o das vozes. Surpreendidos com aquela nova suavidade, nem sequer procuravam exprimir a sensação ou descobrir-lhe a causa. As felicidades futuras, como os rios dos trópicos, projetam sobre a imensidão que as precede sua suavidade natal, sua brisa perfumada; e a gente se embriaga nessa sensação sem nem mesmo pensar no horizonte longínquo.

Em certo trecho, a terra estava esburacada pelos cascos dos animais; era preciso andar sobre grandes pedras verdes espaçadas pela lama. Emma parava de vez em quando para ver onde devia colocar o pé e, equilibrada sobre a pedra que balançava, os braços erguidos, a cintura curvada, o olhar indeciso, ria-se com medo de cair.

Quando chegaram ao jardim de sua casa, madame Bovary empurrou o portão, subiu correndo os degraus da frente e desapareceu.

Léon voltou ao trabalho. O patrão estava ausente; o rapaz olhou para os maços de processos, apanhou uma pena e finalmente pegou o chapéu e foi-se.

Dirigiu-se para a Pastagem, no alto da encosta de Argueil, na entrada da floresta. Deitou-se na grama e ficou olhando céu por entre os dedos.

— Como me aborreço! — murmurou. — Como me aborreço!

Estava cansado de viver naquela aldeia, com monsieur Homais por amigo e monsieur Guillaumin por patrão. Este último, sempre ocupado, com óculos de aros de ouro e suíças ruivas, não compreendia as sutilezas do espírito, embora fingisse uma circunspecção britânica que a princípio o empregado admirara. Quanto à mulher do farmacêutico, era a melhor esposa da Normandia, dócil como um cordeiro, e adorava os filhos, o pai, a mãe, os primos, chorava pelas dores alheias, deixava a casa entregue aos azares e detestava as cintas apertadas. Era tão lenta de movimentos, tão aborrecida de escutar-se, tinha um aspecto tão vulgar e uma conversação tão restrita que Léon jamais sonhara, embora ela tivesse trinta anos e ele, vinte, e dormissem em quartos vizinhos e se vissem todos os dias, que ela fosse mulher para outros homens, nem que possuísse, de seu sexo, algo mais que o vestido.

Além disso, quem mais havia por ali? Binet, alguns comerciantes, dois ou três donos de cabarés, o padre e, finalmente, monsieur Tuvache, o prefeito, com seus dois filhos, rapazes grosseiros e burros, que cultivavam a própria terra e promoviam banquetes em família. Era uma sociedade inteiramente insuportável.

Mas, sobre a vulgaridade de todos aqueles rostos humanos, a fisionomia de Emma se destacava, isolada e distante, pois ele percebia vagos abismos a separá-los.

A princípio, ele a visitara diversas vezes em companhia do farmacêutico. Charles não demonstrara muita vontade de recebê-lo, e Léon não sabia como fazer entre o temor de ser indiscreto e o desejo de uma intimidade que lhe parecia quase impossível.

IV

Desde o princípio do inverno, Emma trocara o quarto pela sala, aposento comprido e de teto baixo, onde havia um enfeite de pólipos sobre a lareira. Sentada em sua poltrona, junto à janela, via os transeuntes passarem na calçada.

Léon, duas vezes por dia, ia do escritório ao Leão de Ouro. Emma ouvia-o de longe e curvava-se à escuta; o jovem passava por trás da cortina, sempre vestido da mesma maneira e sem voltar a cabeça. Mas, ao crepúsculo, quando, com o queixo na mão esquerda, ela abandonava sobre os joelhos o bordado começado, muitas vezes estremecia à aparição daquela sombra repentina. Levantava-se então e ordenava que a mesa fosse posta.

Monsieur Homais chegava durante o jantar. Com seu boné grego na mão, entrava na ponta dos pés para não perturbar ninguém e repetia sempre as mesmas palavras:

— Boa noite para todos!

Depois se sentava à mesa, entre os dois esposos, e pedia ao médico notícias de seus doentes, enquanto este o consultava sobre as possibilidades de cobrança de honorários. Em seguida, conversavam sobre o que vinha no jornal. Homais, àquelas horas, já o sabia quase de cor e recitava-o integralmente, com as reflexões dos jornalistas e as notícias das catástrofes ocorridas na França e no exterior. Quando o assunto acabava, chegava a vez das observações sobre a comida que via à mesa. Às vezes, erguendo-se a meio, indicava delicadamente a madame o pedaço mais tenro ou, virando-se para a empregada, dava-lhe conselhos culinários. Falava de aromas, sucos e gelatinas de maneira admirável. Sua cabeça, aliás, era mais cheia de receitas culinárias do que sua farmácia de frascos; Homais tinha o dom de saber fazer maravilhosos doces, vinagres e licores. Conhecia ainda todas as novas invenções em matéria de fornos, a arte de conservar os queijos e recuperar os vinhos estragados.

Às oito horas, Justin vinha buscá-lo para fechar a farmácia. Monsieur Homais olhava-o então, divertido, especialmente se Félicité estivesse na sala, pois ele percebera que o aprendiz gostava de frequentar a casa do médico.

— Esse menino — dizia ele — começa a ter ideias, e acredito, diabos me levem, que está apaixonado pela sua empregada.

Mas o defeito mais grave do rapazinho, que o farmacêutico reprovava sempre, era o hábito de escutar as conversas. Aos domingos, por exemplo, não se podia fazê-lo sair do salão, onde madame Homais o chamava para levar as crianças que tinham adormecido nas poltronas.

Não ia muita gente a essas reuniões na casa do farmacêutico, pois sua língua ferina e suas opiniões políticas haviam afastado dele, sucessivamente, diversas pessoas respeitáveis. O jovem escrevente nunca faltava. Logo que ouvia a campainha, ia ao encontro de madame Bovary, tomava seu xale para guardar e colocava para secar as galochas que ela usava quando caía neve.

Jogavam-se então algumas partidas de trinta e um. Em seguida, monsieur Homais jogava a sós com Emma. Léon, por trás dela, dava conselhos. De pé, com as mãos no espaldar da cadeira, ele contemplava os dentes do pente que lhe mordia os cabelos na nuca, em coque. A cada movimento que ela fazia para lançar as cartas, seu vestido erguia-se do lado direito. Dos cabelos retidos descia-lhe pelas costas uma cor castanha que empalidecia pouco a pouco, perdendo-se na sombra. A saia tombava dos dois lados da cadeira, em dobras fartas até o chão. Quando Léon, de vez em quando, sentia que a pisava, retirava apressadamente o pé, como se tivesse pisado em uma pessoa.

Quando terminava a partida de cartas, o farmacêutico e o médico jogavam dominó. Emma, mudando de lugar, curvava-se sobre a mesa, a ler *L'Illustration*. Trazia às vezes um figurino. Léon punha-se ao lado dela, e juntos olhavam as gravuras e liam as legendas ao pé das páginas. Frequentemente Emma lhe pedia que dissesse versos, e Léon declamava com voz arrastada, que fazia morrer nas passagens de amor. Mas o barulho do dominó contrariava-a. Monsieur Homais era perito e derrotava Charles sempre por larga margem. Depois de terminarem as três centenas, recostavam-se os dois junto à lareira e não tardavam a ressonar. O fogo se extinguia nas cinzas, o bule de chá ficava vazio. Léon lia ainda, Emma escutava, virando maquinalmente a copa do quebra-luz, que tinha pierrôs e dançarinas pintados. Léon parava, mostrando com um gesto o auditório adormecido; e então os dois se punham a conversar em voz baixa. A conversação lhes parecia mais doce porque ninguém a ouvia.

Assim, estabeleceu-se entre eles uma espécie de associação, um intercâmbio contínuo de livros e romances; monsieur Bovary, pouco ciumento, não se incomodava.

Recebeu ele, em seu aniversário, uma bela cabeça frenológica, toda marcada de algarismos até o tórax e pintada de azul. Era uma gentileza do escrevente, que lhe proporcionava outras, como fazer encomendas para ele em Rouen. Um livro em voga lançou a moda das plantas espinhentas, e ele comprou algumas para madame, levando-as pessoalmente na Andorinha e nelas espetando os dedos.

Emma mandou fazer na janela uma prateleira para colocar os vasos de plantas. O escrevente preparou também seu jardim suspenso. Os dois se viam um ao outro, cada qual cuidando de suas flores.

Entre as janelas da aldeia, havia uma que ficava ainda mais frequentemente ocupada, porque aos domingos, da manhã à noite, e todas as tardes, quando o tempo estava claro, via-se, numa janela de sótão, o perfil magro de monsieur Binet curvado sobre sua roda de moldar cerâmica, cujo ronco monótono chegava até o Leão de Ouro.

* * *

Uma noite, Léon, ao voltar para casa, encontrou no quarto um tapete de lã e veludo com folhagens sobre fundo claro. Chamou madame Homais, monsieur Homais, Justin, as crianças, a cozinheira. Falou daquilo ao patrão; todo mundo ficou querendo conhecer o tapete. Por que a mulher do médico fazia ao escrevente tais "generosidades"? Aquilo parecia estranho, e todos acharam definitivamente que os dois deviam ser mais do que bons amigos.

E Léon reforçava a crença, pois falava sem cessar nos encantos físicos e espirituais de Emma; e de tal forma que um dia Binet lhe respondeu, zangado:

— Que me interessa isso? Não sou do meio que eles frequentam!

Léon torturava-se, tentando descobrir um meio de declarar-se. Sempre hesitando entre o medo de desagradar e a vergonha de parecer um fraco, chorava de desânimo e de desejo. Tomava decisões enérgicas; escrevia cartas que rasgava, adiando o grande momento para época que adiava novamente. Muitas vezes punha-se a caminho, com o objetivo de arriscar tudo. Mas essa resolução desvanecia-se rapidamente em presença de Emma; e, quando Charles chegava e convidava-o a subir em sua charrete, para irem juntos ver algum doente nos arredores, ele aceitava imediatamente, cumprimentava madame e partia. Pois não era o marido, também, algo dela?

Quanto a Emma, não se interrogava a si mesma para saber se o amava. Acreditava que o amor devia surgir de repente, com grandes relâmpagos e fulgurações — tempestade celestial que cai sobre a vida, transformando-a, arrancando as vontades como folhas e levando o coração ao abandono completo. Ela não sabia que, nos terraços das casas, a chuva faz poças quando as goteiras estão entupidas, e ficou assim, firme em sua segurança, até que descobriu subitamente uma brecha na parede.

V

Foi num domingo de fevereiro, numa tarde em que nevava.

Haviam ido todos, monsieur e madame Bovary, Homais e monsieur Léon, ver uma fiação de linho que se estava estabelecendo a meia légua de Yonville. O farmacêutico levara consigo Napoléon e Athalie, para que fizessem exercício, e Justin acompanhava-os carregando às costas os guarda-chuvas.

Nada era mais curioso que aquela curiosidade. Uma grande extensão de terreno baldio, onde se encontravam, misturados, montes de terra, cascalho e algumas rodas e engrenagens já enferrujadas, circundava um comprido edifício quadrangular cheio de pequeninas janelas. Não estava acabado de construir; via-se o céu pelos buracos do teto. No topo, fitas coloridas atadas ao pequeno mastro esvoaçavam ao vento.

Homais falava. Explicava aos companheiros a futura importância daquele estabelecimento, experimentava a qualidade das madeiras, a espessura das paredes, e lamentava não ter uma bengala métrica, como a que monsieur Binet possuía para seu uso particular.

Emma, a quem Homais dava o braço, apoiava-se também em seu ombro e contemplava o disco solar que irradiava ao longe, no nevoeiro, sua luz pálida e ofuscante. Mas virou a cabeça e avistou Charles.

O médico tinha a boina enterrada até as sobrancelhas e seus lábios grossos tremiam, o que lhe dava à expressão algo de imbecil. Era irritante até ver aquelas costas tranquilas; toda a mediocridade de seu ser estampava-se-lhe no rosto.

Enquanto ela olhava o marido, gozando, em sua irritação, uma espécie de volúpia depravada, Léon avançou um passo. O frio que o empalidecia parecia dar-lhe ao rosto um langor mais suave. Entre a gravata e o pescoço, o colarinho da camisa, um pouco frouxo, deixava ver a pele; um pedaço da orelha aparecia-lhe por entre as mechas de cabelos, e seus grandes olhos azuis, erguidos para o céu, pareciam a Emma mais límpidos e belos do que os lagos das montanhas onde o firmamento se reflete.

— Infeliz! — gritou de repente o farmacêutico.

Correu para o filho, que enfiara os pés num monte de cal e pintara os sapatos de branco. Debaixo de uma chuva de reprimendas, Napoléon pôs-se a chorar, enquanto Justin procurava limpar-lhe os sapatos com pedaços de palha. Mas era necessário uma faca; Charles ofereceu a sua.

— Ah! — disse Emma para si mesma. — Ele leva uma faca no bolso, como um camponês!

Começou a nevar novamente e eles voltaram a Yonville.

À noite, madame Bovary não foi visitar os vizinhos, e, quando Charles saiu e ela se sentiu sozinha, a comparação recomeçou com a nitidez de um sentimento quase real e com aquela perfeição de perspectiva que a distância confere aos objetos. Olhando da cama o fogo claro que ardia, ela recordava, como pouco antes, Léon de pé, entortando a bengala com uma das mãos e com a outra segurando Athalie, que chupava tranquilamente um pedaço de gelo. Ela o achava encantador; não podia deixar de pensar nele; lembrava-se de outras atitudes em outros dias, de frases que ele havia dito, do som de sua voz, de toda a sua pessoa. E Emma repetia, entreabrindo os lábios como para um beijo:

— Sim, adorável, adorável! Ele me ama? Certamente, ele me ama!

Todas as provas se estenderam subitamente ante seus olhos. Seu coração bateu. A chama da lareira iluminava o teto com uma claridade alegre. Emma deitou-se de costas, estendendo os braços.

Começou, então, a eterna lamentação:

— Oh, se o céu tivesse querido! Por que não foi assim? Que impedia de ser assim?

Quando Charles voltou, à meia-noite, ela fingiu que acordava. Como ele fez barulho ao despir-se, ela se queixou de dor de cabeça e depois perguntou, indiferentemente, o que acontecera na casa do farmacêutico.

— Monsieur Léon — respondeu ele — recolheu-se cedo.

Ela não pôde deixar de sorrir; e adormeceu com a alma cheia de um novo encantamento.

No dia seguinte, à noitinha, Emma recebeu a visita do senhor Lheureux, vendedor de novidades. Era um homem astuto, aquele mercador.

Nascido na Gasconha, mas criado na Normandia, combinava a verbosidade meridional à cautela dos naturais de Caux. Seu rosto gordo, forte e sem barba era muito claro, e sua cabeleira branca realçava ainda mais o brilho rude de seus pequenos olhos negros. Ignorava-se o que fora anteriormente: vendedor ambulante, diziam uns, banqueiro em Roulot, segundo outros. O fato é que sabia fazer, de cabeça, cálculos complicados que causavam admiração ao próprio Binet. Polido até a obsequiosidade, mantinha-se sempre numa posição meio curvada, como quem cumprimenta ou convida.

Depois de ter deixado à porta seu chapéu enfeitado com uma fita de crepe, o comerciante deixou na mesa um cartão verde e começou por queixar-se à madame, com palavras muito delicadas, de que até então ela não lhe dera a honra de requisitar seus serviços. Uma pobre lojinha como a sua, naturalmente, não atrairia uma dama elegante (colocou ênfase na palavra). Mas bastava encomendar que ele se encarregaria de fornecer o que ela quisesse, tanto em apetrechos de costura, quanto em lingerie, chapelaria e novidades, pois ia à cidade quatro vezes por mês, regularmente. Tinha negócios com as melhores casas. Era só falar em seu nome no Três Irmãos, no Barba de Ouro ou no Grande Selvagem, todos os grandes comerciantes o conheciam como a palma de suas mãos! Hoje, porém, vinha apenas mostrar a madame, rapidamente, alguns artigos que tinha consigo, numa ocasião muito rara. Retirou então da caixa meia dúzia de colarinhos bordados.

Madame Bovary examinou-os.

— Não preciso de nada — disse ela.

Monsieur Lheureux exibiu então, delicadamente, três echarpes argelinas, diversos pacotes de agulhas inglesas, um par de chinelos de palha e, finalmente, quatro copinhos para ovo, feitos de coco e talhados à mão por presidiários. Depois, com as mãos sobre a mesa, com o rosto para a frente, a cintura curvada, ele seguia, de boca aberta, o olhar de Emma, que passeava indeciso pelas mercadorias. De vez em quando, como para tirar a poeira, ele dava um piparote com a unha na seda das echarpes, desdobradas em toda a largura, que estremeciam ao golpe com um farfalhar ligeiro, cintilando à luz esverdeada do crepúsculo, com os fios de ouro do tecido brilhando como estrelas.

— Quanto custam? — perguntou Emma.

— Uma miséria, uma ninharia. Mas não há pressa; quando a senhora quiser. Não somos judeus!

Ela refletiu alguns instantes e terminou por agradecer a monsieur Lheureux, que replicou sem se incomodar.

— Ora, nós nos entenderemos mais tarde! Sempre me dei bem com as mulheres, menos com a minha!

Emma sorriu.

— Devo dizer-lhe — continuou ele com ar simpático — que a questão de dinheiro não me incomoda... Eu lhe daria a echarpe, se fosse preciso.

Ela fez um gesto de surpresa.

O comerciante pediu então notícias do pai Tellier, dono do Café Français, de quem monsieur Bovary cuidava.

— Qual é a doença do pai Tellier? Quando ele tosse, balança toda a casa! Tenho medo que lhe aconteça alguma coisa mais séria. Quando era jovem, levou uma vida muito alegre! A aguardente vai acabar com ele! Essa gente não tinha a menor temperança. Mas é triste, de qualquer maneira, ver morrer alguém que a gente conhece.

E, enquanto fechava a caixa de papelão, continuava a discorrer sobre a clientela do médico.

— É esse tempo, sem dúvida — dizia, olhando pela janela com ar resignado — que causa essas doenças. Eu também não me sinto muito bem; qualquer dia destes, virei consultar monsieur, por causa de uma dor que tenho nas costas. Bem, até a vista, madame Bovary. Estou à sua disposição, como humilde servidor.

E fechou cuidadosamente a porta.

Emma mandou que lhe servissem o jantar no quarto, junto à lareira. Comeu vagarosamente; tudo lhe parecia bom.

— Como fui ajuizada! — exclamou para si mesma, pensando nas echarpes.

Ouviu passos na escada; era Léon. Emma levantou-se, apanhando um pano de prato que estava sobre a cômoda, para alinhavar. Aparentou estar muito ocupada quando o rapaz entrou.

A conversação foi lenta. A cada momento madame Bovary se calava, enquanto ele a imitava, embaraçado. Sentado em uma cadeira baixa, perto da lareira, ele rociava nos dedos o dedal de marfim. Ela trabalhava com a agulha, parando de vez em quando para desfazer as dobras do pano com a unha. Emma não falava, nem Léon, preso ao silêncio da mulher como ficaria preso às suas palavras.

"Pobre rapaz!", pensava ela.

"Em que será que a desagrado?", pensava ele.

Léon acabou por declarar que qualquer dia iria a Rouen, para tratar de alguns negócios.

— Sua assinatura na revista de música terminou. Quer que a renove?

— Não — respondeu ela.

— Por quê?

— Porque...

E, mordendo os lábios, ela puxou lentamente a agulha, rebocando a linha cinzenta.

Aquele trabalho irritava Léon. Parecia estragar as pontas dos dedos de Emma. O rapaz pensou numa frase galante, mas não ousou arriscar.

— Mas então vai abandonar? — perguntou ele.

— O quê? — perguntou ela, com vivacidade. — A música? Ah, sim! Tenho minha casa para cuidar, meu marido, mil coisas, enfim, muitos deveres que têm prioridade!

Olhou para o relógio. Charles tardava. Emma fingiu-se preocupada. Repetiu duas ou três vezes:

— Ele é tão bom!

O rapaz gostava de monsieur Bovary. Mas aquela ternura para com o marido o surpreendia desagradavelmente. Sustentou, porém, o elogio, passando depois a comentar a amizade que o ligava ao farmacêutico.

— Ah! É um homem extraordinário — disse Emma.

— Certamente — concordou Léon.

Passou depois a falar de madame Homais, cujo pouco cuidado com a aparência pessoal o fazia rir sempre.

— Que importa isso? — interrompeu Emma. — Uma boa mãe de família não deve preocupar-se exageradamente com caprichos.

Depois permaneceu em silêncio.

O mesmo aconteceu nos dias seguintes; suas palavras, seus modos, tudo mudou. Passou a dedicar-se à casa, ir regularmente à igreja e vigiar a empregada com mais severidade.

Retirou Berthe dos cuidados da ama. Félicité levava a criancinha à sala quando vinham visitas, e madame Bovary despia-a para mostrar como era gordinha. Declarava adorar crianças; eram seu consolo, sua alegria, sua paixão. Acompanhava de carícias suas exposições líricas, que, a outros que não os habitantes de Yonville, lembrariam a Sachette de *Notre-Dame de Paris*.

Quando Charles voltava, encontrava sempre seus chinelos junto ao fogo, para ficarem mornos. Agora seus coletes não perdiam o debrum; nem suas camisas, os botões. Ele chegava a ter prazer em contemplar no armário todos os seus chapéus e boinas arrumados em pilhas iguais. Emma já não fazia mais aquele ar aborrecido quando passeava a esmo no jardim. O que Charles propunha era sempre aceito, embora ela nem sempre compreendesse as vontades a que se submetia sem um murmúrio; e, quando Léon via Charles junto à lareira, depois do jantar, com as duas mãos sobre o ventre, os pés no apoio das cinzas, os olhos úmidos de felicidade ao contemplar a criança que engatinhava no tapete e aquela mulher esbelta que, por trás do espaldar da poltrona, vinha beijá-la na fronte, dizia pra si mesmo:

"Que loucura! Como chegar até ela?"

Emma parecia-lhe tão virtuosa e inacessível que ele perdeu todas as esperanças, mesmo as mais vagas.

Mas, por causa dessa renúncia, passou a imaginá-la em condições extraordinárias. Para ele, ela era dotada de qualidades materiais com que ele nunca poderia sonhar; e, dentro de seu coração, como uma apoteose que desaparece, ela subia para um céu imaginário. Era um desses sentimentos puros que não perturbam o processo de uma vida, que se cultivam porque são raros, e cuja perda seria mais aflitiva do que a posse, compensadora.

Madame Bovary emagreceu, suas faces tornaram-se mais pálidas, seu rosto, mais fino. Com os cabelos negros, os olhos grandes, seu nariz bem-feito, seu andar suave e sempre silencioso agora, não parecia ela atravessar a existência sem quase tocá-la, levando na fronte o sinal vago de alguma sublime predestinação? Ela vivia tão triste e tão calma, apresentava-se tão doce e tão reservada ao mesmo tempo, que junto dela se sentia como que um encanto glacial, igual ao que se desprende do perfume das flores misturado ao frio dos mármores nas igrejas. Os outros não escapavam àquela sedução. O farmacêutico dizia:

— É uma mulher de muito valor e que não estaria mal aproveitada numa subprefeitura.

Os burgueses admiravam sua economia; os clientes, a delicadeza; os pobres, a caridade.

Ela, porém, vivia cheia de ambições, de raivas e de ódios. Aquele vestido de linhas sóbrias encobrira um coração perturbado, de cuja tormenta interior os lábios pudicos não falavam. Estava apaixonada por Léon e procurava a solidão para poder tranquilamente deleitar-se com o sentimento. A vista do rapaz perturbava a volúpia daquela meditação. Emma tremia ao ruído dos passos dele; mas, em sua presença, a emoção desaparecia e não lhe restava senão uma surpresa imensa que terminava em tristeza.

Léon não sabia que, quando saía desesperado da casa dela, Emma se levantava para o ver na rua. Inquietava-se quando ele tardava; perscrutava-lhe o rosto; inventou uma história complicada para achar um pretexto de visitar seu quarto. A mulher do farmacêutico parecia-lhe feliz por poder dormir sob o mesmo teto que ele.

Seus pensamentos continuamente pousavam naquela casa, como os pombos do Leão de Ouro, que iam ali molhar as patas cor-de-rosa e as asas brancas nas calhas do telhado. Mas, à medida que Emma percebia seu amor, mais ela o recalcava, para que não aparecesse e para diminuí-lo. Desejava que Léon desconfiasse; sonhava acasos, catástrofes que o facilitassem. O que a retinha era a preguiça, o medo e até mesmo o pudor. Acreditava que o repelira demais, que já não haveria oportunidade, que tudo estava perdido. Além disso, o orgulho e a alegria de dizer a si mesma "sou virtuosa", olhando-se ao espelho em poses resignadas, consolava-a um pouco do sacrifício que acreditava estar fazendo.

E, então, os chamamentos da carne, a ambição do dinheiro e as melancolias da paixão, tudo se confundia num mesmo sofrimento; e, em lugar de procurar desviar o pensamento, mais ela se aferrava àquilo, comprazendo-se na dor e aproveitando sempre novas ocasiões. Irritava-se com um prato malservido ou com uma porta entreaberta, gemia por não ter roupas de veludo, por não ter felicidade, por sonhar demasiado, por viver numa casa tão pequena.

O que a exasperava era que Charles não parecia dar-se conta de seu sacrifício. A convicção que ele tinha de que a fazia feliz parecia a Emma um insulto imbecil, e sua tranquilidade, algo pior que a ingratidão. Por que teria ela de ser virtuosa? Não era ele, Charles, o obstáculo à felicidade, a causa de toda a tristeza, como a fivela pontiaguda daquela correia que a prendia por todos os lados?

Dessa maneira, ela transportou para Charles o ódio que resultava de seus aborrecimentos, e todos os esforços que fazia para diminuí-lo só serviam para exacerbá-lo; aquele sacrifício inútil se juntava aos outros motivos de desespero e contribuía ainda mais para a separação. A mediocridade doméstica levava-a a fantasias luxuosas; a calma matrimonial, a desejos adúlteros. Ela gostaria que Charles lhe batesse, para poder com mais razão detestá-lo, vingar-se dele. Surpreendia-se, às vezes, com seus próprios pensamentos; seria preciso continuar a sorrir, repetir para si mesma que era feliz, fingir que o era, fazer com que ele acreditasse?

Dava-lhe certo desgosto, contudo, essa hipocrisia. Tinha tentações de fugir com Léon para algum lugar bem distante, para tentar novo destino; mas, ao mesmo tempo, abria-se em sua alma um vago abismo, cheio de obscuridade.

"Além disso, ele não me ama mais", pensava ela. "Que fazer? A quem pedir socorro? Que consolo buscar, que alívio procurar?"

Permanecia triste, ofegante, inerte, soluçando baixinho e chorando sem cessar.

— Por que não diz nada a monsieur? — perguntava a empregada, entre uma e outra crise.

— São os nervos — dizia Emma. — Não lhe digas nada, ele se afligiria.

— Ah, sim — dizia Félicité —, a senhora é como Guérine, filha do pai Guérin, pescador de Pôlet, que conheci em Dieppe, antes de vir trabalhar aqui. Ela era tão triste, tão triste, que vê-la de pé à soleira da porta era o mesmo que ver uma mortalha estendida. Ao que parece, seu mal era uma espécie de nevoeiro na cabeça, contra o qual não podiam os médicos nem o padre. Quando aquilo a assaltava, ela ia sozinha para a beira do mar, e o guarda da alfândega, quando fazia a ronda, encontrava-a muitas vezes chorando na amurada. Mas, depois que se casou, dizem que tudo passou.

— Mas, comigo — respondia Emma —, foi depois do casamento que isto me apareceu.

VI

Um dia, com a janela aberta, Emma estava ao parapeito, olhando Lestiboudois, o sacristão, a rachar lenha, quando ouviu de repente tocar o "Angelus".

Era começo de abril; um vento morno rolava sob as platibandas trabalhadas, e os jardins, como as mulheres, pareciam preparar suas toaletes para a festa do verão. Além do jardim ela via o rio, na pradaria, desenhando suas curvas sinuosas. A luz da tarde passava entre as árvores sem folhas, lançando-lhes nos ramos um tom violáceo, mais pálido e transparente que uma gaze sutil que fosse colocada sobre eles. Ao longe, os animais caminhavam sem que se ouvissem nem seus passos nem seus mugidos; e o sino, tocando sempre, transmitia pelos ares seu lamento pacífico.

Àquele bimbalhar repetido, o pensamento da jovem senhora voltou às antigas lembranças da primeira juventude e do convento. Lembrou-se dos grandes candelabros que iluminavam no altar os vasos cheios de flores e o tabernáculo com suas colunatas. Desejou estar, como outrora, perdida na longa fila de véus brancos, interrompida aqui e ali pelos capuchos negros das freiras, inclinadas nos genuflexórios; aos domingos, na missa, quando erguia a cabeça, contemplava o rosto suave da Virgem entre os turbilhões azulados da fumaça de incenso que subia. Naquele instante, uma ternura infinita tomou conta dela; sentiu-se lânguida e abandonada, como uma pena de pássaro em meio à tempestade. Sem mesmo saber o que fazia, caminhou para a igreja, disposta a qualquer devoção, desde que nela absorvesse sua alma e apagasse toda a sua existência.

Encontrou no caminho Lestiboudois, que voltava, pois, para não encurtar o dia, ele preferia interromper seu trabalho, tocar os sinos e depois retomá-lo, embora na verdade costumasse tocar quando bem lhe aprouvesse. Além disso, dando o toque mais cedo, aproveitava para avisar as crianças da hora do catecismo.

Algumas, que já tinham chegado, jogavam gude sobre as campas do cemitério. Outras, montadas no muro, agitavam as pernas, derrubando com os sapatos as grandes urtigas que cresciam entre a pequena igreja e as últimas tumbas. Era o único lugar verde; o resto não era senão lousas permanentemente cobertas por uma poeira fina, apesar do espanador que havia na sacristia.

As crianças corriam pelo cemitério como por uma calçada feita para elas e gritavam umas para as outras, abafando o som do sino. Este diminuía com as oscilações da corda grossa que, vinda das alturas do campanário, arrastava uma das pontas no chão. Algumas andorinhas passavam soltando pios, cortando o ar com seu voo, de volta aos ninhos nas beiras dos telhados. No fundo da igreja brilhava uma lâmpada, isto é, uma lamparina de óleo improvisada num copo suspenso. Sua luz, de longe, assemelhava-se a uma mancha esbranquiçada boiando no óleo. Um raio de sol, muito comprido, atravessava toda a nave e tornava ainda mais escuros os ângulos e cantos.

— Onde está o padre? — perguntou madame Bovary a um menino que brincava na entrada da igreja.

— Vai chegar — respondeu a criança.

Com efeito, a porta do presbitério gemeu e o padre Bournisien apareceu; as crianças correram de cambulhada para dentro da igreja.

— Esses marotos — murmurou o eclesiástico —, sempre os mesmos!

E, apanhando um catecismo em frangalhos, em que quase tropeçara, ajuntou:

— Não respeitam nada!

De repente viu madame Bovary.

— Desculpe — falou o padre. — Não vi que a senhora estava aí.

Guardou o catecismo no bolso e parou, continuando a balançar entre os dois dedos a pesada chave da sacristia.

A luz do sol poente, que atingia em cheio seu rosto, mostrava a sotaina ruça, luzidia nos cotovelos e esgarçada na barra. Manchas de gordura e de fumo seguiam no peito largo a linha dos pequenos botões, mais numerosas quanto mais se afastavam do colarinho, no qual repousavam as dobras abundantes de sua papada vermelha, salpicada de máculas amarelas que desapareciam na barba por fazer. Acabara de jantar e respirava ruidosamente.

— Como tem passado a senhora? — perguntou ele.

— Mal — disse Emma. — Estou sofrendo.

— Eu também — disse o padre. — Estes primeiros calores nos dão uma moleza terrível, não? Enfim, que quer? Nascemos para sofrer, como diz São Paulo. E monsieur Bovary, que ele pensa disso?

— Ele! — disse Emma, com um gesto de desprezo.

— O quê? — replicou o padre, surpreso. — Ele não lhe receita nada?

— Ah! — disse Emma. — Não é dos remédios da Terra que preciso.

Mas o padre de vez em quando olhava para dentro da igreja, onde os meninos, ajoelhados, davam-se empurrões e caíam como castelos de cartas.

— Eu queria saber... — recomeçou ela.

— Espere, espere — disse o padre. — Riboudet, vou aí dentro dar-te um puxão de orelha, menino perverso!

E voltando-se para Emma:

— É o filho de Boudet, o carpinteiro. Seus pais estão bem agora e o deixam fazer o que quer. Ele poderia aprender depressa se quisesse, porque é inteligente. Eu, de brincadeira, chamo-o às vezes de Riboudet, o nome da encosta que vai dar em Maromme, e digo até "mon Riboudet". Ah! Ah! Mont-Riboudet![4] No outro dia contei esta ao Monsenhor, que riu... isto é, que se dignou a rir. E monsieur Bovary, como vai?

Ela não pareceu ouvir. O padre continuou:

— Sempre muito ocupado, imagino. Porque certamente eu e ele somos as duas pessoas da paróquia que mais trabalho têm. Mas ele é o médico dos corpos — acrescentou com um riso grosseiro —, e eu sou o das almas!

Emma fitou o padre com olhos suplicantes.

— Sim — disse ela —, o senhor acalma todas as angústias.

— Ah, não me fale nisso, madame Bovary! Esta manhã mesmo tive de ir ao Baixo-Diauville para ver uma vaca doente. O pessoal de lá achava que era um feitiço. Todas as vacas iam ficando inchadas; não sei como... Mas, perdão! Longuemarre e Boudet! Parem com isso já!

E de um salto lançou-se para dentro da igreja.

As crianças já se agrupavam em torno do altar, subiam na mesa da comunhão, abriam o missal. Outras, na ponta dos pés, foram esconder-se dentro do confessionário. Mas o cura, entrando de repente, distribuiu uma porção de bofetadas e, agarrando os meninos pela gola, obrigou-os a ajoelharem-se diante do altar, com tanta força como se quisesse plantá-los no chão.

— Vamos — disse ele, voltando para junto de Emma e desdobrando seu grande lenço com uma das pontas metida entre os dentes —, afinal, os camponeses são bem infelizes.

— Mas há outros infelizes — respondeu ela.

— Certamente! Os operários das cidades, por exemplo.

— Não são eles...

---

[4] Trocadilho intraduzível, utilizando o nome da encosta, Mont-Riboudet (Monte Riboudet), e o tratamento que o padre dava ao menino, mon Riboudet (meu Riboudet). Mont e mon pronunciam-se da mesma forma, em francês. (N.T.)

— Perdão! Conheci lá pobres mães de família, mulheres virtuosas, asseguro-lhe, verdadeiras santas, que nem sequer tinham pão para comer.

— Mas e as outras — prosseguiu Emma com os cantos da boca torcendo-se enquanto falava —, aquelas, senhor padre, que têm pão mas não têm...

— Lenha no inverno — interrompeu o padre.

— Que importância tem isso?

— Como? Que importância? Parece-me, a mim, que quando se está bem alimentado, bem protegido... porque, enfim...

— Meu Deus! Meu Deus! — suspirou ela.

— Que está sentindo? — perguntou o padre, aproximando-se com ar inquieto. — É a digestão, sem dúvida. É melhor voltar para casa, madame Bovary, tomar uma xícara de chá; isso a fortificará. Ou então um copo de água fresca.

— Por quê?

Emma tinha a expressão de quem acorda de um sonho.

— Porque a senhora passava a mão pela fronte. Pensei que tivesse alguma tonteira. — Depois, mais entusiasmado: — Mas a senhora perguntava-me alguma coisa? Não me lembro mais o que era...

— Eu? Nada, nada... — repetiu Emma.

E seu olhar, que passeava ao redor, desceu lentamente sobre o velho de batina. Encararam-se os dois, face a face, sem falar.

— Então, madame Bovary — disse o padre finalmente —, peço desculpas, mas o dever antes de tudo. Preciso dar a minha instrução de catecismo. As primeiras comunhões estão próximas. Tenho medo de não haver tempo. Assim, a partir da Ascensão, eles terão mais uma hora de aula todas as quartas-feiras. Pobres meninos! É preciso colocá-los desde cedo nos caminhos do Senhor, como de resto. Ele próprio nos recomendou pela boca de Seu divino Filho... Passe bem, madame; meus respeitos ao senhor seu marido.

E entrou na igreja, fazendo uma genuflexão desde a porta.

Emma viu-o desaparecer entre a linha dupla de bancos, caminhando com passos pesados, a cabeça ligeiramente curvada sobre os ombros e as mãos entreabertas. Em seguida ela virou-se, repentinamente, como uma estátua num eixo, e tomou o caminho de casa. Mas a voz grossa do padre e as vozes límpidas dos meninos ainda chegavam-lhe aos ouvidos e continuavam por trás dela:

— És cristão?

— Sim, sou cristão pela graça de Deus.

— Que é ser cristão?

— Ser cristão é ser batizado... batizado... batizado...

Subiu os degraus da escada de sua casa apoiando-se ao corrimão e, quando chegou ao quarto, deixou-se cair numa poltrona.

O clarão esbranquiçado dos lampiões iluminava o quarto com ondulações repentinas. Os móveis, em seus lugares, pareciam mais parados que de costume, a perderem-se nas sombras como num oceano tenebroso. A lareira estava apagada, o relógio de pêndulo batia sem cessar, e Emma vagamente se misturava a essa calma das coisas, embora houvesse nela tantas inquietudes. Mas a pequena Berthe estava ali, entre a janela e a mesa de costura, caminhando sem segurança nos sapatinhos de lã e tentando aproximar-se da mãe para segurar-lhe as fitas do avental.

— Deixa-me! — disse Emma, afastando a criança com a mão.

A pequenina logo voltou, acercando-se de seus joelhos e neles apoiando-se, erguendo para a mãe os grandes olhos azuis, enquanto um fio de baba lhe escorria dos lábios, caindo sobre a seda do avental.

— Deixa-me! — repetiu a jovem senhora, irritada.

Seu rosto espantou a criança, que começou a chorar.

— Eh! Saia daí! — repetiu Emma, empurrando a filha com o cotovelo.

Berthe caiu junto à cômoda, ferindo o rosto no puxador de cobre. Saiu sangue. Madame Bovary precipitou-se para socorrê-la, puxou o cordão da campainha, arrebentando-a, e chamou a empregada com toda a força dos pulmões. Ia começar a maldizer-se quando Charles apareceu. Era hora do jantar e ele voltava.

— Olha só — disse Emma com voz tranquila. — A menina estava brincando e feriu-se.

Charles examinou-a, viu que não era coisa grave e foi procurar um desinfetante.

Madame Bovary não desceu à sala; queria ficar só com a criança. Vendo-a dormir, o que lhe restava de inquietação desapareceu gradativamente, e ela se achou tola por ter-se perturbado por tão pouco. Berthe, com efeito, não soluçava mais. Sua respiração erguia levemente o lençol de algodão. Duas grandes lágrimas permaneciam no canto de suas pálpebras entrefechadas, deixando ver as pupilas azuis; o esparadrapo, colado no rosto, puxava obliquamente a pele estendida.

— Que coisa estranha — murmurou Emma. — Como esta criança é feia!

Quando Charles, às 11 horas da noite, voltou da farmácia (aonde fora levar, depois do jantar, o que restara do remédio), encontrou a esposa de pé junto ao berço.

— Mas já te disse que isso não é nada — falou ele, beijando-a na fronte. — Não te inquietes, pobre querida, senão ficarás doente!

Ele ficara bastante tempo na farmácia. Embora não se tivesse mostrado preocupado, nem por isso monsieur Homais deixou de procurar confortá-lo, para levantar-lhe o moral. Falaram então dos diversos perigos que ameaçavam a infância e da displicência dos empregados domésticos. Madame Homais fora vítima, certa vez, de um punhado de brasas que uma cozinheira lhe deixara cair por dentro da blusa, e tinha as marcas no peito. Como pais, o farmacêutico e a senhora tomavam muitas precauções. As facas nunca eram muito amoladas e o assoalho jamais era encerado. Havia grades nas janelas e barras nas sacadas. Os pequenos Homais, apesar de sua independência, nunca saíam sem que fossem vigiados. Ao menor resfriado, o pai os entupia de xaropes, e, até os quatro anos, eram impiedosamente obrigados a usar boinas acolchoadas. Era na realidade uma mania de madame Homais que afligia interiormente seu marido, tão temeroso dos resultados de tal compreensão nos órgãos do intelecto que chegava a perguntar:

— Pretendes fazer deles índios botocudos?

Charles tentou diversas vezes interromper a conversa.

— Preciso falar-lhe — segredou ele a Léon, que caminhou à sua frente pela escada.

"Será que ele suspeita de alguma coisa?", perguntava-se a si mesmo o rapaz, com o coração aos saltos e a cabeça cheia de conjeturas.

Charles, tendo fechado a porta, pediu-lhe que visse em Rouen o preço de um daguerreótipo; era uma surpresa sentimental que reservava para a mulher, uma delicadeza. Ia mandar fazer-lhe o retrato, vestida de negro. Mas queria antes sondar quanto aquilo lhe iria custar. Ademais, a encomenda não atrapalharia monsieur Léon, que todas as semanas costumava ir à cidade.

Por que tantas idas a Rouen? Homais suspeitava de algum caso amoroso, mas enganava-se. Léon mantinha-se mais triste do que nunca, e madame Lefrançois calculava-o pela quantidade de comida que deixava no prato. Para saber mais, ela interrogou o cobrador de impostos; Binet replicou, em tom grosseiro, que não era pago pela polícia.

Seu companheiro de refeição portava-se realmente de modo estranho. Frequentemente recostava-se na cadeira, abrindo os braços, e queixava-se vagamente da existência.

— É que o senhor não se distrai suficientemente — respondia o cobrador.

— Que distrações?

— Eu, em seu lugar, moldaria cerâmica!

— Mas eu não sei moldar — tornava o escrevente.

— Ah, é verdade! — dizia o outro, acariciando o próprio queixo, em tom de desdém misturado com satisfação.

Léon estava cansado de amar sem objetivo; além disso, começava a sentir aquele tédio que a repetição da mesma vida provoca nos homens, sem interesse que a dirija nem esperança que a sustente. Estava tão aborrecido com Yonville e seus habitantes que a simples visão de certas pessoas ou de certas casas irritava-o sobremodo. O farmacêutico, embora sempre procurasse ser-lhe simpático, tornara-se-lhe completamente insuportável. E a perspectiva de uma situação nova amedrontava-o tanto quanto o seduzia.

Essa apreensão logo se transformou em impaciência. Paris, então, passou a agitar-lhe de longe a fanfarra de seus bailes de máscaras e o riso de suas mulheres. Já que precisava terminar seu curso de direito, por que não partia? Quem o impedia? Quem o impedia? Pôs-se a fazer preparativos intimamente, imaginando suas futuras ocupações. Mobiliou em sonhos um apartamento. Levaria uma vida de artista em Paris! Aprenderia a tocar violão! Teria um *robe de chambre*, um boné basco, pantufas de veludo azul! Chegava a admirar, sobre a lareira, os enfeites que lá colocaria.

A coisa mais difícil era o consentimento da mãe; nada, entretanto, parecia-lhe mais razoável. Seu patrão o aconselhara a trabalhar em outro escritório, onde pudesse desenvolver seus conhecimentos. Tomando uma decisão mediana, Léon procurou um lugar de segundo-oficial em Rouen, mas nada encontrou. Escreveu, então, longa e minuciosa carta à mãe, em que expunha as razões por que ia mudar-se para Paris imediatamente. E ela consentiu.

Não se apressou, contudo. Todos os dias, durante um mês, Hivert transportou para ele, de Yonville a Rouen, de Rouen a Yonville, cofres, maletas e embrulhos. Quando Léon terminou de reorganizar seu guarda-roupa, estofar suas três poltronas, comprar uma provisão de lenços, tomar, em uma palavra, mais precauções do que para uma viagem à volta do mundo, adiou a partida de semana em semana, até receber uma segunda carta da mãe, em que ela o mandava seguir logo, pois era preciso passar pelos exames antes das férias.

Quando chegou o momento das despedidas, madame Homais chorou, Justin soluçou. Homais, fazendo-se de forte, dissimulou suas emoções, desejando levar pessoalmente o paletó de seu amigo até a casa do tabelião, que ia ao tempo exato para despedir-se de monsieur Bovary.

Quando chegou ao topo da escada, parou, pois sentia-se sem fôlego. À sua entrada, madame Bovary ergueu-se de um salto.

— Sou eu ainda! — disse Léon.

— Eu sabia!

Ela mordeu os lábios, e um fluxo de sangue correu-lhe sob a pele, corando-a de rosa da raiz dos cabelos à fímbria da blusa. Ficou de pé, apoiando-se à cômoda com a mão.

— Monsieur não está? — perguntou ele.

— Está ausente. — Repetiu logo em seguida: — Está ausente.

Houve então uma pausa. Ambos se fitaram, e seus pensamentos, confundidos na mesma angústia, estreitaram-se fortemente, como dois peitos palpitantes.

— Gostaria de beijar Berthe — disse Léon.

Emma desceu alguns degraus e chamou Félicité. Léon lançou um olhar em torno, para as paredes, os móveis, a lareira, como se quisesse penetrar em tudo, levar tudo consigo.

A empregada trouxe Berthe, que puxava um moinho de vento de brinquedo por uma cordinha.

— Adeus, meu bem, adeus, queridinha, adeus!

E devolveu-a à mãe.

— Levem-na daqui — disse Emma.

Ficaram os dois a sós.

Madame Bovary, de costas, olhava pela janela; Léon tinha a boina na mão e batia levemente com ela na coxa.

— Vai chover — disse Emma.

— Estou levando a capa.

— Ah!

Ela voltou-se, o queixo caído e a fronte pendida. A luz refletia-se como sobre um pedaço de mármore até a curva das sobrancelhas, sem que se pudesse saber se Emma olhava para o horizonte nem o que pensava bem no íntimo.

— Bem, adeus! — Ele suspirou.

Ela ergueu a cabeça com um movimento rápido.

— Sim, adeus... vá!

Aproximaram-se um do outro; ela estendeu-lhe a mão, ele hesitou.

— À inglesa, então — disse ela, abandonando a mão na dele, esforçando-se para rir.

Léon sentiu-a entre seus dedos. Parecia-lhe que a própria substância de seu ser atravessava aquela palma úmida.

Em seguida soltou-a; seus olhos se encontraram ainda uma vez e ele desapareceu.

Quando chegou ao mercado, parou, escondendo-se atrás de uma coluna, a fim de contemplar pela última vez aquela casa branca com suas quatro janelas verdes. Acreditou ver uma sombra detrás da janela do quarto; mas a cortina, soltando-se do prendedor como por si mesma, ondulou lentamente suas dobras oblíquas e depois ficou imóvel, mais imóvel que uma parede de tijolos. Léon pôs-se então a correr.

Viu de longe, na estrada, o cabriolé de seu patrão. Ao lado havia um homem de avental de estopa, que segurava o cavalo. Homais e Guillaumin conversavam. Esperavam pelo rapaz.

— Abrace-me — disse o farmacêutico, com lágrimas nos olhos. — Eis seu paletó, meu amigo. Cuidado com o frio! Cuide-se!

— Vamos. Léon, embarque! — disse o tabelião.

Homais curvou-se sobre o para-lama e, com a voz entrecortada de soluços, deixou escapar estas palavras tristes:

— Boa viagem!

— Boa noite — respondeu Guillaumin. — Largue o cavalo!

Partiram, e Homais voltou para casa.

* * *

Madame Bovary abrira a janela que dava para o jardim e contemplava as nuvens.

Elas se amontoavam para os lados do poente, na direção de Rouen, e rolavam em volutas negras, cortadas pelos longos raios de sol, como flechas de ouro de um troféu suspenso, enquanto o resto do céu vazio tinha uma brancura de porcelana. Mas uma rajada de vento fez as árvores curvarem-se e a chuva começou a cair de repente, crepitando sobre as folhas verdes. Depois o sol reapareceu, os galos cantaram, os pardais bateram as asas úmidas, e os riachos e as poças, sobre o saibro, carregaram consigo, ao fluírem, as flores cor-de-rosa de uma acácia.

"Ah! Como ele já deve estar longe!", pensava ela.

Monsieur Homais, como de costume, foi às seis e meia, durante o jantar.

— Ora, muito bem — disse ele, sentando-se. — Então, foi-se o nosso jovem!

— Assim parece — disse o médico.

— E que há de novo por aqui?

— Nada de mais. Minha mulher apenas ficou um pouco emocionada esta tarde. Sabe, as mulheres se preocupam por um nada! Especialmente a minha. E não adianta a gente se insurgir contra isso, porque a estrutura nervosa delas é muito mais maleável do que a nossa. Coitado do Léon! — dizia Charles. — Como irá ele viver em Paris? Será que se acostuma?

Madame Bovary suspirou.

— Ora, ora — disse o farmacêutico, estalando a língua —, e os bons jantares, os bailes de máscaras, o champanha? Tudo isso vai ser bom, asseguro-lhes.

— Não creio que ele encontre dificuldades — disse Bovary.

— Nem eu! — ecoou Homais. — Bastar-lhe-a seguir os outros, sob pena de passar por jesuíta. E eu sei a vida que levam esses farsantes no

Quartier Latin, com as atrizes! Além do mais, os estudantes são muito benquistos em Paris. Mesmo que não tenham talento, são recebidos na melhor sociedade, e até mesmo algumas damas do Faubourg Saint-Honoré apaixonam-se por eles, o que lhes dá, consequentemente, a oportunidade de fazerem ótimos casamentos.

— Mas — disse o médico — receio que ele... lá...

— Tem razão — disse o farmacêutico —, é o reverso da medalha. Em Paris é sempre preciso ter cuidado com o bolso. A gente está muito bem num jardim público, quando aparece um sujeito qualquer, bem-vestido, às vezes até condecorado, que se poderia tomar por diplomata; ele se aproxima, conversa, insinua-se com delicadeza manhosa. Depois faz amizade, convida para tomar um trago, para ir à sua casa de campo, apresenta pessoas entre dois copos de vinho, e tudo isso para explorar ao máximo a nossa bolsa ou para nos propor negócios escusos.

— É verdade — disse Charles —, mas eu pensava especialmente nas doenças, na febre tifoide, por exemplo, que ataca os estudantes da província.

Emma estremeceu.

— Isso por causa da mudança de regime — prosseguiu o farmacêutico — e da perturbação que resulta no equilíbrio geral. Além disso, a água de Paris, as comidas dos restaurantes, toda aquela alimentação muito temperada terminam por esquentar o sangue. Eu, por mim, prefiro a cozinha burguesa; é mais sadia! Quando estudei em Rouen, comia numa casa de pensão com os professores.

Continuou a expor suas opiniões gerais e suas simpatias até que Justin veio buscá-lo para aviar uma receita.

— Nem um instante de descanso — queixou-se ele —, estou sempre acorrentado! Não posso sair um minuto! Fico a suar água e sangue como um cavalo na charrua! Que miséria!

Quando chegou à porta, indagou:

— A propósito, já sabe da novidade?

— Que novidade?

— É muito provável — disse Homais, erguendo as sobrancelhas e assumindo um tom sério — que a feira agrícola do Sena Inferior se realize este ano em Yonville-l'Abbaye. Pelo menos, fala-se muito nisso. Hoje de manhã, o jornal deixava entrever. Isso seria da maior importância para o nosso distrito! Mas depois falaremos nisso. Verei; muito obrigado... Justin trouxe a lanterna.

VII

O dia seguinte foi, para Emma, uma jornada fúnebre. Tudo lhe parecia envolto numa atmosfera negra que flutuava confusamente no exterior das coisas; a tristeza aprofundava-se em sua alma com uivos suaves, como faz o vento do inverno nos castelos abandonados. Era aquela recordação que se tem daquilo que não volta, o desânimo que toma conta da gente depois dos fatos consumados, a dor, enfim, causada pela interrupção de todo o movimento habitual, pela cessação brusca de uma vibração prolongada.

Como no regresso de Vaubyessard, quando as quadrilhas redemoinhavam em sua cabeça, ela sentia agora uma morna melancolia, um desespero indolente. Léon reaparecia maior, mais belo, mais suave, mais vago; embora se tivesse separado dela, não a tinha abandonado. Continuava ali, e as paredes da casa pareciam velar por sua sombra. Emma não podia afastar os olhos daquele tapete em que ele havia pisado, daqueles móveis vazios em que ele se tinha sentado. O rio corria sempre, impulsionando as pequeninas vagas ao longo da margem escorregadia. Quantas vezes tinham passeado por ali, ouvindo aquele mesmo murmúrio de águas, pelos atalhos cobertos de musgo! Que belos sóis os tinham acalentado! Que tardes agradáveis, sozinhos à sombra, no fundo do jardim! Léon lia em voz alta, de cabeça descoberta, sentado em um banco de tronco seco;

o vento fresco da pradaria fazia tremerem as páginas dos livros e as flores do caminho... Ah! Ele se fora. O único encanto de sua vida, a única esperança possível de uma felicidade! Por que não havia ela assegurado para si aquela felicidade quando se lhe apresentou a ocasião? Por que não o havia retido com todas as forças quando ele desejou partir? Emma se maldizia por não ter amado Léon; tinha sede de seus lábios. Teve desejos de correr ao seu encontro, de lançar-se em seus braços, de dizer-lhe:

— Sou eu, sou tua!

Mas temia as dificuldades de tal empreendimento; e seus desejos, aumentando com a saudade, não se tornavam senão mais fortes.

Desde então, aquela lembrança de Léon foi como que o centro de seu tédio. Crepitava mais fortemente que uma fogueira de viajantes abandonada sobre a neve de uma estepe russa. Ela se precipitava para as chamas, encolhia-se junto a ela, revolvia delicadamente aquele fogo prestes a extinguir-se, buscando em seu redor tudo o que o pudesse reavivar. As reminiscências mais longínquas e as mais imediatas, o que sentia e o que imaginava, seus desejos de volúpia que se dispersavam, seus projetos de felicidade que estalavam ao vento como galhos secos, sua virtude estéril, suas esperanças perdidas, o leito doméstico, tudo ela juntava para que servisse de alimento à sua tristeza.

Entretanto, as chamas apagaram-se, fosse porque o combustível cessou por si mesmo, fosse porque a provisão era grande demais. O amor pouco a pouco desapareceu na ausência, a saudade sufocou-se pelo hábito; e o clarão de incêndio que coloria de púrpura seu céu pálido cobriu-se de sombras e apagou-se gradativamente. Em sua consciência adormecida, ela chegou a sentir repugnância do marido pelo desejo do amante, as queimaduras do ódio pelo recrudescimento da ternura; mas, como a tempestade continuava, a paixão se consumia até as cinzas e nenhum socorro lhe vinha, nenhum sol aparecia, a noite completa desceu de todos os lados e ela ficou perdida num inverno terrível que a dominava.

Recomeçaram então os piores dias de Tostes. Ela se achava agora muito mais infeliz, pois tinha tido a experiência da tristeza e adquirira a certeza de que ela jamais haveria de terminar.

Uma mulher que se impusera sacrifícios tão grandes bem merecia satisfazer algumas fantasias. Comprou um oratório gótico, gastou em um mês 14 francos de esmalte para unhas; escreveu a Rouen, mandando buscar um vestido de casimira azul; comprou de Lheureux a mais bela das echarpes, para usá-la amarrada à cintura, por cima do penhoar; e com as persianas cerradas, um livro na mão, ficava estendida em um canapé, com essa vestimenta. Variava frequentemente de penteado; às vezes fazia-o à chinesa, com tranças, às vezes ajeitava um friso no alto da cabeça e enrolava os cabelos dos lados, como um homem.

Quis aprender italiano e comprou dicionários, uma gramática e um sortimento de papel em branco. Tentou leituras sérias, história e filosofia. Certas vezes, à noite, Charles acordava sobressaltado, imaginando que o vinham buscar para ver algum doente.

— Já vou — balbuciava ele.

E não era senão o ruído de um fósforo riscado por Emma para reacender a lâmpada. Mas suas leituras eram como seus bordados em tapeçarias, que, uma vez iniciadas, iam entulhar um armário. Ela as começava, largava-as, passando a outras.

Tinha acessos que facilmente passavam a extravagâncias. Sustentou certo dia, contra a opinião do marido, que era capaz de tomar meio copo de aguardente; e como Charles teve a imprudência de desafiá-la, Emma virou o copo quase cheio.

Apesar de seus modos "aéreos", a expressão empregada pelas burguesas de Yonville, Emma não parecia feliz, e habitualmente conservava nos cantos da boca aquela contração imóvel que enruga a fisionomia das moças mais velhas e dos ambiciosos insatisfeitos. Estava muito pálida, branca como o linho; a pele do nariz esticava-se nas narinas e os olhos tinham uma expressão vaga. Descobrindo três fios de cabelos brancos nas têmporas, passou a falar de sua velhice.

Tinha tonteiras frequentemente. Certo dia, chegou mesmo a escarrar sangue, e, quando Charles se mostrou preocupado, ela falou:

— Ora, que importância tem isso?

Charles foi fechar-se em seu gabinete e chorou, com os cotovelos sobre a mesa, sentado na poltrona, sob a cabeça frenológica.

Escreveu à mãe, pedindo-lhe que viesse, e juntos tiveram longas conferências a respeito de Emma.

Que adiantava? Ela se recusava a qualquer tratamento.

— Sabes de que precisa tua mulher? — dizia a mãe Bovary. — Ocupações físicas, trabalhos manuais! Se ela fosse, como muitas outras, obrigada a ganhar seu pão, não teria essas ideias, que lhe vêm das fantasias que nutre na cabeça e da indolência em que vive.

— Mas ela tem o que fazer — disse Charles.

— Ah, tem? O quê? Ler romances, maus livros, obras que são contrárias à religião, nas quais se zomba dos padres com discursos copiados de Voltaire. Mas isso vai longe, meu pobre filho, e quem não tem religião acaba sempre mal.

Assim, ficou resolvido impedir Emma de ler romances. A tarefa não parecia fácil. A boa senhora encarregou-se disso: quando passasse em Rouen, iria ao livreiro, em nome de Emma, dizer que ela cessava as assinaturas. Não seria mesmo o caso de se dar queixa à polícia, se o comerciante persistisse naquela obra de envenenamento?

As despedidas de sogra e nora foram secas. Durante as três semanas em que estiveram juntas, não chegaram a trocar quatro palavras, além das indispensáveis, quando estavam à mesa ou quando iam se deitar.

Madame Bovary mãe partiu numa quarta-feira, que era dia de mercado em Yonville.

A praça ficava atravancada desde a manhã por uma fila de carroças com os varais apontados para o ar, que se estendia, ao longo das casas, da igreja ao albergue.

Do outro lado, ficavam as barracas de lona onde se vendiam tecidos de algodão, boinas e meias de lã, correias para cavalos e fitas azuis presas pelas pontas, que esvoaçavam ao vento. Pelo chão estendiam-se utensílios grosseiros de lata, por entre pirâmides de queijos de onde saíam palhas pegajosas; perto das máquinas de moer trigo, as galinhas, presas em gaiolas, passavam o pescoço por entre as barras. A multidão, aglomerando-se no mesmo lugar, sem desejar mover-se, ameaçava às vezes arrebentar a fachada da farmácia. Às quartas-feiras ela ficava sempre cheia, com o povo acotovelando-se, menos para comprar medicamentos do que para tomar consultas, tal era a reputação de Homais nas aldeias circunvizinhas. Seu porte altivo impressionava os camponeses, que o consideravam melhor médico do que todos os médicos.

Emma estava debruçada à janela (o que fazia frequentemente; a janela, no interior, substitui os teatros e o passeio a pé), divertindo-se a observar a multidão rústica, quando percebeu um cavalheiro vestido com um casaco de veludo azul. Usava luvas verdes e sapatos pesados e dirigia-se para a casa do médico, seguido de um camponês que vinha de cabeça baixa, com ar pensativo.

— Posso falar ao dono da casa? — perguntou ele a Félicité, que conversava à porta com Justin.

E, tomando o rapaz por empregado do médico, acrescentou:

— Diga-lhe que sou monsieur Rodholphe Boulanger, de Huchette.

Não era por vaidade territorial que o recém-chegado juntava a seu nome o nome do lugar de onde vinha, mas sim para melhor se fazer conhecido. Huchette, com efeito, era uma propriedade perto de Yonville, que ele acabara de comprar, com um castelo, duas fazendas cultivadas por ele próprio, sem muito esforço. Vivia só e passava por ter pelo menos 15 mil libras de renda!

Charles entrou na sala. monsieur Boulanger apresentou-lhe seu empregado, que queria ser sangrado, porque sentia formigamentos pelo corpo.

— Isso me aliviará — objetava ele a todos os argumentos.

Bovary trouxe, pois, um garrote e uma cuba, pedindo a Justin que segurasse o homem. Depois, virando-se para o aldeão, já pálido:

— Não tenhas medo, meu velho.

— Não, não — disse o homem —, vamos logo!

E, com modo fanfarrão, estendeu o braço musculoso. À picada de lanceta, o sangue jorrou.

— Tragam a cuba! — disse Charles.

— Ora! — disse o camponês. — Parece uma fonte jorrando! Como meu sangue é vermelho! Isso deve ser bom sinal, não?

— Às vezes — disse o médico — não se sente nada no começo, mas depois vem a síncope, principalmente nos homens bem constituídos como tu.

O camponês, a estas palavras, largou o estojo de rapé que rolava entre os dedos. Um estremeção de suas costas sacudiu o espaldar da cadeira e seu chapéu caiu ao chão.

— Eu já desconfiava — disse Bovary, aplicando o dedo sobre a veia.

A cuba começou a tremer nas mãos de Justin; seus joelhos vacilaram e ele empalideceu.

— Emma! Emma! — chamou Bovary.

De um salto ela desceu a escada.

— Vinagre! — gritou o médico. — Ah, meu Deus! Dois de uma vez.

E, em sua emoção, não sabia onde colocar a compressa.

— Não é nada — dizia tranquilamente monsieur Boulanger, amparando Justin nos braços.

E sentou-se na mesa, apoiando-lhe as costas na parede.

Madame Bovary pôs-se a retirar-lhe a gravata. Havia um nó nos cordões da camisa; ela ficou alguns segundos a remexer os dedos ligeiros no pescoço do rapaz, derramando em seguida um pouco de vinagre em seu lenço fino, molhando com ele as têmporas de Justin e soprando delicadamente.

O camponês acordou do desmaio, mas o de Justin perdurou, e suas pupilas desapareciam na esclerótica muito branca, como flores azuis no leite.

— Ele não devia ter visto isso — disse Charles.

Madame Bovary apanhou a cuba para colocá-la sob a mesa; no movimento que fez para inclinar-se, seu vestido (era um vestido de verão, cor amarela, de cintura longa e saia rodada) espalhou-se a seu redor sobre o assoalho da sala; e como Emma, abaixada, cambaleava um pouco, afastando os braços, o tecido inflado enrugava-se em certos lugares, seguindo as inclinações do torso. Em seguida ela foi buscar uma garrafa d'água, onde dissolveu torrões de açúcar quando chegou o farmacêutico. A empregada fora chamá-lo. Ao ver seu pupilo de olhos abertos, Homais recuperou o fôlego. Olhando para ele, mediu-o de alto a baixo.

— Idiota! — disse ele. — Idiota com todas as letras! Grande coisa, uma flebotomia! Logo tu, que dizes não ter medo de nada! Ah! Vamos, fala, gaba-te! Eis aí boas qualidades para tomar conta mais tarde da farmácia; pois tu podes ser chamado em circunstâncias graves, diante dos tribunais, para esclarecer a consciência dos magistrados. Será preciso, então, manter o sangue-frio, raciocinar, mostrar-se homem, ou então passar por imbecil!

Justin mantinha-se calado. O farmacêutico prosseguiu.

— Quem te pediu para vires? Estás sempre importunando monsieur e madame. Às quartas-feiras, além disso, tua presença me é indispensável. Tenho agora vinte pessoas na loja. Larguei tudo, pela preocupação que me causaste. Vamos, vai! Espera-me lá e cuida dos fregueses!

Quando Justin se foi, depois de compor a vestimenta, falou-se um pouco sobre desmaios. Madame Bovary nunca tinha tido nenhum.

— É extraordinário, para uma senhora! — disse monsieur Boulanger. — Além disso, há também homens de físico delicado. Já vi, num duelo, uma testemunha perder os sentidos ao ruído das pistolas dos duelantes.

Ela ergueu para ele os olhos cheios de admiração.

— A mim — disse o farmacêutico — não faz mal ver o sangue dos outros; mas só de pensar no meu correndo, serei capaz de desmaiar.

Enquanto isso, monsieur Boulanger mandou o empregado sair, ordenando que se divertisse para tranquilizar o espírito.

— Por causa dele, felizmente, foi que os conheci — ajuntou ele.

E olhava para Emma ao dizer essas palavras.

Em seguida colocou três francos no canto da mesa, saudou os presentes e saiu.

Pouco depois já estava do outro lado do rio (era o caminho de volta a Huchette), e Emma o viu andando pela pradaria, diminuindo o passo de vez em quando, como se refletisse.

"Ela é muito bonita!", dizia ele para si mesmo. "É muito bonita aquela mulher do médico! Belos dentes, olhos negros, pé bem-feito, graça de parisiense. De onde terá vindo? Onde será que ele a encontrou, aquele bobo?"

Monsieur Rodolphe Boulanger tinha 34 anos; era de temperamento brutal e inteligência viva, bom conhecedor das mulheres e muito experiente nesse terreno. Aquela lhe parecera bonita; pensava, pois, nela e em seu marido.

"Acho que ele é um toleirão. Sem dúvida, ela deve estar cansada dele. O homem tem unhas sujas e barba de três dias. Enquanto ele vai ver os doentes, ela fica a remendar meias. Deve ser aborrecido! Ela gostaria de morar na cidade, dançar polca todas as noites! Coitadinha! Ela sonha com o amor como um peixe sonha com a água numa mesa de cozinha. Com três meses de galantaria, adoraria qualquer um, tenho certeza! Seria ótimo... encantador! Sim, mas como livrar-se dela, depois?"

E a antevisão do prazer em perspectiva fizera-o, por contraste, pensar em sua amante. Era uma comediante de Rouen que ele sustentava.

"Ah, madame Bovary", pensou ele, "é mais bonita do que ela e mais jovem também. Virginie, definitivamente, começa a engordar demais. Está ficando chatíssima com suas alegrias. E que mania de comer camarões!"

A campina estava deserta, e Rodolphe nada ouvia a seu redor senão o farfalhar ritmado das ervas que lhe batiam nos sapatos e o cri-cri dos grilos nas plantações de aveia. Revia Emma na sala, vestida como lhe aparecera, e a despia mentalmente.

— Oh! Eu a possuirei! — disse ele de repente, arrasando com a bengala um montículo de terra à sua frente.

Passou a examinar a parte política do empreendimento.

— Onde nos encontraremos? De que modo? Haverá sempre o rapaz para ver, mais a empregada, o marido, os vizinhos, atrapalhações consideráveis. Ora bolas! Perde-se tanto tempo com isso!

Depois recomeçou:

— Mas é que ela tem olhos que enfeitiçam o coração. E a pele tão branca! E eu adoro mulheres brancas!

No alto da encosta de Argueil, sua resolução estava tomada.

— Não será preciso esperar uma ocasião. Passarei por lá algumas vezes, mandarei presentes, animais caçados; tomarei sangrias, se for preciso; tornar-nos-emos amigos, convidá-los-ei para virem à minha propriedade... Ah, e daqui a pouco será época da feira, ela irá e eu a verei. Começarei a agir com astúcia; é mais seguro.

VIII

Chegou, com efeito, a época da célebre feira! Desde a manhã da solenidade, os habitantes, em suas casas, cuidavam dos preparativos. A prefeitura estava enfeitada. Uma barraca foi erguida para a festa. No meio da praça, em frente à igreja, uma espécie de salva de tiros deveria assinalar a chegada do senhor prefeito e dos delegados. A guarda nacional de Buchy (não havia destacamento em Yonville) viera unir-se ao corpo de bombeiros, do qual Binet era o capitão. Usava naquele dia um colarinho mais alto que de costume; apertado na túnica, tinha o peito tão empertigado e imóvel que toda a parte viva de sua pessoa parecia haver descido para as pernas, que se erguiam em cadência, com passos marcados, num movimento único. Como existia uma rivalidade entre o cobrador e o coronel, cada qual, para mostrar seu talento, comandava seus homens separadamente. Viam-se passar alternadamente as platinas vermelhas e os plastrões negros. Era um nunca acabar! Nunca se vira tanta exibição de pompa. Muitos burgueses, desde a véspera, tinham lavado suas casas; as bandeiras tricolores pendiam das janelas entreabertas; todos os cabarés estavam cheios; e, graças ao bom tempo que fazia, os bonés afetados, as cruzes de ouro e os lenços de cor pareciam mais brancos que a neve, espelhando o sol brilhante, sobressaindo por entre a monotonia sombria dos casacos e dólmãs azuis. As fazendeiras retiravam, ao descer dos cavalos, o grande alfinete que servira para manter arregaçados os vestidos, a fim de que não se manchassem de lama; e os maridos, ao contrário, para proteger os chapéus, cobriam-nos com lenços, mantendo uma ponta entre os dentes.

A multidão entrava na rua pelos dois extremos da aldeia. Desembocava de ruelas, de aleias, de casas. Ouviam-se, de vez em quando, portas que batiam atrás de burguesas de luvas de renda, que saíam para ver a festa. O que mais se admirava eram dois pinheiros cobertos de lampiões que flanqueavam o palanque onde deveriam colocar-se as autoridades. Havia ainda, em quatro colunas da prefeitura, quatro espécies de mastros, cada qual com um pequeno estandarte de pano esverdeado, com inscrições em letras douradas. Um estandarte dizia "Ao Comércio"; o outro, "À Agricultura"; o terceiro, "À Indústria"; e o quarto, "Às Belas-Artes".

Mas o júbilo que invadia todos os rostos parecia anuviar o de madame Lefrançois, a estalajadeira. De pé sobre os degraus da cozinha, ela murmurava, com a mão no queixo:

— Que idiotice! Que estúpida barraca de lona! Será que eles pensam que o prefeito irá jantar lá, como um saltimbanco? E chamam a isso trabalhar pelo bem do país! Não valia a pena, então, chamar um cozinheiro em Neufchâtel! E para quem? Para cuidadores de porcos! Para gente descalça!

O farmacêutico passou. Vestira-se de preto, com sapatos de castor e, extraordinariamente, um chapéu de formas baixas.

— Desculpe — disse ele —, estou com pressa.

E como a gorda viúva lhe perguntasse aonde ia:

— Parece-lhe estranho, não? Eu, que sempre fico enfurnado em meu laboratório como o rato no queijo.

— Que queijo? — perguntou a estalajadeira.

— Nada, nada — replicou Homais. — Eu queria apenas exprimir, madame Lefrançois, que habitualmente permaneço recluso. Hoje, entretanto, por causa da festa, é preciso que...

— Ah! O senhor vai à festa? — fez a mulher, com ar de desprezo.

— Sim, claro — disse o farmacêutico, espantado. — Faço parte da comissão consultiva.

A velha Lefrançois fitou-o durante alguns minutos e terminou por responder, sorrindo:

— Isso é outra coisa! Mas que tem o senhor a ver com a agricultura? O senhor entende disso?

— Claro que entendo, pois sou farmacêutico, ou seja, químico! E a química, madame Lefrançois, tendo por objeto o conhecimento da ação recíproca e molecular de todos os corpos da natureza, naturalmente compreende a agricultura em seus domínios! Com efeito, a composição dos adubos, a fermentação dos líquidos, as análises de gás e as influências dos miasmas, que é tudo isso senão química, pura e simples?

A estalajadeira não respondeu. Homais prosseguiu:

— A senhora acredita que, para ser agrônomo, seja preciso trabalhar pessoalmente a terra ou engordar galináceos? É necessário, antes, conhecer a constituição das substâncias com que se vai trabalhar, as jazidas geológicas, as ações atmosféricas, a qualidade dos terrenos, os minerais, a água, a densidade dos diversos corpos e sua capilaridade! E quantas coisas mais ainda! Deve-se ainda conhecer a fundo todos os princípios de higiene, para dirigir, criticar a construção de edifícios, o regime dos animais, a alimentação dos empregados! É preciso ainda, madame Lefrançois, conhecer a botânica; poder distinguir as plantas, compreende? Quais são as salutares e as deletérias, quais as improdutivas e quais as nutritivas, se é melhor arrancá-las com a raiz, ou semeá-las novamente, propagar umas, destruir outras; em suma, é preciso estar em dia com a ciência por meio de brochuras e jornais públicos, estar sempre lendo, a fim de indicar os melhoramentos...

A estalajadeira não tirava os olhos da porta do Café Français, e o farmacêutico prosseguiu:

— Seria ótimo que todos os nossos agricultores fossem químicos ou que, pelo menos, dessem maior atenção aos conselhos da ciência! Eu, por exemplo, escrevi ultimamente um belo opúsculo, uma memória de mais de 72 páginas, intitulado: *Da sidra, sua fabricação e efeitos — seguido de algumas reflexões novas a respeito*, que remeti à Sociedade Agronômica de Rouen. Isso me valeu a honra de ser aceito entre seus membros, na seção de agricultura, classe de pomologia. Imagine se minha obra fosse dada à publicidade...

Mas o farmacêutico interrompeu-se, vendo que madame Lefrançois parecia muito preocupada.

— Olhem só! — dizia ela. — Não se compreende! Uma espelunca daquelas!

E com um encolher de ombros, que puxava sobre o peito as malhas do tricô, ela mostrava com as duas mãos o cabaré do rival, de cujo interior vinha o ruído de canções.

— Felizmente não vai durar muito — ajuntou ela. — Dentro de oito dias, tudo estará terminado.

Homais recuou de estupefação. A mulher desceu os três degraus e falou-lhe ao ouvido:

— Como? O senhor não sabe? Vai ser tomada esta semana. Foi Lheureux que a vendeu. O dono está cheio de dívidas.

— Que terrível catástrofe! — exclamou o farmacêutico, que sempre tinha expressões adequadas a todas as circunstâncias imagináveis.

A estalajadeira passou, então, a contar-lhe a história que ouvira de Théodore, o empregado de monsieur Guillaumin, e, embora não gostasse de Tellier, culpava Lheureux. Era um velhaco, um adulador.

— Olhe, lá está ele — disse madame Lefrançois —, lá está ele no mercado, saudando madame Bovary, de chapéu verde. Ela está de braço com monsieur Boulanger.

— Madame Bovary? — disse Homais. — Preciso ir lá cumprimentá-la. Talvez eu lhe possa conseguir um lugar no recinto, sob o peristilo.

E, sem dar ouvidos à viúva, que o chamava para contar mais coisas, o farmacêutico afastou-se a passos rápidos, de sorriso nos lábios, distribuindo à direita e à esquerda centenas de cumprimentos e ocupando muito espaço com as grandes abas de seu casaco negro, que flutuavam ao vento atrás dele.

Rodolphe, tendo-o percebido ao longe, passou a andar mais depressa, mas madame Bovary perdia o fôlego. Ele diminuiu o passo e disse-lhe sorrindo, em tom brutal:

— É para evitar aquele importuno do farmacêutico.

Ela lhe deu uma cotovelada.

"Que quer dizer isso?", perguntou-se ele.

E fitou-a com o canto dos olhos, sem parar de andar.

Seu perfil estava calmo, sem nada deixar transparecer. Destacava-se em plena luz sob o oval de seu chapéu, que tinha fitas pálidas semelhantes a pétalas de rosa. Seus olhos, de longos cílios recurvos, dirigiam-se para a frente e, embora bem abertos, pareciam um pouco encobertos pelas maçãs do rosto, por causa do sangue que corria docemente sob a pele fina. Uma coloração rósea destacava-lhe o nariz.

Ela inclinou a cabeça sobre o ombro, mostrando entre os lábios as pontas nacaradas dos dentes brancos.

"Será que ela zomba de mim?", pensava Rodolphe.

O gesto de Emma não fora, porém, mais do que uma advertência; monsieur Lheureux acompanhava-os e falava de vez em quando, procurando entabular conversa.

— Que lindo dia! Todos saíram de suas casas. O vento vem de leste.

Nem madame Bovary nem Rodolphe lhe respondiam, embora, ao menor movimento que fizessem, o homem viesse dizer qualquer coisa, levando a mão ao chapéu.

Quando passaram diante da casa do ferreiro, Rodolphe, em vez de seguir a estrada, tomou um atalho, subitamente, levando consigo madame Bovary.

— Bom dia, monsieur Lheureux! — exclamou ele. — Mais tarde nos veremos!

— Como o senhor se livrou dele! — disse ela, rindo.

— Por que deixar-nos ocupar pelos outros? Hoje, que tenho a felicidade de estar com a senhora...

Emma enrubesceu. Rodolphe não terminou a frase. Falou então da beleza do dia e do prazer de caminhar na grama. Alguns malmequeres já haviam brotado.

— Eis essas belas florezinhas, capazes de fornecer bons oráculos para todas as apaixonadas da aldeia. — Em seguida acrescentou: — Se eu colhesse uma, que pensaria de mim?

— O senhor está apaixonado? — disse ela, tossindo.

— Oh! Quem sabe! — disse Rodolphe.

A clareira começava a encher-se. As camponesas, com grandes guarda-chuvas, chapéus e crianças, esbarravam nos passantes. De vez em quando era preciso atravessar uma aglomeração de moças, de meias azuis, sapatos baixos, broches de prata, que tresandavam a leite quando se passava por perto delas. Caminhavam de mãos dadas, espalhando-se assim ao longo da pradaria, desde a linha das árvores até a tenda do banquete. Mas era o momento do concurso, e os agricultores, uns após os outros, estavam numa espécie de hipódromo formado por longa corda presa em estacas.

Os animais lá estavam, presos por argolas no nariz, alinhando confusamente suas massas desiguais. Os porcos chafurdavam na terra, as vitelas mugiam, as cabras baliam; as vacas, com um joelho dobrado, estendiam o ventre sobre a grama e, ruminando lentamente, piscavam as grandes e pesadas pálpebras por causa das moscas que esvoaçavam a seu redor. Homens de braços nus seguravam pelos arreios potros que empinavam e relinchavam com as narinas arfantes para o lado das éguas. Estas permaneciam tranquilas, estendendo a cabeça de onde pendiam as longas crinas, enquanto suas crias repousavam à sombra de seus corpos ou vinham, de vez em quando, esfregar-lhes as cabeças; e, sobre a longa ondulação daqueles corpos misturados, via-se às vezes levantar-se ao vento, como uma espuma, uma ou outra crina branca, ou então um par de chifres pontiagudos ou cabeças de homens que corriam. Mais afastado, a uns cem passos dali, estava um grande touro negro amordaçado e com um anel de ferro nas narinas, imóvel como uma estátua de bronze. Um menino esfarrapado segurava-o por uma corda.

Enquanto isso, entre as duas alas, alguns homens caminhavam a passos pesados, examinando animal por animal e cochichando entre si. Um deles, que parecia o mais importante, tomava notas num bloco enquanto caminhava. Era o presidente do júri, monsieur Derozerays de la Panville. Ao reconhecer Rodolphe dirigiu-se a ele, efusivamente, dizendo com ar amável:

— Então, monsieur Boulanger, o senhor nos abandona?

Rodolphe protestou, dizendo que iria juntar-se a eles. Mas, quando o presidente desapareceu, comentou:

— Não, eu é que não irei; sua companhia é melhor do que a deles.

E, sempre ridicularizando a feira, Rodolphe, para circular mais à vontade, mostrava aos guardas de serviço seu cartão azul, chegando mesmo a parar, vez por outra, diante de um espécime mais interessante, que madame Bovary não admirava. Ele percebeu isso e passou então a falar ironicamente das mulheres de Yonville e de suas vestimentas; depois pediu desculpas pelas suas próprias roupas. Denunciavam aquela incoerência das coisas comuns e rebuscadas, onde o vulgar geralmente crê entrever a revelação de uma existência excêntrica, as desordens dos sentimentos, a tirania da arte e, sobretudo, certo desprezo pelas convenções sociais, que o seduz ou o exaspera. Assim, sua camisa branca de mangas plissadas inflava-se ao vento, na abertura do colete cinzento, e suas calças de listras largas descobriam nos tornozelos as botinas pretas de couro envernizado. Brilhavam tanto que a grama se refletia nelas. Rodolphe pisava com elas os excrementos dos cavalos, com uma das mãos no bolso do casaco e com a outra segurando o chapéu de palha, posto de lado.

— Além disso — continuou ele —, quando se vive no campo...

— Não vale a pena esmerar-se — disse Emma.

— Realmente! — replicou Rodolphe. — Quando se pensa que nenhum destes homens é capaz de compreender o corte de um casaco!

Falaram então da mediocridade da província, das existências que ela sufocava, das ilusões que nela se perdiam.

— Eu, por exemplo — dizia Rodolphe —, mergulho numa tristeza...

— O senhor? — exclamou ela, admirada. — Mas pensei que fosse tão alegre!

— Ah, sim, na aparência, porque, quando estou entre outras pessoas, sei colocar a máscara de alegria em meu rosto; e, entretanto, quantas vezes, ao ver um cemitério, ao luar, tenho me perguntado se não seria melhor juntar-me aos que estão lá dormindo...

— Oh! E seus amigos? O senhor não pensa neles?

— Meus amigos? Quais? Acaso os tenho? Quem se importa comigo?

E ele acompanhou essas últimas palavras com uma espécie de assobio entre os dentes.

Foram obrigados a afastar-se um do outro por causa do grande carregamento de cadeiras que um homem trazia atrás deles. Estava tão carregado que dele só se viam as pontas dos tamancos e a extremidade dos braços estendidos. Era Lestiboudois, o coveiro, que transportava para o meio da multidão as cadeiras da igreja. Cheio de ideias para tudo o que dizia respeito a seus interesses, descobrira aquela maneira de tirar partido da feira. E dera certo, pois não tinha mãos a medir. Com efeito, os camponeses, que sentiam calor, disputavam aquelas cadeiras cuja palhinha exalava odor de incenso e apoiavam-se contra os espaldares grossos, sujos do espermacete dos círios, com certa veneração.

Madame Bovary retomou o braço de Rodolphe, que continuava, como se falasse para si mesmo:

— Sim! Tantas coisas me têm faltado! Sempre sozinho! Ah, se eu tivesse tido um objetivo na vida, se tivesse encontrado uma afeição, se tivesse conhecido alguém... Eu teria despendido toda a energia de que sou capaz, teria vencido tudo, ultrapassado a tudo!

— Mas parece-me — disse Emma — que o senhor não tem de que se queixar.

— A senhora acha? — fez Rodolphe.

— Porque, afinal de contas — disse ela —, o senhor é livre — hesitou e acrescentou — e rico.

— Não zombe de mim — respondeu ele.

Ela jurava que não estava zombando quando se ouviu um tiro. Todos se voltaram para o centro da aldeia.

Era um falso alarme. O prefeito não estava chegando ainda, e os membros do júri sentiam-se embaraçados, sem saber se davam início ao concurso ou se ainda esperavam.

Finalmente, no fundo da praça, apareceu um grande landau de aluguel, puxado por dois cavalos magros, chicoteados por um cocheiro de chapéu branco. Binet só teve tempo de gritar:

— Às armas!

E o coronel, de imitá-lo.

Todos se precipitaram para os fuzis ensarilhados. Alguns chegaram a esquecer o colarinho. Mas a comitiva do prefeito parecia adivinhar essa confusão, e os dois animais atrelados, balançando-se ao trote, chegaram ao vestíbulo da prefeitura local justamente no instante em que a guarda nacional e o corpo de bombeiros acabavam a formação, batendo os tambores e marcando o passo.

— Atenção! — gritou Binet.

— Alto! — berrou o coronel. — Perfilar pela direita!

E, depois de apresentar armas, todos detonaram seus fuzis em salva. Logo em seguida, desceu do veículo um senhor vestido de casaco curto bordado de prata, calvo na fronte, de pele clara e aparência das mais bondosas. Seus olhos, muito grandes e cobertos por pálpebras espessas, fechavam-se a meio para examinar a multidão, ao mesmo tempo em que ele erguia o nariz pontiagudo e sorria. Reconheceu o prefeito local e explicou que o prefeito não pudera vir. O recém-chegado, um conselheiro da prefeitura, acrescentou algumas desculpas. Tuvache disse algumas amabilidades, o outro renovou as desculpas; e ficaram assim os dois, fitando-se, com as testas quase a se tocarem, com os membros do júri ao redor, mais o conselho municipal, os homens importantes, a guarda nacional e a multidão. O conselheiro, apoiando o tricórnio negro contra o peito, repetiu as saudações, enquanto Tuvache, curvado como um arco, sorria também, gaguejando, procurando as frases, protestando sua devoção à monarquia e a honra concedida a Yonville.

Hippolyte, o jovem empregado da estalagem, veio segurar pelas rédeas os cavalos do cocheiro e, sempre mancando, conduziu-os para junto do portal do Leão de Ouro, onde diversas pessoas se reuniram para admirar o veículo. O tambor rufou, as salvas repetiram-se e os convidados de honra tomaram assento no palanque, nas poltronas vermelhas emprestadas por madame Tuvache.

Todos eles se pareciam. Seus rostos flácidos, um tanto queimados pelo sol, tinham a cor da sidra doce, e suas fartas suíças saíam dos colarinhos rígidos, que exibiam gravatas brancas de laços bem apertados. Todos os coletes eram de veludo; todos os relógios pendiam de fitas em cujas extremidades havia medalhões de ágata, e todos apoiavam as mãos nas coxas, puxando com cuidado o vinco da calças, cujo tecido novo reluzia mais que o couro das botas.

As damas da sociedade colocaram-se mais atrás, no vestíbulo, entre as colunas, enquanto a multidão ficou do outro lado, de pé ou em cadeiras. Lestiboudois levara para lá todas as que conseguira e corria a todo minuto à igreja para apanhar outras, causando com seu comércio um grande atravancamento junto ao palanque.

— Acho — disse monsieur Lheureux ao farmacêutico, que passava para tomar lugar — que deviam ter erguido dois mastros venezianos. Ficaria muito bonito, com algo severo e rico, como novidade.

— Certamente — respondeu Homais. — Mas, que quer? Foi o prefeito que supervisionou tudo! Não tem muito gosto, esse pobre Tuvache; está completamente divorciado disso que se chama o gênio das artes.

Enquanto isso, Rodolphe e madame Bovary tinham subido ao primeiro andar da prefeitura, para a "sala das sessões"; e, como estava vazia, o rapaz declarou que era ótimo lugar para observarem o espetáculo mais confortavelmente. Pegou três cadeiras das que estavam em volta da mesa oval, sob o busto do monarca, e levou-as para perto de uma das janelas. Sentaram-se os dois juntos.

Houve, então, grande agitação no palanque, longos cochichos, conversas em voz baixa. Finalmente, o conselheiro levantou-se. Sabia-se que se chamava Lieuvain, e seu nome era repetido de boca em boca pela multidão. Depois de juntar algumas folhas e entrecerrar os olhos para ver melhor, começou:

Meus senhores:

Seja-me permitido, inicialmente (antes de falar do propósito desta reunião de hoje, e este sentimento, estou certo, será partilhado por todos), seja-me permitido, dizia eu, fazer justiça à administração superior, ao governo, ao monarca, senhores, ao nosso soberano, a esse rei bem-amado ao qual nenhum setor da prosperidade pública ou particular é indiferente, e que dirige com mão ao mesmo tempo tão suave e firme a nau do Estado, entre os perigos incessantes de um mar tempestuoso, sabendo fazer respeitar a paz e a guerra, a indústria, o comércio, a agricultura e as belas-artes.

— Eu devia recuar um pouco — disse Rodolphe.
— Por quê?
Mas, naquele momento, a voz do conselheiro elevou-se num tom extraordinário:

Já se foi o tempo, meus senhores, em que a discórdia civil ensanguentava nossas praças públicas, em que o proprietário, o negociante e o próprio trabalhador, dormindo à noitinha um sono tranquilo, temiam acordar de repente ao ruído das tochas incendiárias, cujas máximas subversivas corroíam audaciosamente as bases...

— Porque poderiam — disse Rodolphe — ver-me lá de baixo. Eu levaria 15 dias para explicar, e com a minha má reputação...
— Oh! O senhor se calunia — disse Emma.
— Não, ela é execrável, juro.

Mas, meus senhores — prosseguia o conselheiro —, *quando, afastando os olhos de um quadro tão tenebroso, fito a situação atual de nossa bela pátria, que vejo? Por toda parte florescem o comércio e as artes; por toda parte as novas vias de comunicação, como outras tantas novas artérias no corpo do Estado, estabelecem novos contatos; nossos grandes centros manufatureiros recomeçaram suas atividades; a religião, a confiança renascem, e, enfim, a França respira!...*

— Além disso — acrescentou Rodolphe —, é provável que eles tenham razão.

— Como? — perguntou ela.

— Então não sabe que há almas sempre atormentadas? Almas que precisam sempre do sonho e da ação, das paixões mais puras, dos prazeres mais furiosos; e lançam-se assim a toda sorte de fantasias e loucuras.

Emma olhou-o como a um viajante que percorreu terras extraordinárias e disse:

— Nós nem sequer temos essa distração, nós, pobres mulheres!

— Triste distração, pois nela não se encontra a felicidade.

— E alguém a encontrou alguma vez?

— Sim, um dia ela é encontrada — disse ele.

E foi isso que vós compreendestes — dizia o conselheiro. — *Vós, agricultores e operários dos campos; vós, pioneiros pacíficos de toda uma obra de civilização; vós, homens de progresso e de moral! Vós compreendestes, dizia eu, que as mais temíveis tempestades políticas, como as tempestades atmosféricas...*

— Um dia ela é encontrada — repetia Rodolphe —, justamente quando já se começa a desesperar. Nesse momento os horizontes se abrem, e há uma voz que grita: "Ei-la!" Sente-se então a necessidade de fazer a essa pessoa a confissão da nossa vida, de dar-lhe tudo, de tudo sacrificar! Nada se explica: tudo se adivinha. Já se conhece a pessoa em sonhos. — E ele fitava Emma. — Enfim, o tesouro que se procurou tanto está diante de nossos olhos, brilhante, faiscante. Mas ainda duvidamos, sem ousar crer; ficamos ofuscados, como se saíssemos das trevas para a luz.

E, pronunciando essas palavras, Rodolphe acrescentou a mímica à frase. Passou a mão pelo rosto, como um homem desamparado, e depois a deixou cair sobre a mão de Emma, que retirou a sua. E o conselheiro continuava a ler seu discurso:

E quem se admiraria, senhores? Apenas quem fosse tão cego, tão imerso (não temo dizê-lo), tão imerso nos preconceitos de outras épocas para desconhecer ainda o espírito das populações agrícolas. Onde encontrar, com efeito, mais patriotismo do que no campo, mais devoção à causa pública, mais inteligência, em suma? E não me refiro, senhores, a essa inteligência superficial, ornamento vão dos cérebros indolentes, mas antes a essa inteligência profunda e moderada que existe em todos os que procuram os objetivos úteis, contribuindo assim para o bem de cada um, para o progresso comum e para a manutenção do Estado, fruto do respeito às leis e da prática dos deveres...

— Ah! Mais uma vez — disse Rodolphe. — Sempre os deveres; estou cansado dessas palavras. São velhos engodos bem-vestidos, que continuamente nos sussurram aos ouvidos: "O dever! O dever!" Por Deus! O dever é sentir o que é grande, amar o que é belo, e não aceitar todas convenções da sociedade, com as infâmias que ela nos impõe.

— Mas no entanto... no entanto... — objetava madame Bovary.

— Ah, não! Por que falar contra as paixões? Não são elas a coisa mais bela que há na Terra, a fonte do heroísmo, do entusiasmo, da poesia, da música, das artes, de tudo enfim?

— Mas é preciso — disse Emma — seguir um pouco a opinião do mundo e obedecer à sua moral.

— Ah! Mas é que existem duas — retorquiu ele. — A pequena, a convencional, a dos homens, que varia sem cessar e grita tão alto, agita-se embaixo, vulgar como essa assembleia de imbecis aí embaixo. Mas a outra, a eterna, está à nossa volta e acima de nós, como a paisagem que nos cerca e o céu azul que nos ilumina.

Monsieur Lieuvain acabava de enxugar a boca com o lenço. Prosseguiu:

> *E que precisaria eu dizer, senhores, para mostrar-vos aqui a utilidade da agricultura? Quem provê nossas necessidades? Quem cuida de nossa subsistência? Não é o agricultor? O agricultor, senhores, que, semeando com a mão laboriosa os sulcos férteis dos campos, faz nascer o trigo, o qual, moído por meio de engenhosos aparelhos, transforma-se em farinha, e, transportada às cidades, chega depressa às padarias, que com ela preparam um alimento para os pobres como para os ricos. Não é ainda o agricultor que engorda, para nosso sustento, os abundantes rebanhos nas pastagens? Como nos vestiríamos, como nos alimentaríamos sem o agricultor? Será preciso ir mais longe para encontrar exemplos? Quem já não refletiu sobre a importância desse modesto animal, ornamento de nossos terreiros, que fornece ao mesmo tempo um travesseiro macio para nossos leitos, sua carne suculenta para nossas mesas, além dos ovos? Mas eu não terminaria se tivesse de enumerar um a um os diferentes produtos que a terra bem cultivada, como mãe generosa, prodigaliza a seus filhos. Aqui, a vinha; lá, as macieiras que dão cidra; ali, os cereais; e o linho, meus senhores, não esqueçamos o linho, que tomou nos últimos anos um desenvolvimento considerável e para o qual chamarei mais tarde vossa atenção...*

Não havia necessidade de chamar a atenção, pois todas as bocas da multidão se mantinham abertas, como se quisessem beber suas palavras. Tuvache, a seu lado, ouvia-o, arregalando os olhos; monsieur Derozerays, de vez em quando, fechava lentamente as pálpebras; e mais longe o farmacêutico, com seu filho Napoléon nas pernas, mantinha a mão em concha junto à orelha para não perder uma só sílaba. Os membros do júri balançavam o queixo em sinal de aprovação. Os bombeiros, abaixo do palanque, descansavam sobre as baionetas, e Binet, imóvel, mantinha o cotovelo voltado para fora, com a ponta do sabre para cima. Talvez ouvisse o discurso, mas certamente não via nada por causa do capacete que lhe descia até o nariz. Seu tenente, o filho mais moço de Tuvache, exagerara seu capacete, que era enorme e sobrava-lhe na cabeça. Ele sorria com ternura infantil no rosto pequeno e pálido coberto de suor, com uma expressão de prazer, cansaço e sono a um só tempo.

A praça estava cheia de gente. Viam-se pessoas debruçadas em todas as janelas, outras de pé às portas, e Justin, diante da entrada da farmácia, parecia imerso na contemplação de alguma coisa que via. Apesar do silêncio, a voz de monsieur Lieuvain perdia-se no ar. Chegava aos ouvintes em farrapos de frases, interrompidas aqui e ali pelo ruído das cadeiras na multidão; em seguida ouvia-se um longo mugido de boi ou o balido dos carneiros que ecoava nas esquinas. Com efeito, os vaqueiros e os pastores haviam levado os animais até bem próximo, e eles mugiam ou baliam a intervalos, alcançando uma ou outra folha de erva que lhes ficara na focinheira.

Rodolphe aproximara-se de Emma e dizia em voz baixa e rápida:

— Não se sente revoltada contra essa conjuração do mundo? Existirá um sentimento que ela não condene? Os instintos mais nobres, as simpatias mais puras são perseguidas, caluniadas, e, se duas pobres almas finalmente se encontram, tudo se organiza para que não se possam unir. Mas elas tentarão, baterão as asas, chamar-se-ão. Não importa! Cedo ou tarde, em seis meses, em um ano, elas se unirão, amar-se-ão, porque o destino as fez nascer uma para a outra.

Mantinha os braços cruzados sobre os joelhos e erguia o rosto para Emma, olhando-a de perto, fixamente. Ela distinguia em seus olhos um brilho dourado, que se irradiava de suas pupilas negras, e sentia o perfume da brilhantina que ele usava nos cabelos. Naquele momento, um langor tomou conta dela, e Emma lembrou-se do visconde que a fizera valsar em Vaubyessard e cuja barba exalava, como aqueles cabelos, o mesmo odor de baunilha e de limão. Maquinalmente, ela entrefechou as pálpebras para aspirá-lo melhor. Mas, no movimento que fez, ajeitando-se na cadeira, avistou ao longe, no horizonte, a velha diligência, a Andorinha, que descia lentamente a encosta de Leux, puxando atrás de si um lençol de poeira. Naquela carruagem amarela é que Léon, tantas vezes, voltara para ela, e por aquela estrada é que ele se fora para sempre! Emma imaginou vê-lo à janela do veículo; depois tudo se confundiu, passaram algumas nuvens; pareceu-lhe que rodava ainda aos acordes da valsa, sob a luz dos lustres, nos braços do visconde; que Léon não estava tão longe e haveria de voltar... Enquanto isso, continuava a sentir a presença de Rodolphe a seu lado.

A doçura daquela sensação relembrava-lhe os desejos anteriores, que turbilhonavam, como grãos de areia ao vento, no perfume sutil que invadia sua alma. Ela o aspirou diversas vezes para sentir o aroma das flores à volta dos capitéis. Retirou as luvas e enxugou as mãos; depois, com o lenço, abanou o rosto, enquanto ouvia, além das pulsações de suas têmporas, o rumor da multidão e a voz do conselheiro, que salmodiava suas frases. Assim dizia ele:

> *Continuai! Perseverai! Não ouçais as sugestões da rotina nem os conselhos apressados de um empirismo temerário! Ocupai-vos especialmente da melhoria do solo, dos bons adubos, do desenvolvimento das raças equinas, bovinas, ovinas e suínas! Que as feiras sejam para vós como arenas pacíficas, onde o vencedor, ao sair, estenda a mão ao vencido, confraternizando com ele, desejando-lhe melhor sorte! E vós, veneráveis servidores, humildes empregados, cujos trabalhos pesados até hoje não haviam sido tomados em consideração por nenhum governo, vinde receber a recompensa de vossas virtudes silenciosas e ficai convencidos de que o Estado, de agora em diante, tem os olhos fitos sobre vós, protegendo-vos; ele atenderá vossas justas reclamações e aliviará, tanto quanto lhe for possível, o fardo de vossos sacrifícios!*

Monsieur Lieuvain sentou-se. Monsieur Derozerays ergueu-se e começou seu discurso. Talvez o seu não fosse tão rebuscado quanto o do conselheiro; mas recomendava-se por um estilo mais positivo, isto é, por um conhecimento mais sólido e por considerações mais elevadas. O elogio ao governo cedeu lugar à religião e à agricultura. Discorria sobre as relações entre uma e outra, e como ambas haviam construído a civilização. Rodolphe, com madame Bovary, falava de sonhos, pressentimentos, magnetismo. Remontando ao berço das sociedades humanas, o orador pintava aqueles tempos bárbaros em que os homens se alimentavam de frutos das florestas. Depois, haviam posto de lado a pele dos animais e adotado o tecido, rasgado sulcos, plantado a vinha. Não teriam advindo mais inconvenientes do que vantagens para a humanidade, com essas descobertas? Monsieur Derozerays colocava o problema. Do magnetismo, pouco a pouco, Rodolphe chegara às afinidades, e, enquanto o presidente falava em Cincinato guiando o seu arado, Diocleciano plantando suas couves e os imperadores da China inaugurando o ano no dia das semeaduras, o rapaz explicava à jovem senhora que essas atrações irresistíveis eram causadas por alguma existência anterior.

— Nós, por exemplo — dizia ele —, por que nos conhecemos? Que destino fez com que nos encontrássemos? Foi porque, através da distância, sem dúvida, como dois rios que correm para se encontrar, nossas vertentes individuais nos levaram um para o outro.

E segurou-lhe a mão; ela não a retirou.

Conjunto de belos espécimes!, gritou o presidente.

— Como eu podia saber que a acompanharia?

Setenta e dois francos!

— Se eu quisesse partir cem vezes, cem vezes ficaria a seu lado.

Adubos.

— Como ficarei esta noite, amanhã, o dia seguinte, toda a minha vida!

A monsieur Caron, de Argueil, uma medalha de ouro!

— Pois nunca encontrei uma pessoa tão irresistivelmente encantadora.

A monsieur Bain, de Givry Saint-Martin...

— Eu também guardarei sua lembrança.

Por um carneiro da raça merino...

— Mas a senhora me esquecerá, como se eu fosse uma sombra.

A monsieur Belot, de Notre-Dame...

— Não, não é verdade. Diga-me que serei qualquer coisa em seu pensamento, em sua vida!

Raça, suína, prêmio de mérito igual: a monsieur Lehérissé e monsieur Cullembourg, sessenta francos!

Rodolphe segurava-lhe a mão, sentindo-a morna e palpitante como um pássaro cativo que tenta alçar voo; mas, fosse porque desejava soltar-se, fosse para corresponder à sua pressão, ela fez um movimento com os dedos, e ele exclamou:

— Ah, obrigado! A senhora não me repele! Como é magnânima! Compreende que sou seu! Deixe que eu a veja, que a contemple!

Um golpe de ar que entrou pela janela agitou a toalha da mesa, enquanto lá embaixo os grandes chapéus das camponesas se ergueram como asas de grandes borboletas.

Emprego de adubos oleaginosos — continuava o presidente.

E falando mais depressa: *Adubo de Flandres — cultura do linho — serviços de empregados.*

Rodolphe calara-se. Ambos se fitavam. Um desejo supremo fazia tremer seus lábios secos; e lenta, ternamente, seus dedos se entrelaçaram.

Catherine-Nicaise-Elisabeth Leroux, de Sassetot-la-Guerrière, por 54 anos de serviço na mesma fazenda, uma medalha de prata no valor de 25 francos! Onde está Catherine Leroux? — repetiu o presidente.

A mulher não se apresentava, e ouviam-se vozes que cochichavam:

— Vai!

— Não.

— À esquerda!

— Não tenhas medo!

— Ah, como é tola!
— Afinal, ela está aí? — gritou Tuvache.
— Sim! Ei-la!
— Que se aproxime então!

Subiu então ao palanque uma velhinha de rosto triste, parecendo encolher-se o mais que podia em suas vestimentas pobres. Calçava tamancos de madeira e usava um grande avental azul. Seu rosto magro, envolto num capucho sem bordados, era mais rugoso que uma passa, e pelas mangas de sua blusa vermelha apareciam duas mãos compridas, de articulações nodosas. A poeira dos galinheiros, a potassa das lavanderias tinham-nas torcido, cortado e endurecido tanto que elas pareciam sujas, embora tivessem sido muito bem lavadas; e, de tanto haver servido, aquelas mãos ficavam entreabertas, como para apresentar em si mesmas o humilde testemunho dos sofrimentos experimentados. Algo de uma rigidez monástica compunha a expressão de seu rosto. Nada de ternura abrandava aquele olhar pálido. No contato perene com os animais, ela lhes adquirira o mutismo e a placidez. Era a primeira vez que se via em meio a tanta gente; e, interiormente confusa pelas bandeiras, pelos cavalheiros de roupas escuras e pela cruz de honra do conselheiro, a pobre mulher permanecia imóvel, sem saber se se adiantava ou se fugia, nem por que a multidão a empurrava ao júri, que lhe sorria. E assim se apresentava, diante dos burgueses alegres, aquele meio século de servidão.

— Aproxima-te, venerável Catherine-Nicaise-Elisabeth Leroux! — disse o conselheiro, que tomara das mãos do presidente a lista dos premiados. E, examinando ora a folha de papel, ora a velha, repetia, em tom paternal:

— Aproxima-te, aproxima-te!
— És surda? — disse Tuvache, saltando em sua poltrona. E pôs-se a gritar-lhe ao ouvido: — Cinquenta e quatro anos de trabalho! Uma medalha de prata! Vinte e cinco francos! É tua.

Quando a camponesa recebeu a medalha, olhou-a atentamente. Um sorriso de beatitude tomou conta de sua fisionomia e ela murmurou, enquanto se afastava:

— Vou dá-la ao nosso padre, para que me celebre missas.

— Que fanatismo! — disse o farmacêutico, virando-se para o tabelião.

A solenidade acabara; a multidão dispersava-se. Agora que os discursos já tinham sido lidos, cada qual tornava ao seu lugar e tudo voltava à rotina: os patrões ralhavam com os empregados e estes chicoteavam os animais, vencedores indolentes que retornavam aos estábulos com uma coroa verde dentre os chifres.

Enquanto isso, os homens da guarda nacional subiram ao primeiro andar da prefeitura com brioches espetados nas baionetas, além do tambor do batalhão, e levavam consigo uma cesta cheia de garrafas. Madame Bovary tomou o braço de Rodolphe, que a levou para casa. Separaram-se diante da porta. O rapaz foi caminhar pela pradaria, esperando a hora do banquete.

O festim foi longo, barulhento, o serviço era ruim; estava tão apertado que era difícil mexer os cotovelos, e as tábuas estreitas que serviam de bancos ameaçavam quebrar-se ao peso dos convivas. Comeu-se abundantemente. Cada qual procurava descontar sua quota-parte, e suor corria de todos os rostos, e um vapor esbranquiçado, como o nevoeiro dos rios nas manhãs de outono, flutuava por sobre a mesa, entre os lustres suspensos. Rodolphe, encostado à lona da tenda, pensava tanto em Emma que chegava a não ouvir nada ao redor de si. Atrás dele, sobre a relva, os empregados empilhavam os pratos sujos. Seus vizinhos falavam e ele não respondia. Alguém lhe encheu o copo, e um silêncio tomou conta de seus pensamentos, apesar do barulho crescente. Sonhava com o que ela havia dito e com a forma de seus lábios; seu rosto, como num espelho mágico, brilhava em todas as cabeças; as dobras de seu vestido desciam pelas paredes e dias inteiros de amor desenrolavam-se até o infinito nas perspectivas do futuro.

Reviu-a à noite, durante os fogos de artifício, mas ela estava com o marido, madame Homais e o farmacêutico, que se preocupava muito com o perigo dos foguetes mal dirigidos. A cada momento deixava os companheiros para fazer recomendações a Binet.

As peças pirotécnicas enviadas para o endereço do senhor Tuvache tinham sido, por excesso de precaução, guardadas no porão. Por isso, a pólvora umedecera, e a parte principal, que deveria apresentar um dragão mordendo a própria cauda, não se inflamou. De vez em quando um foguete se elevava e a multidão dava um berro ao qual se misturavam os gritos das mulheres a quem bolinavam na semiescuridão.

Emma, silenciosa, encostava-se de leve ao ombro de Charles. De queixo erguido, seguia no céu negro o jato luminoso dos fogos. Rodolphe contemplava-a à luz dos lampiões que brilhavam. Pouco a pouco, porém, foram-se apagando, e as estrelas apareceram mais vivas. Caíram algumas gotas de chuva. Emma amarrou o xale na cabeça.

Nesse momento, o fiacre do conselheiro saiu do albergue. O cocheiro, que estava bêbado, cochilava. Via-se de longe, abaixo da capota, entre as duas lanternas, a massa de seu corpo, que balançava para a esquerda e para a direita.

— Realmente — disse o farmacêutico — devia-se ser muito severo com a embriaguez. Gostaria que fossem inscritos, semanalmente, na porta da prefeitura, num quadro especial, os nomes de todos aqueles que, durante a semana, se tivessem intoxicado com álcool. Além disso, estatisticamente falando, teríamos assim documentos que poderiam ser consultados quando necessário... Mas, desculpem-me...

Correu mais uma vez ao encontro do capitão de bombeiros.

— Talvez valesse a pena — disse Homais — mandar um de seus homens ou ir o senhor mesmo...

— Deixe-me em paz — disse o cobrador —, não há perigo!

— Estejam tranquilos — disse o farmacêutico, quando voltou para junto de seus amigos. — Monsieur Binet assegurou de que todas as medidas foram tomadas. Não há perigo de incêndio, e as bombas estão cheias. Vamos dormir.

— Isso mesmo! Preciso dormir! — disse madame Homais, que bocejava continuadamente. — Tivemos uma linda noite para nossa festa.

Rodolphe repetiu ternamente, em voz baixa:

— Oh, sim, muito bela.

E, despedindo-se, cada qual tomou seu caminho. Dois dias depois, no *Farol de Rouen*, apareceu um grande artigo sobre a feira. Homais escrevera-o logo no dia seguinte.

Por que esses festões, essas flores, essas guirlandas? Para onde corria essa multidão, como as espumas de um mar enfurecido, sob as torrentes de um sol tropical que sobre nós espalhava seu calor?

Em seguida, passava à situação dos camponeses:

É certo que o governo faz muito, mas não o suficiente! É preciso coragem! Mil reformas são indispensáveis! Realizemo-las!

Depois, referia-se à chegada do conselheiro, sem esquecer "o garbo marcial de nossa milícia", nem "nossas mais radiosas camponesas", nem os velhos de cabeça branca, "como patriarcas que estivessem ali, e dentre os quais alguns, remanescentes de nossas imortais falanges, sentiam ainda baterem seus corações ao som másculo dos tambores". Citava seu próprio nome em primeiro lugar, entre os membros do júri, e recordava mesmo, numa nota, que monsieur Homais, farmacêutico, enviara um memorial sobre a sidra à Sociedade de Agricultura. Quando chegou a distribuição dos prêmios, pintava a alegria dos recompensados em traços ditirâmbicos:

O pai beijava o filho, o irmão a irmã, o esposo a esposa. Mais de um exibia com orgulho sua humilde medalha, e, sem dúvida, ao voltar para casa, ao lar querido, a terá pendurado, chorando, nas paredes modestas da sala.

Por volta das seis horas, um banquete, servido no jardim gramado de monsieur Liégard, reuniu os principais participantes da festa. Não cessou de reinar a maior cordialidade. Diversos brindes foram propostos: monsieur Lieuvain, ao monarca; monsieur Tuvache, ao prefeito! Monsieur Derozerays, à Agricultura! Monsieur Homais, à Indústria e às Belas-Artes, essas duas irmãs! Monsieur Leplichey, ao desenvolvimento! Mais tarde, belos fogos de artifício iluminaram repentinamente a noite, um verdadeiro caleidoscópio, um cenário de ópera, e, por um momento, nossa pequenina cidade acreditou-se transportada para um sonho das Mil e uma noites.

Assinalemos que nenhum acontecimento desagradável veio empanar essa reunião de família.

E acrescentava:

Notou-se apenas a ausência eclesiástica. Certamente as sacristias consideram o progresso de forma diferente. Como quiserdes, senhores de Loyola!

IX

Passaram-se seis semanas. Rodolphe não voltou. Uma noite, finalmente, apareceu.

"Não devo voltar imediatamente, seria um erro", pensara ele.

E no fim da semana partira para a caça. Depois, achou que era tarde demais, porém raciocinou assim: "Se ela me amou desde o primeiro dia, deve estar impaciente por ver-me, e por isso deve me amar mais. Continuemos, pois!"

E percebeu que seu cálculo fora perfeito, porque, ao entrar na sala, notou que Emma empalidecera.

Ela estava sozinha. O dia morria. As cortinas de musselina nas janelas tornavam mais denso o crepúsculo, e o dourado do barômetro, no qual se refletia um raio de sol, lançava labaredas no espelho.

Rodolphe conservara-se de pé. Emma respondeu, a custo, às suas primeiras frases de delicadeza.

— Eu — disse ele — tive alguns negócios a resolver. Depois fiquei doente.

— Coisa grave? — exclamou Emma.

— Ora — disse ele, sentando-se junto dela —, não foi nada disso. Não vim porque não quis.

— Por quê?

— Não adivinha?

Fitou-a novamente, de forma tão arrebatada que ela baixou os olhos, enrubescendo. Ele continuou falando:

— Emma...

— Monsieur! — exclamou ela, afastando-se um pouco.

— Ah, a senhora compreende agora — disse ele com voz melancólica — que eu tinha razão em não desejar vir; pois esse nome que domina minha alma, e que ousei pronunciar, a senhora o proíbe! Madame Bovary!... Ah, todo mundo a chama assim!... Aliás, esse não é o seu nome; é o nome de outro! — repetiu — de outro — e escondeu o rosto entre as mãos. — Sim, penso continuamente na senhora. Sua lembrança me desespera! Ah, perdão! Irei embora... Adeus! Irei para longe... tão longe, que a senhora nunca mais ouvirá falar em mim. Hoje, porém, não sei que força me impeliu para cá! Não se pode lutar contra o chamado do céu, não se pode resistir ao sorriso dos anjos! Tudo o que é belo, encantador, adorável atrai irresistivelmente!

Era a primeira vez que Emma ouvia tais palavras ditas para ela, e seu orgulho, como alguém que se espreguiça numa estufa, abandonava-se por inteiro ao calor daquela linguagem.

— Mas, se eu não tivesse vindo — continuou ele —, se não tivesse podido vê-la... Ah! Pelo menos poderia contemplar tudo aquilo que a cerca. À noite, todas as noites, eu me levantava, vinha até aqui olhar para esta casa, para o teto que brilhava ao luar, para as árvores do jardim que se balançavam próximo à sua janela e para a pequena lâmpada, um clarão tênue, que luzia entre os caixilhos, na sombra. Ah, a senhora nem sequer suspeitava de que eu ali estava, tão perto e tão longe, pobre miserável...

Ela voltou-se para ele com um soluço:

— Oh! O senhor é tão bom!

— Não, eu a amo, eis tudo! A senhora o sabe! Diga-me uma palavra, uma só palavra!

E Rodolphe, insensivelmente, deixou-se escorregar da cadeira para o chão. Mas ouviu passos na cozinha e notou que a porta da sala não estava fechada.

— Seja generosa — prosseguiu ele, levantando-se — satisfazendo uma fantasia!

O pedido era de que ela lhe mostrasse sua casa. Madame Bovary não achou inconveniente nisso, e ambos estavam de pé quando Charles entrou.

— Bom dia, doutor — disse Rodolphe.

O médico, lisonjeado pela polidez do outro, desfez-se em cumprimentos. Rodolphe aproveitou para recuperar-se um pouco.

— Madame falava-me — disse ele — da saúde dela...

Charles interrompeu-o. Estava realmente preocupado, porque os males de Emma recomeçavam. Rodolphe perguntou, então, se não lhe faria bem andar a cavalo.

— Claro, excelente, perfeito! Muito boa ideia. Tu devias segui-la.

E como ela objetou que não tinha cavalo, Rodolphe ofereceu-lhe um. Ela recusou e ele não insistiu. Em seguida, para explicar sua visita, contou que seu empregado, o homem que sofrera a sangria, desmaiava continuamente.

— Irei vê-lo — disse Bovary.

— Não, não, eu o trarei aqui. Será mais cômodo para o senhor.
— Muito bem. Fico-lhe agradecido.
Quando o médico ficou a sós com a esposa, perguntou-lhe:
— Por que não aceitou o oferecimento de monsieur Boulanger, tão generoso?
Ela afetou um ar embaraçado, arranjou mil desculpas e terminou por dizer que poderiam comentar o fato.
— Ora! Que me importa? — disse Charles, desdenhosamente. — A saúde antes de mais nada! Tu não agiste bem!
— E como queres que eu monte a cavalo, se não tenho roupas apropriadas?
— Pois vamos encomendá-las!
As roupas fizeram-na decidir-se.
Quando tudo estava pronto, Charles escreveu a Boulanger dizendo que a esposa estava à disposição dele e que contava com sua boa vontade.
No dia seguinte, ao meio-dia, Rodolphe chegou diante da porta do médico com dois soberbos cavalos. Um tinha pompons cor-de-rosa nas orelhas e uma sela feminina feita de couro de corça.
Rodolphe calçara botas de cano longo, dizendo a si mesmo que, sem dúvida, ela nunca tinha visto iguais. Com efeito, Emma encantou-se com a sua elegância quando ele apareceu na entrada com seu casaco de veludo e o culote de malha branca. Ela já estava pronta, à espera.
Justin escapuliu da farmácia para vê-la, e o farmacêutico saiu também, fazendo recomendações a monsieur Boulanger.
— Uma desgraça acontece tão rapidamente! Cuidado! Talvez os cavalos sejam fogosos!
Emma ouviu um ruído acima de sua cabeça; era Félicité, que batia com os dedos nos caixilhos da janela para divertir a pequenina Berthe. A criança jogou-lhe de longe um beijo, ao que a mãe respondeu, acenando com a ponta da chibata.

— Divirtam-se! — exclamou Homais. — E sejam prudentes, principalmente!

E agitou o jornal que tinha nas mãos, vendo-os afastarem-se.

Imediatamente após sentir a terra, o cavalo de Emma começou a galopar. Rodolphe galopava a seu lado. Por alguns instantes, não trocaram palavra. Com o rosto levemente abaixado, a mão erguida e o braço direito dobrado, Emma abandonava-se à cadência do movimento que a embalava na sela.

Quando chegaram à base da encosta, Rodolphe largou as rédeas. Os cavalos partiram juntos, num salto único; e lá em cima pararam de repente.

Estavam nos primeiros dias de outubro; havia nevoeiro sobre a campina, estendendo-se no horizonte, contra os contornos das colinas. Algumas nuvens, esgarçando-se, perdiam-se na amplidão. Às vezes, por uma abertura entre elas, iluminada pelo sol, viam-se ao longe os tetos de Yonville, com os jardins à beira do rio, os terreiros, os muros e o campanário da igreja. Emma cerrava os olhos para reconhecer sua casa, e nunca aquela pobre aldeia em que vivia lhe pareceu tão pequena. Da altura em que estavam, todo o vale parecia um imenso e pálido lago, evaporando-se no ar. Os maciços de árvores, de espaço em espaço, sobressaíam-se como rochedos negros, e os altos cimos dos pinheiros, que se erguiam acima da bruma, agitavam-se ao vento.

Ao lado, no gramado entre as árvores, uma luz amarelada circulava na atmosfera morna. A terra avermelhada como rapé amortecia o ruído dos passos. Os cavalos erguiam com a ponta dos cascos, enquanto caminhavam, as pinhas caídas.

Rodolphe e Emma seguiram a margem do bosque. Ela se virava de vez em quando, a fim de evitar o olhar do companheiro, sem ver senão os troncos lisos e alinhados, cuja sucessão perturbava um pouco. Os cavalos resfolegavam. O couro das selas estalava.

No momento em que entraram na floresta, o sol apareceu.

— Deus nos protege! — disse Rodolphe.
— Acredita?
— Sigamos! Sigamos! — disse ele.

Estalou a língua, animando os cavalos, que se puseram a correr.

Alguns galhos secos, ao longo do caminho, prendiam-se no estribo de Emma. Rodolphe, sempre cavalgando, curvava-se e retirava-os. Outras vezes, para afastar os galhos das árvores, ele se aproximava dela, e Emma sentia seu joelho roçar-lhe na perna. O céu ficara azul. As folhas nem sequer tremiam. Havia grandes espaços cheios de moitas floridas, com violetas que se alternavam com as folhas secas das árvores cinzentas, fulvas ou douradas, segundo a espécie. Ouvia-se, de vez em quando, o bater das asas dos passarinhos ou o grito rouco dos corvos, que esvoaçavam entre os carvalhos.

Apearam e Rodolphe amarrou os cavalos. Emma caminhou pelo musgo, seguindo os rastros de patas. Mas seu vestido muito comprido atrapalhava-a, embora ela o tivesse erguido pela cauda. Rodolphe, caminhando atrás dela, contemplava, entre o tecido e o sapato preto, a delicadeza das meias brancas, que lhe apareciam como algo de sua nudez.

Ela parou.

— Estou cansada.

— Vamos, vamos — disse ele. — Avante!

Depois, cem passos além, ela parou novamente. Através de seu véu, que descia de seu chapéu masculino obliquamente sobre os quadris, aparecia seu rosto numa transparência azulada, como se ela nadasse entre flocos de anil.

— Aonde vamos, afinal?

Ele não respondeu. Ela respirava ofegantemente. Rodolphe lançava olhares ao redor e mordia as pontas do bigode.

Chegaram a uma espécie de clareira, onde algumas árvores tinham sido abatidas. Sentaram-se num tronco caído e Rodolphe pôs-se a falar de seu amor.

Não a assustou, inicialmente, com galanteios. Foi calmo, sério e melancólico.

Emma ouviu-o de cabeça baixa, remexendo os calhaus na terra com a ponta do pé.

Mas, a esta frase:

— Não acha que agora nossos destinos são iguais?

— Não! — respondeu ela. — O senhor sabe muito bem... É impossível.

Ela se ergueu para partir. Rodolphe segurou-a pelo punho. Emma parou. Depois, fitando-o durante alguns minutos com os olhos úmidos, ela falou com energia:

— Pronto, não falemos mais nisso! Onde estão os cavalos? Voltemos.

Rodolphe fez um gesto de cólera e aborrecimento. Ela repetiu:

— Onde estão os cavalos? Onde estão os cavalos?

Sorrindo, então, de modo estranho, o olhar fixo e os dentes cerrados, ele avançou com os braços abertos. Emma recuou, estremecendo e balbuciando:

— Oh! Tenho medo! Tenho medo! Vamos embora!

— Já que é preciso... — disse ele, já com outra fisionomia.

Tornou-se novamente respeitoso, polido e tímido. Ela passou-lhe o braço e ambos voltaram a caminhar.

— Que fiz eu? — disse Rodolphe. — Por que disse aquilo? Não compreendi. A senhora despreza-me, certamente. Mas na minha alma a senhora é como a madona num pedestal, num lugar elevado, firme e imaculada. Mas necessito da senhora para viver! Preciso de seus olhos, de sua voz, de seu pensamento. Seja minha amiga, minha irmã, meu anjo!

E ele estendeu o braço, enlaçando-lhe a cintura. Ela tentou debilmente soltar-se. Foram caminhando assim, juntos. De repente ouviram os cavalos, que mastigavam a folhagem.

— Oh! Ainda não — disse Rodolphe. — Não vamos embora! Fiquemos!

Levou-a mais para longe, para junto de um pequeno lago, onde a vegetação aquática enfeitava as ondas. Entre os juncos brotavam flores. Ao ruído de seus passos na relva, perdizes saltaram para esconder-se.

— Eu não devo, não devo — repetia Emma. — Sou uma louca em escutar suas palavras.

— Por quê? Emma! Emma!

— Oh, Rodolphe! — disse lentamente a jovem, achegando-se ao ombro do rapaz.

O vestido colou-se ao veludo do casaco, ela ergueu o alvo pescoço, que se dilatou num suspiro, e, esvaindo-se toda em prantos, com um longo estremecimento e escondendo o rosto, abandonou-se.

As sombras da noite desciam; o sol horizontal, passando por entre as árvores, ofuscava-lhe a vista. Aqui e ali, à sua volta, tremiam manchas luminosas, como se os colibris tivessem perdido as penas em pleno voo. O silêncio era total. Alguma coisa doce parecia emanar das árvores. Emma sentia as batidas do coração, que recomeçavam, e o sangue lhe circulava pelo corpo como um rio de leite. Ouviu então ao longe, além do bosque, sobre as outras colinas, um grito vago e prolongado, uma voz arrastada que ela escutava silenciosamente e que se misturava como uma música às últimas vibrações de seus nervos abalados. Rodolphe, com um charuto entre os dentes, consertava uma rédea solta.

Voltaram a Yonville pelo mesmo caminho. Reviram na lama os rastros de seus cavalos, lado a lado, e as mesmas árvores e pedras. Nada ao redor deles se modificara; mas, para ela, acontecera algo mais importante do que se todas as montanhas houvessem sido deslocadas. Rodolphe, de espaço em espaço, curvava-se e tomava-lhe a mão para beijá-la.

Ela era linda a cavalo! Ereta, com sua cintura delgada, o joelho dobrado sobre a crina do animal e o rosto afogueado pela reverberação do poente.

Ao entrar em Yonville, fez o cavalo saltitar sobre os paralelepípedos. Algumas pessoas a observavam das janelas.

Seu marido, ao jantar, achou-a animada; mas ela fez que não o escutava quando ele perguntou sobre o passeio. Emma repousava o cotovelo junto à beira do prato, entre as duas velas que tremeluziam.

— Emma! — disse ele.

— Que é?

— Bem, passei hoje à tarde na casa de monsieur Alexandre; ele tem uma potranca não muito nova, mas ainda bonita, que está disposto a ceder por uma centena de escudos. Pensando que te agradaria, fiquei com ela... eu a comprei... Fiz bem? Fale-me.

Ela acenou com a cabeça em sinal de assentimento. Quinze minutos depois, perguntou:

— Tu vais sair esta noite?

— Sim — disse Charles. — Por quê?

— Oh, por nada, nada, meu caro.

E, logo que se livrou de Charles, correu para o quarto.

Inicialmente, foi como um torvelinho; ela reviu as árvores, os caminhos, os valados, Rodolphe, sentiu ainda a pressão de seus braços enquanto as folhas estremeciam e os juncos sibilavam.

Olhando-se ao espelho, ela se espantou com seu próprio rosto. Nunca seus olhos tinha estado tão grandes, tão negros nem tão profundos. Qualquer coisa de sutil em sua pessoa a transfigurava.

Ela repetia para si mesma: "Tenho um amante! Tenho um amante!", deleitando-se com essa ideia como se outra puberdade lhe tivesse chegado. Ia enfim possuir aquelas alegrias do amor, aquela febre de felicidade por que tanto tinha esperado. Entrava em algo diferente onde tudo seria paixão, êxtase e delírio; uma imensidão azul a envolvia, o auge do sentimento brilhava em sua mente, a existência comum só aparecia ao longe, muito distante, na sombra entre os intervalos daquelas alturas.

Lembrou-se então das heroínas dos livros que lera, e a poética legião daquelas mulheres adúlteras pôs-se a cantar em sua memória com vozes fraternais que a encantavam. Ela se tornava como que uma verdadeira parcela dessa imaginação e percebia a longa sucessão de sonhos que fora a sua juventude, considerando-se o tipo de apaixonada que tanto invejara. Além disso, Emma sentia uma satisfação de vingança. Sofrera tanto! Mas agora triunfava; e o amor, contido por tanto tempo, jorrava agora alegremente. Ela o saboreava sem remorsos, sem inquietação, despreocupada.

O dia seguinte passou-se numa doçura nova. Os dois amantes trocaram juramentos. Emma contou suas tristezas. Rodolphe a interrompia com beijos; e ela lhe pedia, contemplando-o com as pálpebras semicerradas, que a chamasse pelo primeiro nome e repetisse que a amava. Foi na floresta, como na véspera, numa cabana de lenhadores. As paredes eram de palha, e o teto, tão baixo que eles precisavam ficar curvados. Estavam sentados, encostados um no outro, num leito de folhas secas.

A partir daquele dia, escreveram-se regularmente todas as noites. Emma colocava sua carta no fundo do jardim, numa rachadura do muro, Rodolphe vinha buscá-la e colocava outra em seu lugar, de que Emma sempre se queixava de ser curta demais.

Certa manhã em que Charles saíra de madrugada, assaltou-a o capricho de ir ter com Rodolphe naquele instante. Era possível ir a Huchette, ficar lá uma hora e depois voltar a Yonville antes que o povo acordasse. Essa ideia fê-la arder de desejo. Dentro de poucos minutos estava em plena pradaria, caminhando a passos rápidos, sem olhar para trás.

O dia começava a nascer. Emma reconheceu ao longe a casa do amante, cujos cata-ventos em forma de cauda de andorinhas se recortavam, negros, na palidez do céu.

Além do pátio da fazenda, havia um edifício mais amplo, que devia ser o castelo. Ela entrou como se as paredes, à sua chegada, se abrissem por si mesmas. Uma grande escadaria em linha reta levava ao corredor. Emma girou a maçaneta de uma porta e logo, no fundo do quarto, viu um homem que dormia. Era Rodolphe. Ela soltou um gritinho.

— És tu? Tu estás aí? — repetia ele. — Como fizeste para vir? Olha, teu vestido está molhado!

— Eu te amo! — disse ela, envolvendo-lhe o pescoço com os braços.

* * *

Como fora bem-sucedida naquela primeira aventura, Emma vestia-se rapidamente todas as vezes que Charles saía cedo e descia cautelosamente os degraus que levavam à beira do rio.

Mas, quando a ponte dos animais estava levantada, era preciso seguir ao longo dos muros que margeavam o rio. A terra era escorregadia, e ela agarrava-se às pontas das trepadeiras para não cair. Depois, atravessava os campos de cultura, onde sujava na lama os sapatinhos. Seu lenço, cobrindo-lhe a cabeça, agitava-se ao vento. Tinha medo dos bois e punha-se a correr. Chegava ofegante, exalando um perfume de verdura e frescor. Rodolphe dormia ainda, àquela hora; era como uma matinada de primavera que entrava em seu quarto.

As cortinas amarelas deixavam passar uma luz loura e pesada. Emma tateava, cerrando os olhos, enquanto as gotas de orvalho suspensas em seus cabelos formavam uma auréola de topázio em torno de seu rosto. Rodolphe, rindo, puxava-a para si e apertava-a contra seu coração.

Depois, ela examinava o quarto, abria as gavetas dos móveis, penteava-se com o pente dele e olhava-se ao espelho em que ele fazia a barba. Muitas vezes, chegava a colocar entre os dentes a boquilha de um grande cachimbo que ficava sobre a mesinha de cabeceira, entre limões e torrões de açúcar, junto a uma garrafa d'água.

Os adeuses duravam uns 15 minutos. Emma chorava e desejava nunca mais deixar Rodolphe. Algo mais forte do que ela a impelia para ele. Mas, certo dia, vendo-a surgir imprevistamente, ele franziu a testa, como se estivesse contrariado.

— Que tens? — perguntou ela. — Sofres? Fala-me!

Por fim ele declarou, com ar sério, que aquelas visitas eram imprudentes e que ela se comprometia.

X

Pouco a pouco os temores de Rodolphe a convenceram. O amor a embriagara a princípio, e ela não pensava em mais nada. Mas, agora que aquilo era indispensável à sua vida, ela temia perder um pouquinho que fosse, ou que tudo se tornasse mais difícil. Quando voltava da casa dele, lançava em volta olhares inquietos, espiando os vultos que passavam no horizonte e cada janela de onde pudesse ser vista. Ouvia os passos, as vozes, os ruídos das charruas e estacava, mais pálida e trêmula do que as folhas que se balançavam sobre sua cabeça.

Certa manhã, quando regressava assim, viu de repente o cano longo de uma arma de caça que parecia apontada para ela. Saía obliquamente de trás de pequeno tonel, meio escondido na relva, nas margens de uma vala. Emma, quase a desmaiar de terror, ainda conseguiu prosseguir, quando um homem saiu do tonel, como um desses bonecos de mola que saltam de surpresa do fundo das caixas. Tinha botas que iam até os joelhos, casquete caído sobre os olhos, lábios trêmulos e nariz vermelho. Era o capitão Binet, caçando patos selvagens.

— A senhora deveria ter avisado! — exclamou ele. — Quando se vê uma arma de fogo, deve-se gritar logo.

O cobrador, com essas palavras, procurava dissimular seu temor, pois uma ordem municipal proibira a caça aos patos, exceto em barcos;

assim monsieur Binet, apesar de seu respeito às leis, tornara-se um contraventor. A cada momento, acreditava ouvir o guarda-florestal. Mas aquela inquietação o irritava, e, sozinho em seu tonel, aplaudia sua própria malícia, gozando o prazer da caça.

Ao ver que era Emma, pareceu libertar-se de um grande peso e começou imediatamente a entabular conversa.

— Hoje não está muito quente.

Emma não respondeu. O homem prosseguiu:

— A senhora saiu bem cedinho hoje, não?

— Sim — disse ela, gaguejando. — Venho da casa da ama de leite, onde está minha filha.

— Ah! Muito bem! Quanto a mim, estou aqui desde antes da aurora; mas a temporada não está boa, e...

— Até mais ver, monsieur Binet — disse ela, virando-lhe as costas.

— Até mais ver, madame — respondeu ele, num tom seco.

E entrou novamente no tonel.

Emma arrependeu-se de haver agido assim com o cobrador. Certamente ele iria fazer conjeturas desfavoráveis. A história da ama tinha sido a pior desculpa, pois todos sabiam, em Yonville, que a pequena Bovary voltara para a casa dos pais havia mais de um ano. Além disso, ninguém morava por ali, e aquele caminho levava apenas a Huchette. Com certeza adivinharia de onde ela vinha e não se calaria, daria com a língua nos dentes! Emma passou o resto do dia a torturar-se, imaginando todas as mentiras possíveis e vendo sempre diante de si aquele imbecil escondido no tonel.

Charles, depois do jantar, vendo-a preocupada, teve a ideia de levá-la à casa do farmacêutico para distraí-la. A primeira pessoa que ela viu na farmácia foi o cobrador! Estava diante do balcão, de pé, iluminado pelo clarão da lâmpada vermelha, e dizia:

— Por favor, meia onça de vitríolo.

— Justin! — gritou o farmacêutico. — Traga o ácido sulfúrico.

E, virando-se para Emma, que queria subir para o quarto de madame Homais:

— Não, fique, não vale a pena subir; ela descerá logo. Aproveite o calor do fogo... Desculpe-me... Boa noite, doutor. — O farmacêutico gostava de pronunciar essa palavra, doutor, como se, ao dirigi-la a outrem, refletisse sobre si mesmo algo da pompa que ela encerrava. — Cuidado com a poltrona! Vai antes buscar uma cadeira na sala de estar; sabes que não gosto de desarrumar as poltronas da farmácia.

E, para recolocar sua poltrona no lugar, Homais saiu do balcão, e então Binet lhe pediu meia onça de ácido de açúcar.

— Ácido de açúcar? — estranhou o farmacêutico, desdenhosamente. — Não conheço! O senhor certamente deseja ácido oxálico! É oxálico, não é verdade?

Binet explicou que precisava de um mordente a fim de preparar uma solução de cobre para tirar a ferrugem de alguns apetrechos de caça. Emma estremeceu. O farmacêutico continuou a conversar:

— Com efeito, o tempo não está propício, por causa da umidade.

— Mesmo assim — disse o cobrador com ar manhoso —, há pessoas que se arranjam com ele.

Emma sentia-se sufocar.

— Quero também...

"Ele nunca mais sairá daqui!", pensou ela.

— Meia onça de terebintina, quatro de cera amarela e três de graxa preta animal, por favor, para limpar as peças de couro de meu equipamento.

O farmacêutico começava a cortar a cera quando madame Homais apareceu com Irma nos braços, Napoléon ao lado e Athalie atrás de si. Foi sentar-se na banqueta de veludo, junto à janela. O menino sentou-se num tamborete, enquanto a irmã mais velha rondava a caixa de jujubas, perto do pai. Este enchia caixinhas e tampava frascos, colava etiquetas, fazia pacotinhos. Todos ficaram em silêncio. Ouvia-se apenas, de vez em quando, o ruído dos pesos da balança e algumas palavras em voz baixa do farmacêutico, dando conselhos a seu pupilo.

— Como vai sua filhinha? — perguntou de repente madame Homais.

— Silêncio! — ordenou Homais, que escrevia algarismos na nota de venda.

— Por que não a trouxe? — repetiu ela, a meia-voz.

— Psiu! Psiu! — fez Emma, apontando para Homais.

Mas Binet, absorto na verificação da conta, provavelmente não ouvira nada. Finalmente, saiu. Emma, aliviada, suspirou fundo.

— Que suspiro forte! — estranhou madame Homais.

— É o calor — explicou ela.

No dia seguinte, os dois amantes combinaram organizar seus encontros. Emma pensou em subornar sua empregada, mas ele achou melhor procurarem em Yonville uma casa discreta e prometeu encarregar-se disso.

Durante todo o inverno, três ou quatro vezes por semana, quando a noite estava escura, Rodolphe chegava ao jardim. Emma retirara a chave do portão, fazendo Charles acreditar que se perdera.

Para avisá-la, Rodolphe atirava à janela um punhado de areia. Ela se levantava sobressaltada, mas às vezes era preciso esperar, porque Charles tinha o hábito de ficar conversando junto à lareira e nunca mais acabava.

Ela morria de impaciência; se seus olhos pudessem, saltariam pela janela. Finalmente começava sua toalete noturna e depois pegava um livro e começava a ler tranquilamente, como se a leitura a deliciasse. Mas Charles, já deitado, chamava-a.

— Vem, Emma — dizia ele —, está na hora de dormir.

— Sim, já vou — respondia ela.

Como as velas o ofuscavam, ele se virava para a parede e dormia. E Emma escapulia, prendendo a respiração, sorrindo, palpitante, de camisola.

Rodolphe tinha uma grande capa e com ela envolvia Emma inteiramente, passando o braço por sua cintura e levando-a, em silêncio, até o fundo do jardim.

Ficavam sob o caramanchão, naquele mesmo banco grosseiro de onde outrora Léon a contemplava tão amorosamente. Ela já não pensava mais nele agora.

As estrelas brilhavam através do jasmineiro sem folhas. Atrás deles, ouvia-se o rio que corria, e, de vez em quando, sobre a margem, os estalidos dos roseirais secos. Os maciços de sombra, aqui e ali, amontoavam-se na escuridão. De vez em quando, num movimento único, elas se uniam e curvavam-se como imensas vagas negras que avançassem para cobri-los. O frio da noite fazia-os apertarem-se mais, os suspiros de seus lábios pareciam mais fortes; seus olhos, que apenas entreviam, pareciam-lhes maiores, e no meio do silêncio as palavras ditas em voz baixa lhes caíam sobre a alma com uma sonoridade cristalina que repercutia em vibrações múltiplas.

Quando a noite estava chuvosa, eles iam refugiar-se na sala de consultas, entre a despensa e a cavalariça. Ela acendia uma das velas da cozinha, que deixara escondida por detrás dos livros. A vista da biblioteca e do escritório, onde Rodolphe se instalava como em sua própria casa, excitava a satisfação dele. Ele não se continha e fazia uma série de gracejos a respeito de Charles, embaraçando Emma. Ela desejaria vê-lo mais sério e até mesmo mais dramático, como daquela vez em que pensara ouvir passos que se aproximavam.

— Vem alguém! — disse ela.

Rodolphe soprou a vela.

— Tens armas? — perguntou Emma.

— Para quê?

— Mas... para te defenderes! — tornou ela.

— De teu marido? Ah, coitado!

E Rodolphe acabou a frase com um gesto que significava: "Com um safanão, dou cabo dele."

Emma sentiu-se orgulhosa da coragem do amante, embora sentisse no gesto uma espécie de indelicadeza e grosseria que a escandalizou.

Rodolphe refletiu bastante nessa história de armas. Se ela falara seriamente, aquilo era muito ridículo, pensava, e mesmo odioso, pois ele, Rodolphe, não tinha nenhuma razão para odiar Charles nem sequer por ciúmes. A esse respeito, aliás, Emma fizera um grande juramento que ele não achara de bom gosto.

Além disso, ela se tornava cada vez mais sentimental. Tinham trocado retratos em miniaturas, tinham cortado os cabelos e os pulsos, e agora ela exigia um anel, uma verdadeira aliança de casamento, em sinal de união eterna. Falava frequentemente de sinos na tarde e vozes da natureza, de sua mãe e também da mãe dele. Rodolphe perdera a sua aos vinte anos. Emma, apesar disso, consolava-o como a uma criança, como faria com um menino abandonado, e dizia-lhe mesmo, algumas vezes, olhando a lua:

— Tenho certeza de que, lá no céu, juntas elas aprovam nosso amor.

Mas ela era tão linda! Ele havia possuído poucas mulheres assim! Aquele amor sem libertinagem era para Rodolphe algo novo, que saía de seus hábitos fáceis e agradava ao mesmo tempo o seu orgulho e a sua sensualidade. A exaltação de Emma, que seu espírito bem burguês desdenhava, parecia-lhe, no íntimo, encantadora, pois era dirigida à sua pessoa. Com a certeza de ser amado, ele não se preocupava, e suas maneiras, insensivelmente, se foram modificando.

Já não dizia mais, como antes, aquelas palavras doces que a faziam chorar, nem lhe fazia aquelas carícias ardentes que a enlouqueciam. O grande amor em que ela vivia mergulhada pareceu a Emma estar diminuindo, como a água de um rio que se filtrasse no leito, deixando aparecer o lodo do fundo. Ela não quis acreditar e desdobrou-se em ternura. Rodolphe cada vez menos escondia sua indiferença.

Ela não sabia se se lamentava por haver cedido ou se desejava, ao contrário, amá-lo mais. A humilhação de sentir-se fraca transformava-se em um rancor que a volúpia amenizava. Não era uma simples atração e, sim, uma sedução permanente. Ele a subjugava. Emma tinha-lhe quase medo.

As aparências, entretanto, eram mais calmas do que nunca. Rodolphe conseguira conduzir o adultério segundo sua fantasia. Ao cabo de seis meses, quando a primavera chegou, eles eram, um em relação ao outro, como um casal que mantém tranquilamente a chama doméstica.

Era a época em que o pai Rouault enviava sua perua, em recordação da cura de sua perna. O presente chegava sempre com uma carta. Emma cortou o barbante que a atava ao cesto e leu o seguinte:

Meus queridos:

Espero que a presente os encontre em boa saúde e que este peru seja tão bom quanto os outros, pois acho-o mais tenro e gordo. Mas, da próxima vez, mandarei um galo, a menos que prefiram perus, e mandem-me de volta o cesto e os dois anteriores. Tive um acidente em minha cavalariça, numa noite em que ventou muito. O teto foi carregado para as árvores. A colheita também não foi lá essas coisas. É tão difícil para mim deixar esta casa depois que fiquei sozinho, minha pobre Emma!

Havia um intervalo entre as linhas, como se o bom velho tivesse soltado a pena para sonhar durante algum tempo.

Quanto a mim, vou bem, mas apanhei um resfriado no outro dia, na feira de Yvetot, aonde fui para contratar um pastor, porque despedi o meu, que foi grosseiro. Como é preciso ter paciência para lidar-se com essa súcia de pândegos! Encontrei um caixeiro-viajante que esteve por aí neste inverno e arrancou um dente. Ele me disse que Bovary continua trabalhando muito. Isso não me surpreendeu, e ele me mostrou seu dente. Tomamos café juntos. Perguntei se tinha-te visto, ele disse que não, mas que vira dois cavalos na cavalariça, donde concluí que as coisas vão bem. Tanto melhor, queridos filhos, e que Deus lhes dê toda a felicidade imaginável!

Tenho muita pena de não conhecer minha neta, Berthe Bovary. Plantei para ela, sob teu quarto, uma ameixeira; e não deixo ninguém tocar nela, porque mais tarde farei uma compota e guardarei no armário para quando ela vier.

Adeus, queridos filhos. Um beijo, minha filha, para você, meu genro, e para a pequenina.

Com muitas saudades,
seu pai amoroso,

Theodore Rouault

Emma ficou alguns minutos conservando entre os dedos a grossa folha de papel. Os erros de ortografia misturavam-se uns aos outros, e Emma seguia o pensamento terno do pai, que se voltava embaraçadamente como uma galinha escondida numa sebe de espinhos. A tinta tinha sido secada com as cinzas da lareira, pois um pouco de poeira cinzenta escorregou da carta para o vestido. Emma chegou quase a ver o pai abaixando-se para apanhar o atiçador. Havia quanto tempo não o via sentado junto ao fogo que ela alimentava e que crepitava alegremente. Lembrou-se das tardes ensolaradas de verão. Os potros relinchavam quando alguém passava e galopavam, galopavam... Havia uma colmeia sob a janela, e as abelhas, por vezes, esvoaçando à luz, batiam nas vidraças, como balas douradas. Que felicidade naquele tempo! Que liberdade! Que esperança! Que abundância de ilusões! E agora já não lhe restava nada. Gastara tudo nas aventuras de sua alma, durante todas as situações sucessivas, na virgindade, no casamento e no amor, perdendo continuamente ao longo da vida, como um viajante que deixa algo de sua riqueza em cada um dos albergues do caminho.

Mas o que a tornava tão infeliz? Onde estava a catástrofe extraordinária que a perturbara? E ela erguia a cabeça, olhando em volta, como se procurasse a causa de seus sofrimentos.

Um raio de sol de abril brincava nas porcelanas da cristaleira. O fogo ardia; Emma sentia a maciez do tapete sob as pantufas. O dia estava claro, a atmosfera, morna, e ela ouvia sua filha, que ria.

Realmente, a menina rolava na relva do jardim. Estava deitada de bruços, enquanto a empregada a segurava pela saia. Lestiboudois brincava com ela, e cada vez que ele se aproximava ela ria, agitando o ar com os bracinhos.

— Tragam-na cá! — disse a mãe, precipitando-se para beijá-la. — Como eu te amo, minha querida filhinha! Como eu te amo!

Vendo que as orelhas da criança estavam um pouco sujas, ela ordenou imediatamente que lhe trouxessem água morna e limpou-as, mudando-lhe as roupas e os sapatos, fazendo mil perguntas sobre sua saúde; como chorava um pouco, devolveu-a às mãos da empregada, que ficara surpresa com aquele excesso de ternura.

Rodolphe, naquela noite, achou-a mais séria que de costume. "Isso passa", pensou ele. "Deve ser algum capricho."

E ele faltou a três encontros consecutivos. Quando voltou, ela mostrou-se fria e quase desdenhosa.

— Ah, perdes teu tempo, menina...

E fingiu não notar seus suspiros melancólicos, nem o lenço com que ela enxugava os olhos.

Foi então que Emma se arrependeu!

Perguntou-se a si mesma por que detestava Charles e se não teria sido melhor poder amá-lo. Mas ele não oferecia muitas oportunidades para essas coisas de sentimento, e ela ficou embaraçada na veleidade de seu sacrifício até que o farmacêutico, casualmente, forneceu uma ocasião.

XI

Homais havia lido o comentário elogioso de um novo método para cura de pés aleijados e, como era partidário do progresso, concebeu a ideia patriótica de que Yonville, para *ficar em dia,* deveria ter operações de estrefopodia.

— Pois — dizia ele a Emma — que temos a perder? Veja só — e enumerava nos dedos as vantagens da tentativa —, sucesso quase assegurado, alívio e felicidade do doente, celebridade rápida para o cirurgião. Por que seu marido, por exemplo, não poderia tratar do pobre Hippolyte, do Leão de Ouro? Note que ele não deixará de falar de sua cura a todos os viajantes, e, além disso — Homais baixava a voz, olhando em torno —, quem me impedirá de mandar aos jornais uma nota a respeito? Ora, meu Deus! Um artigo circula... é comentado... finalmente se transforma de bola de neve em avalancha! E quem sabe? Quem sabe?

Com efeito, Bovary podia ser bem-sucedido; nada afirmava a Emma que ele não fosse hábil; e que satisfação de aumentar sua reputação e sua fortuna! Só desejava apoiar-se em algo mais sólido que o amor.

Charles, instado pelo farmacêutico e por ela, deixou-se convencer. Encomendou em Rouen o livro do dr. Durval e, todas as noites, com a cabeça entre as mãos, mergulhava na leitura.

Enquanto estudava "equinos", "varus" e "valgus", isto é, a estrefocatopodia, a estrefendopodia e a estrefexopodia (ou, para ser mais claro, os diferentes desvios do pé, para baixo, para dentro ou para fora), além de estrefipopodia e estrefenopodia (ou por outra torção para baixo e redução ao alto), monsieur Homais, com todas as razões possíveis, exortava o rapazinho do albergue a deixar-se operar.

— Tu não sentirás senão uma dorzinha, como uma pequena sangria, menos que a extirpação de certos tumores.

Hippolyte, refletindo, revirava os olhos idiotas.

— Além do mais — continuava o farmacêutico —, não lucro nada com isso! Isso é para teu bem! Meu interesse é por espírito de humanidade! Desejaria ver-te, meu amigo, livre de tua horrível deformidade e dessa torção lombar que, apesar de negares, deve atrapalhar muito teu trabalho.

E Homais descrevia como ele se sentiria mais alegre e feliz, e dava mesmo a entender que o outro agradaria mais às mulheres. O cavalariço ria grosseiramente. Em seguida, o farmacêutico recorreu à vaidade:

— Não és homem? Que seria de ti se fosses convocado para servir sob a bandeira? Ah, Hippolyte!

E Homais afastou-se, declarando que não compreendia aquela teimosia, aquela cegueira de recusar bênçãos da ciência.

O infeliz terminou por ceder, pois aquilo era uma verdadeira conjuração. Binet, que jamais se metia na vida alheia, madame Lefrançois, Artémise, os vizinhos e até mesmo monsieur Tuvache, todos o instigavam, davam-lhe sermões, enchiam-no de vergonha. Mas o que o fez decidir-se foi o fato de que *não lhe custaria nada*. Bovary encarregou-se de fornecer a máquina para a operação. Emma teve a ideia dessa generosidade e Charles consentiu, achando, no fundo do coração, que sua mulher era um anjo.

Seguindo os conselhos do farmacêutico, encomendou ao carpinteiro uma espécie de caixa, de cerca de quatro quilos, sem poupar ferro, madeira, couro nem lona, que só ficou pronta após três tentativas.

Enquanto isso, para saber que tendão devia cortar em Hippolyte, era preciso identificar inicialmente a espécie de pé torto que era o seu.

Tinha ele um pé que fazia quase uma linha reta com a perna, o que não impedia que fosse voltado para dentro, de sorte que era um equino combinado com um pouco de varo, ou então um varo ligeiro fortemente acentuado de equinismo. Mas, com aquele pé de pele rugosa, tendões secos e grandes artelhos cujas unhas negras pareciam cravos de ferradura, o estrefendópode corria de manhã à noite, ágil como um cervo. Era visto seguidamente na praça, saltando em torno das charretes e lançando para a frente seu suporte desigual. Parecia até mais vigoroso naquela perna do que na outra. De tanto trabalhar, ela como que contraíra qualidades morais de paciência e energia, e, quando tinha serviço pesado a fazer, era nela que o rapaz se escorava, de preferência.

Uma vez que a afecção era num equino, seria preciso cortar o tendão de aquiles, embora mais tarde fosse necessário ocupar-se do músculo tibial anterior para extinguir o varo, pois o médico não ousava arriscar-se às duas operações ao mesmo tempo, e mesmo já começava a tremer com medo de atacar alguma região importante que não conhecesse.

Nem Ambrósio Paré fazendo pela primeira vez, desde Celso, depois de 15 séculos de intervalo, a ligadura imediata de uma artéria; nem Dupuytren abrindo um abscesso através de espessa camada de encéfalo; nem Gensoul, quando fez a primeira ablação de um maxilar superior, tiveram o coração tão palpitante, a mão tão fremente, o intelecto tão tenso quanto monsieur Bovary quando se aproximou de Hippolyte com o tenotomo entre os dedos. Como nos hospitais, via-se ao lado, sobre uma mesa, um monte de fios encerados, muita gaze, uma pirâmide de gaze, toda a que havia na farmácia. Fora monsieur Homais que organizara, desde bem cedo, todos os preparativos, tanto para impressionar a multidão como para enganar-se a si mesmo. Charles picou a pele; ouviu-se um estalido seco. O tendão estava cortado, a operação, terminada. Hippolyte não cabia em si de surpreso e curvava-se sobre as mãos de Bovary para cobri-las de beijos.

— Vamos, acalma-te — dizia o farmacêutico —, tu demonstrarás mais tarde teu reconhecimento para com teu benfeitor!

E desceu para contar o resultado a quatro ou cinco curiosos que tinham ficado no pátio e que imaginavam que Hippolyte reapareceria andando direito. Charles, tendo afivelado seu doente no motor mecânico, voltou para casa, onde Emma, ansiosíssima, esperava-o à porta. Saltou-lhe ao pescoço, abraçando-o. Sentaram-se à mesa e ele comeu muito, chegando mesmo a desejar, à sobremesa, tomar uma xícara de café, luxo que só se permitia aos domingos quando tinha visitas.

A noite foi encantadora, cheia de satisfação, de risos em comum. Falaram de sua felicidade futura, das melhorias que introduziriam em casa. Charles via sua reputação firmar-se, sua mulher amando-o sempre, e ela sentia-se feliz por se refrescar num sentimento novo, mais são, melhor, enfim, por sentir alguma ternura por aquele pobre coitado que a adorava. A lembrança de Rodolphe passou-lhe um momento pela cabeça, mas seus olhos pousaram em Charles e ela notou, com surpresa, que ele tinha belos dentes.

Estavam recolhidos quando monsieur Homais, apesar da oposição da empregada, entrou de repente no quarto, trazendo nas mãos uma folha de papel onde acabara de escrever. Era o artigo que destinava ao *Farol de Rouen* e que trazia para que o lessem.

— Leia o senhor — disse Bovary.

Homais leu:

> *Apesar dos preconceitos que ainda cobrem parte da Europa como uma rede, a luz começa a penetrar no interior de nosso país. Foi assim que, na terça-feira, nossa pequena cidade de Yonville tornou-se o teatro de uma experiência cirúrgica que foi, ao mesmo tempo, um ato de alta filantropia. Monsieur Bovary, um de nossos práticos mais renomados...*

— Ah. É demais, é demais! — disse Charles, sufocado pela emoção.

— Não, absolutamente! Onde estava eu? Ah! "operou de um pé aleijado..." Não escrevi o termo científico porque num jornal... bem, ninguém compreenderia. É preciso que as massas...

— Sim, sim — disse Bovary. — Continue.

— Pois não. — E recomeçou a leitura.

Monsieur Bovary, um de nossos práticos mais renomados, operou de um pé aleijado Hippolyte Tautain, moço de cavalariça há 25 anos no Hotel Leão de Ouro, de propriedade de madame Lefrançois, na praça de Armas. O pioneirismo da tentativa e o interesse pelo resultado haviam atraído tal massa de povo que todos se acotovelavam no interior do estabelecimento. A operação em si realizou-se como que por encanto, e apenas algumas gotas de sangue afloraram à pele, como para dizer que o tendão rebelde finalmente cedia aos esforços da arte. O doente, coisa estranha (e afirmamo-lo de viso) não acusou nenhuma dor. Seu estado até agora nada deixa a desejar. Tudo indica que a convalescença será curta, e quem sabe mesmo se na próxima festa na aldeia não veremos o bravo Hippolyte a dançar entre os coros, provando a todos os olhos, por sua alegria e seus saltos, sua cura completa? Honra, pois, aos sábios generosos! Honra a esses espíritos infatigáveis que consagram suas vidas ao melhoramento, ou antes, ao alívio da espécie! Honra! Três vezes honra! Não seria o caso de exclamar que os cegos verão, os surdos ouvirão e os coxos andarão? O que o fanatismo outrora prometia a seus eleitos a ciência agora realiza para todos os homens! Manteremos nossos leitores a par das fases sucessivas dessa cura notável.

Isso não impediu que, cinco dias depois, a viúva Lefrançois aparecesse, toda preocupada, gritando:

— Socorro! Ele está morrendo! Vou ficar louca!

Charles precipitou-se para o Leão de Ouro, e o farmacêutico, que o viu correndo pela praça sem chapéu, abandonou a farmácia e foi pessoalmente, ofegante, vermelho, inquieto, perguntando a todos que subiam as escadas:

— Que tem o nosso interessante estrefendópode?

O estrefendópode estrebuchava em convulsões horríveis e de tal modo que o motor mecânico em que estava encerrada sua perna batia na parede como para derrubá-la. Com muita precaução, para não perturbar a posição do membro, tiraram a caixa e viram um espetáculo horrível. As formas do pé desapareceram numa inchação tamanha que a pele parecia prestes a romper-se, estando já coberta de equimoses provocadas pela famigerada máquina. Hippolyte já se tinha queixado, mas ninguém lhe dera ouvidos. Tiveram de reconhecer que ele não se enganara completamente e deixaram-no livre por algumas horas. Mas, logo que o edema cedeu um pouco, os dois sábios julgaram dever recolocar o membro no aparelho, apertando-o mais, para acelerar a cura. Enfim, três dias depois, como Hippolyte já não suportava mais, retiraram novamente a caixa, espantados com o resultado que viram. Uma inchação lívida estendia-se pela perna, com pequenas fístulas espalhadas, por onde saía um líquido negro. A coisa começava a ficar séria. Hippolyte aborrecia-se, e a velha Lefrançois instalou-o na saleta, junto à cozinha, para que pelo menos tivesse alguma distração.

Mas o cobrador, que todos os dias jantava ali, queixava-se amargamente de tal vizinhança. Transportaram então Hippolyte para a sala de bilhar.

Lá ficava ele gemendo sob as grossas cobertas, pálido, de barba crescida, olhos fundos, virando de vez em quando a cabeça suarenta sobre o travesseiro sujo onde pousavam moscas. Madame Bovary vinha visitá-lo, trazendo linho para as ataduras, consolando-o, encorajando-o. Além disso, não lhe faltava companhia, especialmente nos dias de mercado, quando os camponeses ao seu redor jogavam bilhar, brincavam de esgrima com os tacos, fumavam, bebiam, cantavam, esbravejavam.

— Como vais? — perguntavam eles, batendo nas costas do doente. — Não pareces bem, mas a culpa é tua. Devias fazer isso, ou fazer aquilo.

E contavam-lhe histórias de pessoas que se tinham curado com remédios diferentes dos seus, acrescentando, à guisa de consolo:

— É que tu te cuidas demais! Levanta-te! Tu te tratas como um rei! Ah, seu farsante, não tem importância, tu cheiras muito mal!

Com efeito, a gangrena subia cada vez mais. Bovary sentia-se também doente por causa dela, pois vinha vê-lo a toda hora, a cada momento. Hippolyte olhava-o com olhos espantados e balbuciava, soluçando:

— Quando estarei curado? Ah! Salve-me! Como sou infeliz! Como sou infeliz!

E o médico deixava-o sempre recomendando-lhe a dieta.

— Não lhe dê ouvidos, meu rapaz — dizia a velha Lefrançois.
— Eles já te maltrataram muito! Vais-te enfraquecer mais ainda? Toma, engole!

E dava-lhe um bom caldo, ou um pernil de carneiro, ou um pedaço de toucinho; e, às vezes, cálices de aguardente, que o doente não tinha coragem de levar aos lábios.

O padre Bourmisien, sabendo que piorava, foi vê-lo. Começou por lastimar seu estado, declarando depois que devia alegrar-se, porque era a vontade do Senhor, e aproveitar a ocasião para reconciliar-se com o céu.

— Sim — dizia o eclesiástico num tom paternal —, pois tu negligenciavas um pouco teus deveres. Raramente aparecias no ofício divino; e há quantos anos não te aproximas da mesa de comunhão? Compreendo que tuas ocupações, que o turbilhão do mundo te tenham afastado dos cuidados com tua salvação. Mas agora é a hora de pensar nela. Não te desesperes, entretanto; conheci grandes pecadores que, pouco antes de comparecerem diante de Deus (tu não chegaste ainda a esse ponto, sei-o bem), imploraram Sua misericórdia e certamente morreram nas melhores disposições. Esperemos que, como eles, tu nos dê bons exemplos! Assim, por precaução, que te impede de recitar pela manhã e à noite uma Ave-Maria e um Padre-Nosso? Sim, faz isso por mim, para me agradar. Prometes?

O pobre-diabo prometeu. O padre voltou nos dias seguintes. Conversava com a estalajadeira e chegava a contar anedotas entremeadas de ditos chistosos e trocadilhos que Hippolyte não compreendia.

Depois, quando as circunstâncias permitiam, voltava aos assuntos religiosos, assumindo uma postura conveniente:

Seu zelo pareceu bem-sucedido, pois logo o estrefendópode mostrava o desejo de ir em peregrinação ao Bom-Socorro, se ficasse bom. A isso o padre Bournisien respondia que não via inconveniente: duas precauções valiam mais do que uma. Não perdia nada com aquilo.

O farmacêutico indignou-se contra o que chamava "as manobras do padre". Dizia que aquilo prejudicava a convalescença de Hippolyte, e repetia para madame Lefrançois:

— Deixe-o! Deixe-o! A senhora lhe perturba o moral com seu misticismo!

Mas a boa mulher não lhe dava ouvidos. Ele fora o causador de tudo; e, por espírito de contradição, pendurou na cabeceira do doente um caneco de água benta com um raminho de buxo.

Mas nem a religião nem a cirurgia pareciam capazes de salvá-lo, e a podridão invencível subia das extremidades para o ventre. Não adiantava variar as poções e mudar os cataplasmas: os músculos, todos os dias, deterioravam-se mais. Finalmente, Charles respondeu com aceno afirmativo de cabeça quando a velha Lefrançois lhe perguntou se não poderia, em desespero de causa, chamar o dr. Canivet, de Neufchâtel, que era uma celebridade.

Doutor em medicina, de cinquenta anos de idade, gozando de boa posição e seguro de si, o colega não se conteve e riu desdenhosamente quando viu aquela perna gangrenada até o joelho. Declarando sem rodeios que era preciso amputá-la, foi para a casa do farmacêutico vociferando contra os asnos que haviam reduzido um homem àquele estado miserável. Sacudindo monsieur Homais pelos botões do casaco, gritava na farmácia:

— São essas as invenções de Paris! São essas as ideias desses senhores de capital! É como o estrabismo, o clorofórmio e a litotricia, uma porção de monstruosidades que o governo devia proibir! Mas querem fazer-se de espertos e impingem remédios sem se preocuparem com as consequências! Nós não somos assim; não somos sábios, nem milagrosos, nem ingênuos. Somos médicos, homens que curam, e nunca pensaríamos em operar alguém que está muito bem! Curar pés aleijados! Como se fosse possível curar pés aleijados! É o mesmo, por exemplo, que endireitar um corcunda!

Homais sofria escutando essas palavras, e dissimulava seu embaraço com um sorriso cortês, pois precisava estar em bons termos com monsieur Canivet, cujas receitas às vezes chegavam até Yonville. Não fez, portanto, nenhuma observação e, abandonando seus princípios, sacrificou sua dignidade aos interesses mais sérios de seu negócio.

Aquela amputação de coxa pelo dr. Canivet foi na aldeia um acontecimento importante! Todos os habitantes, no dia da operação, levantaram-se cedo. A rua Grande, embora cheia de gente, tinha algo de lúgubre, como se se tratasse de uma execução capital. Discutia-se na mercearia sobre a doença de Hippolyte. As lojas não vendiam nada, e madame Tuvache, mulher do prefeito, não saía da janela, impaciente por ver a chegada do cirurgião.

Chegou em seu cabriolé, dirigido por ele mesmo. Como a mola do lado direito cedera, com o tempo, ao peso de sua corpulência, o veículo adernava um pouco ao andar, e via-se no outro assento, ao seu lado, uma grande caixa, coberta de carneira vermelha, cujos três fechos de cobre brilhavam espalhafatosamente.

Quando entrou como um vendaval pelo portão do Leão de Ouro, o médico gritou que desatrelassem seu cavalo e depois foi até a cavalariça para ver se o animal tinha recebido aveia, pois, ao chegar à casa dos doentes, cuidava primeiro do cavalo e do cabriolé. Dizia-se mesmo a seu respeito:

— Ah! Monsieur Canivet é excêntrico!

Era ainda mais estimado por essa fleuma inquebrantável. O universo poderia desaparecer até o último homem que ele não deixaria de agir conforme o menor de seus hábitos.

Homais apresentou-se.

— Conto com o senhor — disse o doutor. — Estamos prontos? Avante!

Mas o farmacêutico, enrubescendo, confessou que era por demais sensível para assistir a tal operação.

— Quando se é simples espectador — dizia ele —, a imaginação se aguça! E, além disso, meu sistema nervoso está de tal modo...

— Ora bolas! — interrompeu Canivet. — O senhor me parece, pelo contrário, prestes a ter uma apoplexia. Além disso, não me surpreendo, pois os senhores, os farmacêuticos, vivem enfiados na cozinha, o que certamente termina por lhes alterar o temperamento. Olhe para mim; todos os dias levanto-me às quatro horas, faço a barba com água fria (jamais sinto frio), não uso roupas de flanela e nunca me resfrio. Meu corpo é forte! Vivo de qualquer maneira, e não me incomodo com a comida. E, por não ser delicado como o senhor, tanto se me dá cortar um homem como uma galinha. Depois dirá o senhor que o hábito... o hábito!...

E então, sem a menor consideração por Hippolyte, que suava de angústia sob os lençóis, os dois cavalheiros entraram numa animada conversa em que o boticário comparava o sangue-frio de um cirurgião ao de um general. Essa alusão agradou Canivet, que se alongou em considerações a respeito de sua arte. Considerava-a como um sacerdócio, embora os maus médicos a desonrassem. Finalmente, voltando ao doente, examinou as ataduras trazidas por Homais, as mesmas que haviam comparecido à primeira operação, e pediu alguém para auxiliá-lo. Mandou-se buscar Lesliboudois, e monsieur Canivet, tendo arregaçado as mangas, passou para a sala de bilhar, enquanto o farmacêutico ficava com Artémise e a estalajadeira, ambas mais pálidas que os aventais que vestiam e de ouvidos atentos.

Bovary, durante todo esse tempo, não ousou afastar-se de casa. Ficou embaixo, na sala, sentado junto à lareira apagada, o queixo sobre o peito, as mãos juntas, os olhos fixos. "Que infelicidade!", pensava ele, "que desapontamento!" No entanto, tomara todas as precauções imagináveis. A fatalidade conspirara contra ele. Que importava? Se Hippolyte viesse a morrer, seria ele seu assassino. E que desculpa daria quando os demais clientes o interrogassem? Talvez se tivesse enganado em alguma coisa. Procurava descobrir o que teria sido e não conseguia. Mas os cirurgiões mais famosos também se enganavam. Nisso, porém, ninguém acreditaria. Iam rir dele, fazer troça! O caso chegaria até Forges! Até Neufchâtel! Até Rouen, por toda parte! Quem sabe se os colegas não iriam escrever contra ele? Haveria uma polêmica, seria preciso responder nos jornais. O próprio Hippolyte poderia processá-lo. Via-se desonrado, arruinado, perdido! E sua imaginação, assaltada por uma multidão de hipóteses, vogava em meio a elas como um tonel vazio lançado ao mar, rolando sobre as ondas.

Emma, à sua frente, olhava-o. Ela não participava da sua humilhação, mas sofria outra, que era a de ter julgado que aquele homem valia alguma coisa, como se já não tivesse, por vinte vezes, percebido sua mediocridade.

Charles caminhava para cá e para lá em seu quarto. Suas botas batiam no assoalho.

— Senta-te — disse ela —, tu me irritas!

Ele obedeceu.

Como poderia ter-se enganado (ela, que era tão inteligente) ainda uma vez? Além do mais, que deplorável mania a teria feito assim destruir sua existência em sacrifícios contínuos? Lembrou-se de todos os seus desejos de luxo, de todas as privações de sua alma, das baixezas do casamento, da vida conjugal, seus sonhos caindo na lama como andorinhas feridas, tudo o que esperara, tudo o que recusara a si mesma, tudo o que teria podido possuir! E por quê, por quê?

No meio do silêncio que cobria a aldeia, um grito lancinante atravessou o ar. Bovary empalideceu a ponto de quase desmaiar. Ela franziu a testa. Fizera tudo aquilo por ele, por aquele ser, por aquele homem que nada compreendia, que nada sentia! E lá ficava ele, tranquilamente, sem mesmo preocupar-se com o ridículo com que seu nome dali em diante a sujaria, assim como a ele mesmo. Ela fizera força para amá-lo e arrependera-se, chorando, de ter cedido ante outro homem.

— Mas teria sido mesmo um valgo? — exclamou de repente Bovary, que meditava.

Ao choque imprevisto dessa frase, que caía em seu pensamento como uma bala de chumbo numa bandeja de prata, Emma estremeceu e ergueu a cabeça para adivinhar o que ele queria dizer; e eles se olharam silenciosamente, quase envergonhados de se verem, tão conscientemente distantes estavam um do outro. Charles fitava-a com o olhar estranho de um bêbado, sempre escutando, imóvel, os últimos gritos do amputado, que se sucediam em modulações arrastadas, cortadas por berros agudos, como os urros longínquos de um animal estrangulado. Emma mordia os lábios sem sangue, rolando entre os dentes um dos raminhos do polipeiro, que quebrara, fixando em Charles a ponta ardente de suas pupilas, como duas flechas prontas para serem disparadas. Tudo nele a irritava agora. Seu porte, suas roupas, o que ele não dizia, toda a sua pessoa, sua existência, enfim. Ela se arrependia, como de um crime, de sua virtude passada, e o que dela lhe restava desabava aos golpes furiosos de seu orgulho. Deleitava-se em todas as ironias perversas do adultério triunfante. A lembrança do amante lhe voltava com atrações vertiginosas, em que ela mergulhava a alma, impelida para aquela imagem por novo entusiasmo; e Charles lhe parecia tão afastado de sua vida, tão ausente para sempre, tão impossível e aniquilado, como se fosse morrer e estivesse agonizante diante de seus olhos.

Ouviu-se um ruído de passos na calçada. Charles olhou e, pelas persianas descidas, viu, junto ao mercado, em pleno sol, o dr. Canivet, que enxugava a fronte com o lenço. Homais, por trás dele, levava na mão uma grande caixa vermelha, e ambos dirigiram-se para os lados da farmácia.

Então, numa ternura súbita de desânimo, Charles virou-se para a esposa, dizendo:

— Dá-me um beijo, meu bem!

— Deixa-me! — fez ela, rubra de cólera.

— Que tens? Que tens? — repetia ele, estupefato. — Acalma-te, controla-te! Tu sabes que te amo! Vem!

— Chega! — gritou ela num tom terrível.

E, fugindo da sala, Emma bateu a porta com tanta força que o barômetro saltou da parede e espatifou-se no chão...

Charles mergulhou em sua poltrona, confuso, tentando descobrir o que ela poderia estar sentindo, imaginando uma doença nervosa, chorando e sentindo vagamente circular em torno de si algo de funesto e de incompreensível.

Quando Rodolphe, à noite, chegou ao jardim, encontrou sua amante, que o esperava no primeiro degrau da escada. Abraçaram-se, e todo o rancor de ambos se fundiu como a neve ao calor daquele beijo.

XII

Recomeçaram a amar-se. Muitas vezes, em pleno dia, Emma escrevia-lhe inesperadamente; depois, pela janela, fazia sinal a Justin, que tirava o avental de trabalho e corria a Huchette. Rodolphe chegava. Ela queria apenas dizer-lhe que se aborrecia, que o marido era odioso e a existência, insuportável.

— E que posso fazer? — exclamou ele, certo dia, impaciente.

— Ah! Se tu quisesses...

Ela estava sentada no chão, entre os joelhos dele, com os cabelos soltos, o olhar perdido.

— O quê? — perguntou Rodolphe.

Ela suspirou:

— Iríamos viver longe... em algum lugar...

— Tu estás louca? — disse ele rindo. — Isso não é possível!

Ela insistiu, mas ele fez cara de quem não compreendia e mudou de assunto.

O que ele não compreendia era toda aquela complicação em uma coisa tão simples como o amor. Emma tinha um motivo, uma razão, como que um auxiliar àquela dedicação.

Sua ternura, com efeito, aumentava cada vez mais, ao mesmo tempo que crescia a repulsa ao marido. Quanto mais se entregava a um, mais detestava o outro; nunca Charles lhe parecera tão desagradável, os seus dedos, tão malfeitos, o espírito, tão pesado, as maneiras, tão comuns do que quando, depois de seus encontros com Rodolphe, achava-se junto ao marido. Então, mesmo fingindo-se de esposa virtuosa, inflamava-se ao pensar naquela cabeça de cabelos negros encaracolados na fronte, naquele corpo ao mesmo tempo corpulento e elegante, naquele homem, enfim, que tinha tanta experiência no raciocínio, tanta veemência no desejo! Era para ele que ela cuidava das unhas, que usava creme no rosto e *patchouli* nos lenços. Carregava-se de braceletes, de broches, de colares. Quando era dia de ele vir, Emma enchia de rosas seus dois grandes vasos de vidro azul, arrumava a casa e a si mesma como uma cortesã que espera um príncipe. A empregada estava sempre a lavar suas roupas íntimas. Félicité passava os dias trabalhando na cozinha, onde o pequeno Justin, que muitas vezes lhe fazia companhia, observava-a.

Com o cotovelo fincado na tábua onde ela passava a ferro, ele olhava avidamente para todas aquelas coisas femininas espalhadas ao seu redor: as combinações, os lenços, os colarinhos, as calças largas na cintura que se estreitavam para baixo.

— Para que serve isso? — perguntava o rapazinho, pegando em uma peça qualquer.

— Nunca viste isso? — perguntava Félicité, rindo. — Então tua patroa, madame Homais, não usa isso?

— Ora, madame Homais! — E acrescentava num tom meditativo: — Ela não é uma dama como madame.

Mas Félicité impacientava-se por vê-lo andar assim à sua volta. Tinha seis anos a mais do que ele, e Théodore, o empregado de monsieur Guillaumin, começava a fazer-lhe a corte.

— Deixa-me em paz! — dizia ela, pegando no pote de goma.

— Vai procurar amêndoas. Estás sempre perto das mulheres; espera pelo menos, rapazinho, que te cresça a barba no queixo.

— Ouça, não te zangues; vou engraxar as botinas dela.

E imediatamente apanhava os sapatos de Emma, sujos de lama — a lama dos encontros — que se desfazia em pó entre seus dedos. Ele observava a poeira subir num raio de sol.

— Como tens medo de estragá-los! — dizia a cozinheira, que quando os limpava não tinha tanto cuidado, porque madame, quando eles ficavam um pouco usados, dava-os a ela.

Emma tinha grande quantidade de sapatos em seu armário, e os gastava rapidamente, sem que Charles fizesse a menor observação.

Foi sem protestar que ele desembolsou trezentos francos para uma perna de pau que ela julgou conveniente presentear a Hippolyte.

O suporte era guarnecido de cortiça, tinha articulações de mola e toda uma mecânica complicada, revestida por uma calça preta que terminava numa bota envernizada. Mas Hippolyte, não ousando servir-se todos os dias de perna tão bela, suplicou a madameBovary que lhe arranjasse outra mais cômoda. O médico, naturalmente, arcou também com a despesa dessa nova aquisição.

Assim, o cavalariço recomeçava pouco a pouco seu trabalho. Era visto como antes, percorrendo toda a aldeia, e, quando Charles ouvia de longe, sobre o calçamento, o ruído seco das muletas, desviava rapidamente seu caminho.

Fora monsieur Lheureux, o comerciante, que se encarregara da encomenda. Isso lhe forneceu oportunidade de frequentar a casa de Emma. Falava-lhe das novidades de Paris, de mil curiosidades femininas, mostrava-se muito condescendente e jamais reclamava dinheiro. Emma aproveitava essa oportunidade para satisfazer todos os seus caprichos. Desejou, para dar a Rodolphe, uma bela chibata que havia em Rouen, numa loja de guarda-chuvas. Monsieur Lheureux, na semana seguinte, colocou-a sobre a mesa.

Mas já no dia seguinte se apresentou na casa dela com uma fatura de 270 francos, sem contar os cêntimos. Emma ficou atrapalhada. As gavetas da secretária estavam vazias. Já deviam mais de 15 dias a Lestiboudois, dois trimestres à empregada e muitas coisas mais. Bovary esperava impacientemente o pagamento de monsieur Derozerays, que tinha o hábito de saldar suas contas todos os anos, por ocasião das festas de São Pedro.

Emma conseguiu inicialmente apaziguar Lheureux. Mas ele acabou por perder a paciência. Dizia-se perseguido, sem fundos; que, se não fosse pago, seria forçado a tomar as mercadorias que fornecera.

— Pois tome-as! — disse Emma.

— Ora! Essa é boa! — disse ele. — Só lamento a chibata. Vou pedi-la de volta ao seu marido.

— Não! Não! — exclamou ela.

"Ah, apanhei-a!", pensou Lheureux.

E, seguro de sua descoberta, saiu, repetindo a meia-voz e com seu silvo habitual:

— Veremos! Veremos!

Ela estava pensando em como sair daquela, quando a cozinheira, entrando, depôs na lareira um rolo de papel azul, da parte de monsieur Derozerays. Emma agarrou-o e abriu-o. Tinha 15 napoleões. Era a conta. Ouviu Charles, que subia a escada, e jogou o dinheiro no fundo da gaveta, guardando a chave.

Três dias depois, Lheureux apareceu.

— Tenho um negócio a lhe propor — disse ele. — Se em lugar de entregar o dinheiro, a senhora quiser ficar com...

— Ei-lo! disse ela, colocando-lhe na mão 14 napoleões.

O negociante ficou estupefato. Para dissimular seu desapontamento, desdobrou-se em desculpas e oferecimentos de serviços, que Emma recusou. Depois ela ficou alguns minutos apalpando no bolso do avental as duas moedinhas de cem *sous* que ele dera de troco. Prometeu a si mesma que economizaria, para devolver mais tarde...

"Ora", pensou, "Charles nem desconfiará."

* * *

Além da chibata de castão dourado, Rodolphe recebeu um sinete com esta divisa: "Amor no coração", mais um cachecol e ainda uma cigarreira muito semelhante à do visconde, que Charles certa noite apanhara na estrada e ela guardara. Mas esses presentes humilhavam-no. Recusou vários; ela insistia, e Rodolphe acabava por aceitar, achando-a tirânica e muito dominadora.

Depois, Emma tinha ideias estranhas:

— Quando der a meia-noite, pensa em mim!

E, se ele confessava haver esquecido, recebia admoestações abundantes, que terminavam sempre pela eterna pergunta:

— Tu me amas?

— Mas claro que te amo!

— Muito?

— Certamente!

— Não amaste outras?

— Achas que eu era virgem quando me encontraste? — exclamava ele, rindo.

Emma chorava e ele se esforçava por consolá-la, enfeitando seus protestos com jogos de palavras.

— Oh! Digo isso porque te amo! — tornava ela. — Amo-te tanto que não posso viver sem ti, e tu bem o sabes! Às vezes tenho vontade de ver-te nos momentos em que minhas aflições de amor me desesperam. Pergunto-me: "Onde estará ele? Talvez falando com outras mulheres... Elas sorriem, ele se aproxima..." Oh, não, não é verdade, nenhuma te agrada, não é? Pode haver mulheres mais belas, mas eu sei amar melhor! Sou tua escrava e tua amante! Tu és meu rei, meu ídolo! Tu és bom, és belo, és inteligente, és forte!

Ele já ouvira tantas vezes essas coisas que elas já não tinham para ele nada de original. Emma parecia-se com todas as amantes, e o encanto da novidade caía pouco a pouco como uma vestimenta, deixando ver, nua, a eterna monotonia da paixão, que sempre tem as mesmas formas e a mesma língua. Ele não distinguia, por ser homem eminentemente prático, a diversidade de sentimentos sob a semelhança das expressões. Já que lábios libertinos ou mercenários lhe tinham murmurado frases semelhantes, ele não acreditava, senão debilmente, na inocência daqueles outros lábios. Pensava que se deviam reduzir às devidas proporções os discursos exagerados que escondem as paixões medíocres, como se a plenitude da alma não ultrapassasse por vezes as metáforas mais vazias, pois ninguém pode jamais dar a medida exata de suas necessidades, nem de suas concepções, nem de suas dores; a palavra humana é como uma panela rachada em que batucamos melodias para os ursos dançarem, quando desejaríamos enternecer as estrelas.

Mas, com aquela superioridade de crítica que pertence a quem, em qualquer sociedade, deixa-se ficar distante, Rodolphe encontrava naquele amor outros prazeres para usufruir. Julgava incômodo o pudor. Tratava-a sem delicadeza, tornando-a submissa e corrompida. Era uma espécie de amor idiota, cheio de admiração para ele e de volúpia para ela, uma felicidade que o dominava; e sua alma afundava-se naquela embriaguez e nela se afogava, como o duque de Clarence em seu tonel de vinho doce.

Pelo efeito exclusivo de seus hábitos amorosos, madame Bovary mudou de maneiras. Seus olhares tornaram-se mais atrevidos, suas palavras, mais livres. Chegou à inconveniência de passear com monsieur Rodolphe, de cigarro na boca, como se quisesse provocar o mundo. Os que não acreditaram deixaram de duvidar quando ela desceu da Andorinha com a cintura apertada num colete, à moda masculina. Madame Bovary mãe, que depois de terrível briga com o marido fora refugiar-se em Yonville, não foi a menos escandalizada. Outras coisas também a desagradavam: Charles não seguira seus conselhos para a proibição dos romances, e a velha não gostava dos costumes da casa. Permitiu-se fazer reparos, e uma vez as duas brigaram por causa de Félicité.

Madame Bovary mãe, na véspera, à noite, ao atravessar o corredor, surpreendera a empregada na companhia de um homem que, ao ruído de seus passos, fugira da cozinha. Emma pôs-se a rir quando ela narrou o fato, mas a velha zangou-se, dizendo que, antes de zombar dos bons costumes, ela devia cuidar da moral doméstica.

— De que mundo é a senhora? — perguntou a nora, com um olhar de tal modo impertinente que a sogra lhe perguntou se não defendia, assim, a sua própria causa.

— Saia daqui! — gritou Emma, erguendo-se de um salto.

— Emma! Mamãe! — exclamou Charles, tentando apaziguá-las. Mas ambas já se tinham perdido na cólera. Emma repetia, zombeteira:

— Ora, mas que modos! Que roceira!

Charles correu para a mãe, que balbuciava, fora de si:

— É uma insolente! Uma leviana! Talvez pior que isso!

E ameaçou partir imediatamente se a outra não lhe fosse pedir desculpas. Charles voltou-se para a esposa e pediu-lhe que cedesse, pondo-se de joelhos. Ela terminou por dizer:

— Está bem, pedirei desculpas.

Com efeito, estendeu a mão à sogra com uma dignidade de marquesa, dizendo:

— Desculpe, madame.

Em seguida, subindo para seu quarto, atirou-se de bruços na cama e chorou como uma criança, enterrando a cabeça no travesseiro.

Ela e Rodolphe tinham combinado que, em caso de acontecimentos extraordinários, ela prenderia na janela um pedacinho de papel branco, para que, se por acaso ele estivesse em Yonville, viesse encontrá-la nos fundos da casa. Emma colocou o sinal, esperando cerca de três quartos de hora, quando finalmente viu Rodolphe na esquina do mercado. Sentiu-se tentada a abrir a janela e chamá-lo, mas ele desapareceu. Ela desesperou-se.

Logo, porém, pareceu-lhe ouvir passos na calçada. Era ele, sem dúvida. Emma desceu as escadas e atravessou o quintal. Lá estava ele. Emma atirou-se em seus braços.

— Cuidado! — disse ele.

— Ah! Se soubesses!

E começou a contar tudo, afobadamente e sem conexão, exagerando os fatos, colocando tantos parênteses que ele não entendeu nada.

— Vamos, meu anjo, coragem, consola-te, paciência!

— Mas há quatro anos que sofro resignada! Um amor como o nosso devia ser confessado aos céus! Eles querem torturar-me. Não aguento mais! Salva-me!

Apertava-se contra Rodolphe. Seus olhos, cheios de lágrimas, brilhavam como chamas; sua garganta arfava sem cessar. Nunca ele a amara tanto, e perdeu a cabeça quando perguntou:

— Mas que posso fazer? Que queres?

— Leva-me daqui! — gritou ela. — Leva-me contigo! Oh! Eu te suplico...!

E precipitou-se para a boca do amante como para obter o consentimento inesperado que lhe viesse num beijo.

— Mas... — balbuciou Rodolphe.

— Mas o quê?

— E tua filha?

Ela refletiu alguns instantes e respondeu:

— Nós a levaremos, ora essa!

— Que mulher! — disse ele para si mesmo, vendo-a afastar-se. Emma acabava de fugir pelo jardim. Alguém a chamava.

* * *

A mãe Bovary, nos dias seguintes, espantou-se com a metamorfose da nora. Com efeito, Emma se mostrava mais dócil e levou a consideração a ponto de pedir-lhe uma receita.

Afinal, seria vontade de enganar a um e à outra? Não desejaria, por uma espécie de misticismo voluptuoso, sentir mais profundamente a amargura das coisas que ia abandonar? Mas não cuidava disso; pelo contrário, vivia como que perdida no gozo antecipado de sua próxima felicidade. Aquilo era um assunto eterno na conversa com Rodolphe. Ele se apoiava em seu ombro e murmurava:

— Ah, quando estivermos na diligência! Já imaginaste? Parece-me que no momento em que o carro começar a andar, será como se estivéssemos num balão, subindo para as nuvens! Sabes que estou contando os dias? E tu?

Nunca Emma esteve mais bela que nessa época; tinha aquela beleza indefinível que deriva da alegria, do entusiasmo, do sucesso, e nada mais é que harmonia do temperamento com as circunstâncias. Suas ambições, suas tristezas, a experiência do prazer e suas ilusões, sempre jovens, tinham-se desenvolvido gradativamente, como o adubo, o vento e a chuva fazem com as flores, e ela se regalava, afinal, na plenitude de sua natureza. Suas pálpebras pareciam feitas especialmente para longos olhares amorosos, onde as pupilas se perdiam, enquanto um suspiro forte dilatava suas narinas pequenas e erguia o canto carnudo dos lábios, sombreados por um buço. Parecia que um artista hábil em seduções lhe ajeitara sobre a nuca o coque dos cabelos; enrolavam-se numa massa pesada, negligentemente, segundo os acasos do adultério, que os desenrolava todos os dias. Sua voz, agora, tomava inflexões mais suaves, sua cintura também. Algo de sutil se desprendia dos panos de seu vestido e da curva de seu pé. Charles, como nos primeiros tempos do casamento, achava-a deliciosa e irresistível.

Quando chegava, no meio da noite, não ousava acordá-la. A manga da lâmpada de porcelana arredondava no teto uma claridade trêmula, e as cortinas fechadas do pequeno berço formavam uma cabana branca que balançava na sombra ao lado da cama. Ele acreditava ouvir a leve respiração da filha. Ia crescer agora; cada estação traria rapidamente um progresso. Via-a já voltando da escola à tardinha, sempre risonha, com a blusa suja de tinta e uma cesta no braço. Depois seria preciso colocá-la num internato, mas isso ia custar caro; como fazer? Começava a refletir, então. Pensava em alugar uma fazendinha nos arredores e tomar pessoalmente conta dela, sem deixar de ver seus doentes todas as manhãs. Economizaria os lucros e colocaria na poupança. Depois compraria ações em algum lugar. A clientela aumentaria; ele contava com isso, pois queria que Berthe fosse bem-educada, que tivesse prendas, que tocasse piano. Ah! Como seria linda, mais tarde, aos 15 anos, quando, parecida com a mãe, usasse tal qual ela, no verão, largos chapéus de palha! Pareceriam, ao longe, duas irmãs. Charles imaginava-a trabalhando à noite junto deles, bordando-lhe pantufas. Ela se ocuparia do governo da casa. Enchendo-a toda de beleza e alegria. Por fim, pensariam no futuro; encontrariam um bom rapaz, de posição sólida, que a faria feliz para sempre.

Emma não dormia, embora fingisse. Enquanto ele devaneava a seu lado, ela sonhava outros sonhos.

No galope de quatro cavalos, ela era levada numa viagem de oito dias para outro país, de onde não voltariam mais. Caminhavam a esmo, de braços enlaçados, sem falar. Por vezes, do alto de uma montanha, viam de repente uma cidade esplêndida com suas cúpulas, pontes, navios, florestas em torno e catedrais de mármore branco, em cujos campanários agudos havia ninhos de cegonhas. Caminhavam devagar sobre as lajes do calçamento e viam por terra os ramalhetes de flores oferecidos por mulheres vestidas de vermelho. Ouviam soar os sinos e relinchar os cavalos, com o murmúrio das guitarras e o marulhar das fontes, cuja frescura, evolando-se, refrescava frutas arrumadas em pirâmides ao pé de estátuas pálidas que sorriam junto aos repuxos. Depois chegavam, à noite, a uma vila de pescadores, onde redes escuras secavam ao vento, ao longo da barranca e das cabanas. Ali permaneceriam juntos; morariam numa casa baixa de alvenaria, à sombra de uma palmeira, no fundo do golfo, à beira-mar. Passeariam de gôndola, balançariam na rede, e sua existência seria fácil e larga como suas roupas de seda, morna e estrelada como as noites doces que eles contemplariam.

Entretanto, na imensidão daquele futuro que ela sonhava, nada de particular aparecia. Os dias, todos magníficos, assemelhavam-se uns aos outros como ondas, e seu sonho vogava no horizonte, infinito, harmonioso, azulado e cheio de sol. Mas a menina tossia em seu berço, ou então Bovary roncava mais fortemente, e Emma não adormecia senão pela manhã, quando a aurora clareava a janela e o jovem Justin, já de pé, abria as portas da farmácia.

Emma mandara chamar monsieur Lheureux e lhe dissera:

— Vou precisar de uma capa grande, de gola larga e abas duplas.

— Vai viajar? — perguntou ele.

— Não! Mas... que importa? Conto com o senhor, e muito!

Ele inclinou-se.

— Preciso ainda — prosseguiu ela — de uma valise... não muito pesada... cômoda, enfim.

— Sei, sei, compreendo, de 92 por cinquenta centímetros, como as que se fazem hoje em dia.

— E um saco.

"Decididamente", pensou Lheureux, "aqui há dente de coelho."

— Olhe — disse madame Bovary, tirando o relógio do cinto —, tome isso e considere-o como pagamento.

Mas o comerciante disse que não era preciso, pois a conhecia e não duvidava dela. Emma insistiu para que ele ficasse ao menos com a corrente, e Lheureux já a metera no bolso e se afastava quando ela o chamou:

— Deixe tudo em sua casa. Quanto à capa — ela refletiu um pouco —, não a traga para Yonville. Dê-me apenas o endereço do alfaiate e ordene-lhe que a guarde à minha ordem.

A fuga deveria ser no mês seguinte. Ela sairia de Yonville como se fosse fazer compras em Rouen. Rodolphe teria feito reservas de passagens, preparado passaportes e escrito a Paris, a fim de ter condução direta para Marselha, onde comprariam uma caleça e prosseguiriam, sem se deterem, pela estrada de Gênova. Ela mandaria sua bagagem para a casa de Lheureux, para que a colocasse diretamente na Andorinha, de modo que ninguém suspeitaria de nada. Em todos esses planos, sua filha não entrava. Rodolphe evitava o assunto; talvez nem ela pensasse.

Ele pediu uma prorrogação de duas semanas, para liquidar alguns assuntos; em seguida, ao cabo de oito dias, pediu mais 15 dias. Depois pretextou doença e logo após fez uma viagem. O mês de agosto passou e, após todos esses adiamentos, ambos combinaram que a fuga seria improrrogavelmente no dia 4 de setembro, uma segunda-feira.

Finalmente chegou o sábado, antevéspera.

Rodolphe foi vê-la à noite, mais cedo que de costume.

— Está tudo pronto? — perguntou ela.

— Sim.

Deram a volta a um canteiro e foram sentar-se junto ao muro.

— Tu estás triste — disse Emma.

— Não, por que haveria de estar?

Entretanto, ele a olhava singularmente, de modo terno.

— É por que vamos partir? — continuou ela. — Porque vais deixar tuas afeições, tua vida! Ah... compreendo! Mas eu não tenho nada no mundo! És tudo para mim. Igualmente serei para ti, tua família, tua pátria; cuidarei de ti, amar-te-ei.

— Como és adorável! — disse ele, tomando-a nos braços.

— Verdade? — perguntou ela, com um riso de volúpia. — Tu me amas? Jura-o!

— Se te amo? Se te amo? Eu te adoro, meu amor!

A lua, redonda e cor de púrpura, erguia-se no horizonte, no fundo da pradaria. Subia rapidamente por entre os pinheiros, que a escondiam de espaço em espaço, como cortina negra esburacada. Em seguida apareceu, brilhante, muito branca, no céu vazio que iluminava; e, diminuindo a velocidade, derramou sobre o rio grande mancha, como uma infinidade de estrelas. Aquela luz de prata parecia uma serpente sem cabeça, coberta de escamas luminosas. Assemelhava-se também a monstruoso candelabro, de onde escorriam gotas de diamante em fusão. A doce noite estendia-se em torno dos dois amantes, e manchas de sombra enchiam a folhagem. Emma, com olhos entrefechados, aspirava em grandes suspiros a brisa fresca que soprava. Não se falavam, perdidos que estavam no torpor do sonho. A ternura dos dias antigos lhes voltava ao coração, abundante e silenciosa como um rio que corre, com tanta preguiça como a que exalava o perfume dos resedás, projetando em suas lembranças sombras mais descomunais e melancólicas do que as dos salgueiros imóveis que se estendiam sobre a relva. De vez em quando, um animal noturno, ouriço ou doninha, que saíra à caça, fazia estremecerem as folhas; ou então se ouvia um pêssego maduro que tombava por si só do caramanchão.

— Ah! Que bela noite! — disse Rodolphe.

— Teremos outras! — disse Emma; e, como se falasse para si mesma: — Sim, será bom viajar... Mas por que meu coração está triste? Será apreensão do desconhecido... o efeito dos hábitos abandonados... ou então... Não! É o excesso de felicidade! Como sou fraca, não? Perdoa-me!

— Ainda é tempo! — disse ele. — Reflete bem, que talvez te arrependas.

— Nunca! — exclamou Emma, impetuosamente. E chegando-se mais a ele: — Que desgraça me pode ocorrer? Não existe deserto, precipício ou oceano que eu não atravesse contigo. À medida que continuarmos juntos, mais unidos ficaremos. Não teremos aborrecimentos, preocupações nem obstáculos! Estaremos a sós, para sempre, eternamente! Fala, responde-me.

Ele respondia "Sim, sim" a intervalos regulares. Emma acariciava-lhe os cabelos e repetia numa voz infantil, apesar das grossas lágrimas que vertia:

— Rodolphe! Rodolphe! Ah! Rodolphe, meu querido Rodolphe!

Ouviram bater meia-noite.

— Meia-noite! — disse ela. — Então é amanhã; falta um dia!

Ele se levantou para ir-se; e, como se esse gesto fosse o sinal para a fuga, Emma perguntou, com ar alegre:

— Tens os passaportes?

— Sim.

— Tens certeza?

— Claro.

— Tu me esperarás ao meio-dia, não? No Hotel da Provença.

Ele assentiu com a cabeça.

— Até amanhã, então — murmurou Emma, numa última carícia.

E ficou olhando, enquanto ele se afastava.

Rodolphe não se voltou.

Ela correu atrás dele e gritou-lhe, debruçando-se à margem do rio, por entre o capinzal:

— Até amanhã!

Poucos minutos depois, Rodolphe parou; e, quando a viu, vestida de branco, mergulhar pouco a pouco nas sombras como um fantasma, sentiu que seu coração batia tão forte que se apoiou a uma árvore para não cair.

— Que imbecil eu sou! — exclamou, soltanto um palavrão terrível. — Afinal, ela era uma bela amante!

Imediatamente, a beleza de Emma, como todos os prazeres daquele amor, vieram-lhe à mente. A princípio enterneceu-se, mas depois se revoltou contra ela.

— Afinal — exclamou, gesticulando —, não posso expatriar-me, assumir a responsabilidade por uma criança.

Dizia essas coisas para reforçar sua decisão.

— Além disso, as dificuldades, a despesa... Ah, não, mil vezes não! Seria burrice!

XIII

Mal chegou em casa, Rodolphe sentou-se imediatamente à sua secretária, sob a cabeça de cervo que servia de troféu, pregada à parede. Mas, quando segurou a pena entre os dedos, não sabia o que escrever. Apoiando-se nos cotovelos, pôs-se a refletir. Emma lhe parecia haver recuado para um passado longínquo, como se a resolução que ele tomara viesse colocar entre eles, de repente, um imenso abismo.

A fim de conservar alguma coisa dela, foi procurar no armário, entre suas roupas, uma velha caixa de biscoitos de Reims, onde costumava guardar as cartas das mulheres e da qual se evolava um odor de poeira úmida e rosas murchas. Viu primeiro um lenço de bolso cheio de manchas pálidas. Era dela, que o usara certa feita para passar no nariz, que sangrara num passeio; ele já não se lembrava. Junto, escorregando para todos os cantos da caixa, estava o retrato em miniatura presenteado por Emma. Suas roupas lhe pareceram pretensiosas e o olhar, afetado, de deplorável efeito. Depois de tanto contemplar a imagem e evocar a lembrança do modelo, os traços de Emma pouco a pouco se confundiram em sua memória, como se a figura viva e a figura pintada, roçando uma na outra, se apagassem reciprocamente. Finalmente leu as cartas que ela lhe escrevera; estavam cheias de explicações relativas à viagem, curtas, técnicas e urgentes, como cartas comerciais. Desejou reler as longas, as de outros tempos. Para encontrá-las no fundo da caixa, Rodolphe desarrumou todas as demais e, maquinalmente, pôs-se a remexer naquele monte de papéis e coisas, encontrando, em confusão, ramalhetes, uma liga, uma máscara negra, alfinetes e cabelos — cabelos! — morenos e louros; alguns fios, presos na fechadura da caixa, partiram-se quando foi aberta.

Assim, devaneando entre suas recordações, examinou as letras e o estilo das cartas, tão variadas quanto suas ortografias. Eram ternas ou joviais, maliciosas ou melancólicas; havia as que pediam amor e as que pediam dinheiro. Em uma palavra, lembrava-se de fisionomias, de certos gestos e de uma voz; às vezes, entretanto, não se lembrava de nada.

Com efeito, aquelas mulheres, acorrendo todas juntas ao seu pensamento, misturavam-se umas com as outras e se apequenavam, como num mesmo nível de amor as igualava. Juntando nas mãos as cartas misturadas, divertiu-se durante alguns minutos em fazê-las cair como uma cascata, da mão direita para a esquerda. Finalmente, aborrecido, sonolento, Rodolphe foi guardar a caixa no armário, dizendo para si mesmo:

— Que monte de tolices!

Isso resumia sua opinião; pois os prazeres, como colegiais num pátio de recreio, haviam pisoteado de tal forma o seu coração que nada de verde brotava nele, e o que passava dentro dele, mais irrequieto que as crianças, não deixava sequer, como estas, seu nome gravado no muro.

— Bem — disse ele — comecemos!

E escreveu:

> *Coragem, Emma! Coragem! Não quero ser o causador da desgraça de tua existência...*

"Afinal, é verdade", pensou Rodolphe. "Estou agindo no interesse dela; pelo menos sou honesto."

> *Já pensaste com vagar em tua determinação? Sabes o abismo para o qual eu te ia arrastar, pobre anjo? Não, não é verdade? Ias confiante e louca, acreditando na felicidade, no futuro... Oh! Infelizes que somos! Insensatos!*

Rodolphe parou para pensar numa boa desculpa. "E se eu dissesse que perdi toda a fortuna? Ah, isso não adiantaria, não impediria nada. Tudo recomeçaria mais tarde. Será que as mulheres assim não compreendem a voz da razão?"
Refletiu um pouco e acrescentou:

> *Não te esquecerei, acredita! Serei para sempre profundamente devotado a ti; mas um dia, cedo ou tarde, esse ardor (este é o destino das coisas humanas) acabaria arrefecendo! Chegaria o tédio, e quem sabe mesmo se eu não sofreria a dor atroz de assistir aos teus remorsos e participar, eu mesmo, deles, pois que seria eu o causador de tudo. A simples ideia das tristezas que terás me tortura. Emma. Esquece-me! Por que te vim a conhecer? Por que és tão bela? Terá sido minha a culpa? Oh, meu Deus, não, não! Acusemos apenas a fatalidade!*

"Eis uma palavra que sempre tem bom efeito", pensou ele.

> *Ah, se fosses uma dessas mulheres de coração frívolo como há tantas, certamente eu poderia, por egoísmo, arriscar uma experiência que não te ofereceria qualquer perigo. Mas essa exaltação deliciosa, que produz ao mesmo tempo teu encanto e teu tormento, impede que compreendas,*

mulher adorável que és, a falsidade de nossa situação futura. E nem eu pensara nisso tudo antes, deixando-me repousar à sombra dessa felicidade ideal como à mancenilheira, sem prever as consequências.

"Ela talvez pense que renuncio por avareza... Que importa? Sinto muito. É preciso acabar com isso!"

O mundo é cruel, Emma. Ele nos perseguiria aonde quer que fôssemos. Tu terias de sofrer perguntas indiscretas, a calúnia, o desdém, talvez o ultraje. O ultraje, a ti! E eu que te queria assentar num trono. Eu, que levo teu pensamento como um talismã! Sim, porque me castigo com o exílio, por todo o mal que te causei. Vou partir. Para onde? Nada sei, estou louco! Adeus! Sê sempre boa! Conserva a lembrança do infeliz que te perdeu. Ensina meu nome à tua filha, para que ela reze por mim.

O pavio das duas velas tremiam. Rodolphe ergueu-se para fechar a janela e, quando se sentou novamente, pensou: "Creio que basta. Ah! Falta uma coisa, para que ela não me venha procurar."

Estarei longe quando leres estas tristes linhas, pois terei de fugir depressa à tentação de te rever. Nada de fraquezas! Voltarei; e talvez mais tarde conversemos friamente sobre nossos antigos amores. Adeus!

E havia um último adeus, separado em duas palavras: "A Deus!" que ele julgava de excelente gosto.

"Como vou assinar?" refletiu ele. "'Teu devotado...', 'Teu amigo'... Sim, isso mesmo." E assinou: "Teu amigo". Releu a carta, que lhe pareceu boa.

"Pobre mulherzinha", pensou, com ternura. "Vai pensar que sou mais insensível que uma rocha. Era bom haver algumas lágrimas no papel, mas não sei chorar; não é minha culpa."

Molhando então o dedo na água que derramara de um copo, Rodolphe deixou cair, do alto uma grande gota, que fez uma mancha pálida na tinta. Depois, para lacrar a carta, aproveitou o sinete "Amor no coração".

— Isso não combina bem com a ocasião... Ora, mas que importa? — Finalmente deu três tragadas no cachimbo e foi dormir.

No dia seguinte, ao acordar (por volta das dez, pois dormira tarde), Rodolphe mandou colher uma cesta de abricós. Colocou a carta no fundo e ordenou imediatamente a Girard, seu criado, que a levasse atenciosamente à casa de madame Bovary. Servia-se desse meio para corresponder-se com ela, enviando-lhe, conforme a época, frutas ou pequenos animais que caçava.

— Se ela te pedir notícias minhas — recomendou —, responde que parti em viagem. Deves entregar a cesta apenas em mãos dela. Vai e toma cuidado!

Girard vestiu sua blusa nova, amarrou o lenço em volta dos abricós e, caminhando a passos apressados, com suas botinas ferradas, tomou tranquilamente o caminho de Yonville.

Madame Bovary, quando o empregado chegou, arrumava com Félicité, na mesa da cozinha, as roupas lavadas.

— Eis o que meu patrão mandou — disse o homem.

Ela sentiu-se apreensiva e, enquanto procurava uma moeda no bolso, para dar de gorjeta, observava, com o olhar aflito, o camponês, que por sua vez a observava, espantado, sem compreender por que semelhante presente podia causar tanta emoção. Finalmente retirou-se. Félicité ficou. Emma não suportava mais e correu para a sala como se fosse levar os abricós; virou a cesta, arrancou as folhas e encontrou a carta, que abriu, e pôs-se a correr alarmada para o quarto, como se tivesse diante de si uma catástrofe espantosa.

Charles estava lá. Falou-lhe, mas ela não o ouviu; continuou a subir rapidamente os degraus, ofegante, desvairada, segurando sempre aquela terrível folha de papel, que se prendia a seus dedos. No segundo andar, parou diante da porta fechada do sótão.

Procurou acalmar-se um pouco, então, lembrando-se da carta. Era preciso acabar de a ler, mas não ousava. Onde a leria? Como? Seria vista certamente.

"Ah", pensou ela, "aqui estarei bem."

Empurrou a porta e entrou.

O forro do teto enchia a peça de um calor pesado que pressionava suas têmporas e a sufocava. Emma caminhou até o postigo fechado, empurrou o trinco, e a luz ofuscante jorrou para dentro.

À sua frente, por cima dos tetos, a campina estendia-se a perder de vista. Embaixo, a praça da aldeia estava vazia; as pedras da calçada cintilavam e os cata-ventos das casas mantinham-se imóveis. De uma esquina vinha um som, como uma espécie de ronco com modulações estridentes. Era Binet, que trabalhava em sua roda.

Emma apoiou-se ao peitoril da janela e releu a carta com estremecimentos de cólera. Quanto mais fixava sua atenção, mais suas ideias se confundiam. Ela revia Rodolphe, escutava-o, apertava-o em seus braços, sentindo seu coração, que lhe batia no peito desordenadamente, acelerando-se em intermitências desiguais. Lançou o olhar ao redor, desejando que a terra a engolisse. Por que não acabar com aquilo? O que a impedia? Era livre. Avançou, olhando os paralelepípedos e dizendo para si mesma:

— Vamos! Vamos!

O raio luminoso que subia diretamente atraía para o abismo o peso de seu corpo. Parecia-lhe que o solo da praça, oscilante, elevava-se das paredes, e que o assoalho se inclinava, como um navio que aderna. Emma mantinha-se na ponta do assoalho, quase suspensa, envolta no vasto espaço. O azul do céu a dominava, o ar circulava em sua cabeça desvairada; ela não precisava senão decidir-se, deixar-se levar. E ao ruído descontínuo da roda veio juntar-se uma voz furiosa que a chamava.

— Emma! Emma! — gritava Charles.

Ela parou.

— Onde estás? Vem!

Ela percebeu que acabava de escapar à morte e essa ideia quase a fez desmaiar de terror. Fechou os olhos e estremeceu ao contato de uma mão na manga de seu vestido. Era Félicité.

— Monsieur a espera, madame! A sopa está na mesa.

Tinha de descer! Tinha de sentar-se à mesa!

Tentou comer. O alimento a sufocava. Desdobrou o guardanapo como para examinar-lhe as costuras e concentrou-se realmente nisso, contando os fios do tecido. Repentinamente, voltou-lhe a lembrança da carta. Teria perdido? Onde estaria? Mas sentia-se tão cansada interiormente que não foi capaz de inventar um pretexto para levantar-se da mesa. Tornara-se covarde; tinha medo de Charles. Ele sabia de tudo, tinha certeza! Realmente, ele pronunciou de maneira estranha as seguintes palavras:

— Parece que não veremos mais, tão cedo, monsieur Rodolphe.

— Quem te disse? — fez ela, estremecendo.

— Quem me disse? — repetiu ele, um tanto surpreso pelo tom arrebatado da pergunta. — Foi Girard, que encontrei há pouco no Café Français. O nosso homem foi viajar, ou vai, proximamente.

Ela soluçou.

— De que te espantas? Ele costuma ausentar-se de vez em quando para se distrair, e acho que faz muito bem. Quando se é jovem e se tem dinheiro... Além disso, é boêmio incorrigível o nosso amigo. Monsieur Langlois contou-me que...

Calou-se por causa da empregada que entrava.

Esta recolocou na cesta os abricós espalhados sobre o aparador. Charles, sem notar o rubor da mulher, mandou trazê-los para a mesa, pegou um e mordeu-o.

— Oh, maravilhosos! — disse ele. — Toma, prova um.

E estendeu a cesta, que ela recusou com um gesto.

— Então sente o aroma! — insistiu ele, passando os frutos sob o nariz dela diversas vezes.

— Sufoco-me! — exclamou ela, levantando-se de um salto. Mas, com um esforço da vontade, dominou o arroubo. — Não, não foi nada! Estou nervosa! Vamos, senta-te, come!

Ela temia que lhe fizessem perguntas, que tentassem cuidar dela, que não a deixassem só.

Charles, para obedecer-lhe, sentou-se. Cuspia nas mãos os caroços dos abricós, que deixava a seguir no prato.

De repente, um tílburi azul passou a trote pela praça. Emma deu um grito e caiu por terra, desamparada.

Com efeito, Rodolphe, depois de muitas reflexões, resolvera partir para Rouen. Ora, como não havia outro caminho a não ser o que passa por Yonville, foi preciso atravessar a aldeia, e Emma reconheceu-o pelo clarão das lanternas que cortavam o crepúsculo como relâmpagos.

O farmacêutico, ouvindo o rebuliço que se produziu em casa de Charles, precipitou-se para lá. A mesa, com todos os seus pratos, tinha-se virado. O molho, a carne, as facas, o galheteiro espalhavam-se pelo chão. Charles chamava por socorro, Berthe, assustada, chorava, e Félicité, com mãos trêmulas, desapertava a roupa de madame, que tinha movimentos convulsivos por todo o corpo.

— Vou correndo ao laboratório buscar um pouco de vinagre aromático — disse o farmacêutico.

E, quando ela reabriu os olhos ao aspirar o conteúdo do frasco, ele comentou:

— Eu tinha certeza; isso seria capaz de despertar um defunto.

— Fala — disse Charles —, fala! Que tens? Sou eu, teu Charles, que te ama! Reconheces-me? Aí está tua filha; beija-a!

A criança aproximava-se com os bracinhos estendidos para pendurar-se ao pescoço de Emma. Mas, virando a cabeça, a mãe murmurou, com voz trêmula:

— Não, não... ninguém!

Desmaiou novamente. Levaram-na para a cama.

Ela ficou estendida, de boca aberta, as pálpebras cerradas, as mãos estendidas, imóvel e branca como uma estátua de cera. As lágrimas lhe saíam dos olhos, rolando sobre o travesseiro.

Charles, de pé, mantinha-se no fundo do quarto, e o farmacêutico, perto dele, guardava aquele silêncio meditativo que convém exibir nas ocasiões sérias da vida.

— Tranquilize-se — disse ele, para o médico —, creio que o paroxismo passou.

— Sim, ela agora repousa — respondeu Charles, vendo-a dormir. — Coitada! Coitadinha! Teve uma recaída...

Homais perguntou-lhe, então, como ocorrera o acidente. Charles explicou que tudo sucedera de repente, enquanto ela comia abricós.

— Extraordinário! — disse o farmacêutico. — Mas é possível que os abricós tenham ocasionado a síncope! Há naturezas muito impressionáveis a certos odores! Seria até um bom assunto para estudar, tanto do ponto de vista patológico quanto do fisiológico. Os padres conhecem bem a importância disso, pois sempre misturaram aromas em suas cerimônias. E para embotar o entendimento ou provocar êxtase, coisa aliás fácil de obter nas pessoas do sexo feminino, mais delicadas. Há casos de pessoas que desmaiam com o cheiro de chifre queimado, de pão fresco...

— Cuidado para não acordá-la! — disse Bovary, em voz baixa.

— E não somente os humanos sofrem essas anomalias — continuou o farmacêutico —, mas também os animais. O senhor naturalmente conhece os efeitos singularmente afrodisíacos que produz a *Nepeta cataria*, vulgarmente chamada "erva-gato", sobre os felinos; e, por outro lado, para citar um exemplo que garanto ser autêntico, Bridoux, um de meus ex-colegas, estabelecido atualmente na rua de Malpula, tem um cão que entra em convulsões quando se depara com uma caixa de rapé. Muitas vezes ele repete a experiência diante de seus amigos, em seu pavilhão no bosque Guillaume. É possível crer que um simples esternutatório pudesse exercer tais modificações no organismo de um quadrúpede? É extremamente interessante, não acha?

— Sim — disse Charles, que não o escutava.

— Isso nos prova — prosseguiu o outro, sorrindo com ar de superioridade benigna — as inúmeras irregularidades do sistema nervoso. Com referência a madame, sempre me pareceu, confesso, uma pessoa de extrema sensibilidade. Assim, eu não aconselharia, meu amigo, nenhum desses pretensos remédios que, a pretexto de atacar os sintomas, atacam o temperamento. Não, nada de medicação inócua! O que é necessário é regime, simplesmente! Sedativos, emolientes, dulcificantes. Além disso, não lhe parece que deve tomar conta da imaginação dela?

— Sim, mas como? — perguntou Bovary.

— Ah! Essa é a questão! Essa é efetivamente a questão! "That is the question!", como ainda outro dia eu li no jornal.

Nisto, Emma, despertando, exclamou:

— A carta! Onde está a carta?

Pensaram que estivesse delirando; na verdade, entrou a delirar a partir da meia-noite. Declarara-se uma febre cerebral.

Durante 43 dias, Charles não a deixou. Abandonou todos os seus doentes; não dormia mais e continuamente tomava-lhe o pulso, aplicava-lhe cataplasmas e compressas de água fria. Mandava Justin a Neufchâtel buscar gelo; o gelo derretia-se no caminho, e ele o mandava voltar. Chamou o dr. Canivet; mandou vir de Rouen o dr. Larrivière, seu ex-professor. Estava desesperado. O que o aterrorizava mais era o abatimento de Emma, pois ela já não falava, não ouvia e parecia nem sequer sofrer — como se seu corpo e sua alma repousassem juntos de todas as suas atribulações.

Lá pelos meados de outubro, ela conseguia sentar-se, apoiada em travesseiros nas costas. Charles chorou quando a viu comer sua primeira torrada com geleia. Ele recobrou as forças; à tarde, ela levantava-se por algumas horas, e num dia que ela sentia-se melhor, ele tentou fazê-la caminhar apoiada no braço dele, pelo jardim. A areia das alamedas desaparecia sob a folhas secas. Ela caminhava vagarosamente, arrastando os chinelos e firmando o ombro em Charles, que continuava a sorrir.

Foram assim até os fundos, junto ao muro. Ela empertigou-se lentamente e pôs as mãos diante dos olhos. Olhou ao longe, bem ao longe; mas nada havia no horizonte senão grandes fogueiras fumegando nas colinas.

— Vais-te fatigar, querida — disse Charles.

Empurrando-a delicadamente, para fazê-la entrar no caramanchão, sugeriu:

— Senta-te naquele banco; ali estarás bem.

— Ora, não, aí não! — exclamou Emma, com voz sumida.

Teve uma vertigem, e, desde aquela noite, a doença recomeçou com sintomas mais incertos e características mais complexas. Às vezes sentia dores no coração, no peito, depois na cabeça ou nos membros! Vieram-lhe vômitos, e Charles acreditou perceber os primeiros sintomas de um câncer.

E o pobre coitado, além de tudo, ainda passava por dificuldades financeiras!

XIV

Em primeiro lugar, não sabia como pagar a monsieur Homais todos os medicamentos que levara de sua farmácia; embora pudesse, como médico, não os pagar, enrubescia ao pensar em dever aqueles favores. Depois, a despesa da casa, agora que a cozinheira tomava conta, tornava-se assustadora. As contas choviam na casa, os fornecedores resmungavam, especialmente Lheureux. Com efeito, no auge da doença de Emma, o comerciante, aproveitando a situação para exagerar a conta, levara rapidamente a capa, o saco, duas valises em vez de uma e ainda outras coisas. Em vão, Charles explicou que não necessitava daquelas coisas; o homem respondeu arrogantemente que lhe tinham encomendado a mercadoria e que não iria levá-la de volta. Além disso, seria contrariar madame em sua convalescença; mas ele que resolvesse. Em suma, estava disposto a ir à justiça para fazer valer seus direitos. Charles ordenou que levassem as coisas de volta para a loja. Félicité esqueceu-se e não se pensou mais no caso; o médico tinha outras preocupações, e os objetos foram ficando. Monsieur Lheureux voltou à carga e, ameaçando e implorando alternadamente, manobrou tudo de modo que Bovary acabou por assinar uma letra com vencimento em seis meses. Mas, logo que assinou, veio-lhe uma ideia audaciosa: pedir mil francos emprestados a monsieur Lheureux. Pediu-os, então, com ar envergonhado, acrescentando que o prazo poderia ser de um ano e os juros, como o credor quisesse. Lheureux correu à loja, trouxe o dinheiro e ditou outra letra, pela qual Bovary declarava dever pagar à sua ordem, no dia 1º de setembro do ano seguinte, a soma de 1.700 francos, o que, com os oitocentos já estipulados, somavam exatamente 2.500. Assim, emprestando a seis por cento, mais um quarto a título de comissão, ganhando pelo menos um bom terço com os objetos fornecidos, a transação deveria, em 12 meses, render 130 francos de lucro. E ele esperava que a coisa não parasse aí, que as letras não pudessem ser pagas e fossem renovadas, para que seu pobre dinheiro, alimentando-se na casa do médico como em um hospital, voltasse-lhe, um dia, consideravelmente robustecido, a ponto de arrebentar os cordões da bolsa.

Tudo, aliás, corria-lhe bem. Era consignatário de uma encomenda de sidra para o hospital de Neufchâtel; monsieur Guillaumin prometera-lhe ações das minas de carvão de Grumesnil, e ele planejava estabelecer uma nova linha de diligências entre Arcueil e Rouen, que não tardaria a arruinar o calhambeque do Leão de Ouro e que, mais rápida, de preço mais baixo e capaz de transportar maior quantidade de carga, colocar-lhe-ia nas mãos todo o comércio de Yonville.

Charles perguntou-se diversas vezes como conseguiria, no ano seguinte, o dinheiro com que pagar a quantia emprestada.

Conjeturava, imaginava expedientes como recorrer ao pai ou vender alguma coisa. Mas o pai não o escutaria, e ele, Charles, não tinha o que vender. Havia tantas preocupações que preferiu banir da mente um assunto tão desagradável. Culpava-se por esquecer Emma por causa do dinheiro, como se, pertencendo todos os seus pensamentos àquela mulher, o fato de não pensar nela continuamente fosse o mesmo que lhe roubar alguma coisa.

O inverno foi rigoroso. A convalescença de Emma, longa. Quando o tempo estava bom, levavam-na para sua poltrona junto à janela, a que dava para a praça, pois Emma antipatizava agora com o jardim e a persiana daquele lado estava constantemente fechada. Quis que vendessem o cavalo; o que amara antes e desagradava agora. Todas as suas ideias pareciam cingir-se ao seu bem-estar pessoal. Ficava na cama fazendo pequenas refeições, chamava a empregada para saber de seus remédios ou para conversar. A neve sobre o teto do mercado lançava no quarto um reflexo branco, imóvel. Depois vieram as chuvas. E Emma esperava, diariamente, com uma espécie de ansiedade, a infalível repetição de acontecimentos mínimos, que entretanto não tinham nenhuma importância para ela. O mais considerável era, à noite, a chegada da Andorinha. A estalajadeira gritava e outras vozes respondiam, enquanto a lanterna de Hippolyte, que procurava as encomendas na diligência, parecia uma estrela na escuridão. Ao meio-dia, Charles voltava e logo saía novamente. Ela então tomava um caldo; e, lá para as cinco horas, quando a tarde caía, as crianças que voltavam da escola, arrastando os tamancos na calçada, batiam com suas réguas na madeira das persianas das janelas, umas após as outras.

Era naquela ocasião que o padre Bournisien ia vê-la. Perguntava-lhe como se sentia, contava-lhe as novidades e levava-a para a religião numa palestra agradável que não deixava de ser apreciada. A simples visão da batina já lhe dava conforto.

Um dia, no auge da moléstia, ela pedira a comunhão; e, à medida que se faziam no quarto os preparativos para o sacramento, armando-se um altar sobre a cômoda cheia de medicamentos, enquanto Félicité juncava o chão de pétalas de dália, Emma sentia algo que a dominava, que a livrara de suas dores, de qualquer compreensão, de qualquer sentimento. Sua carne aliviada não pensava mais: começava outra vida. Parecia-lhe que seu ser, subindo para Deus, ia se aniquilar naquele amor, como o incenso inflamado que se dissipa em vapor. Aspergiram água benta nos lençóis, o padre retirou do santo cibório a hóstia branca. Foi desmaiando numa alegria celestial que ela aproximou os lábios para receber o corpo do Salvador que lhe apresentavam. As cortinas de sua alcova tremulavam lentamente a seu redor, como nuvens, e os raios dos dois círios, ardendo sobre a cômoda, semelhavam glórias ofuscantes. Ela deixou, então, cair a cabeça, acreditando ouvir no espaço os cânticos das harpas seráficas e ver no céu azul, sobre um trono de ouro, em meio aos santos que seguravam palmas verdes, Deus Pai resplandecente de majestade, que a um sinal fazia descerem à Terra os anjos de asas flamejantes, para levá-la nos braços.

Essa visão esplêndida fixou-se na sua memória como a coisa mais bela que lhe era permitido ver, de tal modo que mais tarde ela procurou recapturar a sensação, que persistia de maneira menos exclusiva e com doçura profunda. Sua alma, presa do orgulho, repousava enfim na humildade cristã; e, saboreando o prazer de ser débil, Emma contemplava a destruição de sua própria vontade, que abria larga passagem para a invasão da graça. Percebeu que existiam felicidades maiores do que as que conhecera, outro amor superior a todos os amores, sem intermitência nem fim e que crescia eternamente! Ela entreviu, entre as ilusões de sua esperança, um estado de pureza que flutuava sobre a Terra, confundindo-se com o céu, onde ela desejava estar. Desejou tornar-se santa. Comprou rosários e bentinhos; sonhou possuir no quarto, à cabeceira da cama, um relicário cravejado de esmeraldas, para beijá-lo todas as noites.

O padre maravilhava-se com essas disposições, embora achasse que a religiosidade de Emma poderia, por excesso de fervor, atingir a heresia ou mesmo a extravagância. Mas, por não ser muito versado nessas matérias, especialmente quando ultrapassavam certa medida, escreveu a monsieur Boulard, livreiro do monsenhor, pedindo que enviasse "algo de interessante para uma senhora que estava cheia de graça". O livreiro, com a indiferença com que expediria quinquilharias para selvagens, encaixotou de cambulhada tudo o que estava em moda no comércio de livros piedosos. Eram pequenos manuais de perguntas e respostas, panfletos em tom arrogante, à medida de monsieur de Maistre, e romances de encadernação cor-de-rosa e estilo adocicado, fabricados por seminaristas com fumaças poéticas ou por pecadores arrependidos. Havia *Pensai bem nisto*; *Introdução à vida devota*; *O homem do mundo aos pés de Maria*, de monsieur de..., condecorado com diversas ordens; *Os erros de Voltaire para uso dos jovens* etc.

Madame Bovary não tinha ainda a inteligência suficientemente desenvolvida para dedicar-se com seriedade a qualquer coisa; ademais, iniciou essas leituras com muita precipitação. Irritou-se contra as prescrições do culto; a arrogância dos trechos polêmicos desagradou-lhe pela veemência com que combatiam pessoas que ela não conhecia; e os contos profanos entremeados de religião pareceram-lhe escritos com tamanha ignorância do mundo que afastavam insensivelmente as verdades cuja prova ela buscava. Persistia, entretanto, e, quando o volume lhe caía das mãos, acreditava-se presa da mais fina melancolia católica que uma alma sublime pode conceber.

Quanto à lembrança de Rodolphe, descera ao fundo de seu coração e lá permanecera, mais solene e imóvel que múmia de rei num subterrâneo. Um aroma se evolava daquele grande amor embalsamado, que atravessava tudo e perfumava de ternura a atmosfera de pureza em que ela desejava viver. Quando se ajoelhava no oratório gótico, dirigia ao Senhor as mesmas palavras de suavidade que anteriormente murmurara para o amante, nas expansões do adultério. Era para fazer vir a crença, mas nenhuma revelação descia do céu; e ela se levantava, com os ombros fatigados, com o vago sentimento de uma imensa farsa. Sua busca, pensava ela, não era senão um mérito a mais; e, no orgulho de sua devoção, Emma comparava-se àquelas grandes damas de outrora cuja glória ela evocara ao ver um retrato de La Vallière, e que, arrastando majestosamente a cauda bordada dos compridos vestidos, retirava-se para a solidão, a fim de depositar aos pés do Cristo todas as lágrimas de um coração ferido pela vida.

Entregava-se então a caridades excessivas. Cosia roupas para os pobres, mandava lenha para as camponesas durante o parto. Charles, ao regressar certo dia, encontrou na cozinha três vagabundos à mesa, comendo mingau. Emma fez a filha voltar para casa, pois o marido, durante a doença, mandara-a novamente para a casa da ama. Começou a ensiná-la a ler; Berthe chorava, mas Emma não fazia caso. Já não se irritava mais. Era obstinada na resignação, na indulgência universal. O que dizia, a propósito de tudo, era impregnado de impressões ideais. Perguntava à filha:

— Tua cólica passou, meu anjo?

Madame Bovary mãe não encontrava o que criticar, salvo a mania de tricotar camisolas para os órfãos em lugar de remendar seus panos de prato. Mas, incomodada pelas perturbações domésticas, a boa senhora gostava de estar naquela casa tranquila, chegando a permanecer até depois da Páscoa, a fim de evitar as ironias do pai Bovary, que nunca deixava de encomendar uma linguiça para comer na Sexta-feira Santa.

Além da companhia da sogra, que a amparava um pouco pela retidão de seu julgamento e por seus modos graves, Emma tinha quase todos os dias outras visitas. Eram madame Langlois, madame Caron, madame Dubreuil, madame Tuvache e, regularmente, das duas às cinco, a excelente madame Homais, que nunca acreditara, dizia, nos mexericos sobre sua vizinha. Os filhos de Homais também vinham vê-la; Justin acompanhava-os. Subia com eles ao quarto e ficava de pé, junto à porta, imóvel, calado. Muitas vezes, madame Bovary, sem cuidar de sua presença, punha-se a fazer sua toalete.

Começava por retirar a travessa do cabelo, balançando a cabeça num movimento rápido. Quando Justin viu pela primeira vez aquela cabeleira solta, que caía até os joelhos, desenrolando seus anéis negros, o espetáculo foi para ele, pobre criança, como a entrada repentina em algo de espetacular e novo, cujo esplendor o atemorizava.

Emma não notava seus êxtases silenciosos nem sua timidez. Não percebia que o amor que desaparecera de sua vida palpitava ali, perto dela, sob aquela camisa de tecido grosseiro, naquele coração de adolescente aberto às manifestações de sua beleza. De resto, ela envolvia tudo agora em tal indiferença, tinha palavras tão afetuosas e olhares tão altivos, maneiras tão diversas que já não se distinguia o egoísmo da caridade, nem a corrupção da virtude. Uma noite, por exemplo, zangou-se com a empregada, que pedia para sair e gaguejava um pretexto qualquer. De repente, disse-lhe:

— E tu o amas?

E, sem esperar a resposta de Félicité, que enrubescera, ela completou com ar triste:

— Anda, vai! Diverte-te!

No início da primavera, mandou revolver o jardim inteiro, apesar das observações de Bovary, que no entanto se sentiu feliz por ela haver manifestado uma vontade. Outras lhe vieram, à medida que se restabelecia. Primeiro arranjou um meio de expulsar a mãe Rolet, a ama de leite, que adquirira o hábito, durante sua convalescença, de vir frequentemente à cozinha com as duas crianças que amamentava e o pensionista, mais faminto que um canibal. Depois se descartou da família Homais, despediu sucessivamente as demais visitas e passou a frequentar a igreja com menos assiduidade, com a aprovação do farmacêutico, que lhe disse, amigavelmente:

— A senhora estava se tornando um pouco beata demais!

O padre Bournisien, como antigamente, ia vê-la todos os dias, ao terminar o catecismo. Preferia ficar do lado de fora, tomando ar no meio do "arvoredo", como chamava o caramanchão. Era a hora em que Charles voltava. Eles sentiam calor; mandavam buscar sidra doce e bebiam juntos ao completo restabelecimento de madame.

Binet ficava ali também, isto é, mais perto do rio, a pescar caranguejos. Bovary convidava-o para tomar refrescos. Ouvia-se perfeitamente o ruído dos lacres das garrafas, que eram quebrados.

— É preciso — dizia ele, olhando em volta, até a extremidade da paisagem, com satisfação — ter a garrafa preparada sobre a mesa e, depois de cortar os fios, derramar a espuma vagarosamente, delicadamente, como, aliás, faz-se com a água de Seltz nos restaurantes.

Mas a sidra, durante a demonstração, muitas vezes jorrava em seus rostos, e então o eclesiástico, com um riso vulgar, nunca deixava de dizer a mesma piada:

— Sua qualidade salta aos olhos!

Era um bom homem, o padre, e realmente, certo dia, não se escandalizou com os conselhos que o farmacêutico dava a Charles: levar madame, para distraí-la, ao teatro de Rouen, para ouvir o famoso tenor Lagardy. Homais espantou-se com o seu silêncio e desejou a opinião do vigário, que lhe declarou considerar a música menos perigosa para os costumes que a literatura.

Mas o farmacêutico tomou a defesa das letras. O teatro, sustentava ele, servia para criticar os preconceitos e, sob a máscara do prazer, ensinava a virtude.

— *Castigat ridendo mores*, padre Bournisien! Repare na maior parte das tragédias de Voltaire; são habilmente entremeadas de reflexões filosóficas que delas fazem uma verdadeira escola de moral e de diplomacia para o povo.

— Eu — disse Binet — vi há muito tempo uma peça chamada *O Menino de Paris*, onde se descreve o caráter de um velho general que é realmente notável! Ele repreende um filho de boa família que seduzira uma operária, que...

— Certamente — continuava Homais — há a má literatura como há a má farmácia; mas condenar *a priori* a mais importante das belas-artes parece-me uma estupidez, uma ideia gótica, digna daqueles tempos abomináveis em que se encarcerava um Galileu.

— Sei muito bem — objetou o padre — que há boas obras e bons autores; mas não serão essas pessoas de sexos diferentes, reunidas num salão elegante, enfeitado de pompas mundanas, com esses disfarces pagãos, os cosméticos, as tochas, as vozes efeminadas; tudo isso deve terminar por criar certa libertinagem de espírito e atrair pensamentos desonestos, tentações impuras. Pelo menos essa é a opinião de todos os papas. Enfim — acrescentou, assumindo subitamente um tom místico, enquanto rolava no polegar uma pitada de rapé —, se a Igreja condena tais espetáculos, é porque tem razão. Devemos submeter-nos a seus decretos.

— Mas por que — perguntou o boticário — ela excomunga os artistas de teatro? Digo isto porque, antigamente, eles concorriam abertamente para as cerimônias do culto. Sim, havia representações, em meio aos coros, de certas farsas chamadas "mistérios", nas quais as leis da moral eram ofendidas.

O eclesiástico contentou-se em gemer, e o farmacêutico prosseguiu:

— É como na Bíblia... o senhor sabe... há ali mais de um pormenor... picante; há coisas... realmente pândegas! — E, sem fazer caso do gesto de irritação do padre: — Ah! O senhor concordará que não é um livro que se dê a um jovem, e eu não gostaria que Athalie...

— Mas são os protestantes, e não nós — exclamou o outro, impaciente —, que recomendam a Bíblia!

— Não importa! — disse Homais. — Espanta-me que em nossos dias, no século das luzes, ainda haja obstinação em prescrever um alívio intelectual que é inofensivo, moralizador e até mesmo higiênico às vezes, não é, doutor?

— Sem dúvida — respondeu o médico negligentemente, fosse porque tivesse as mesmas opiniões e não quisesse ofender ninguém, fosse porque não tivesse opinião.

A conversa parecia terminada quando o farmacêutico julgou conveniente lançar uma última provocação.

— Conheci padres que usavam roupas seculares para irem ver as dançarinas rebolarem.

— Essa não! — protestou o padre Bournisien.

— Conheci! — repetiu Homais. E separando a sílabas pausadamente: — Co-nhe-ci!

— Pois bem! Estavam errados! — disse o padre, resolvido a suportar tudo.

— Sim! Mas existem muitos outros! — exclamou o boticário.

— Monsieur! — exclamou o eclesiástico, levantando-se com olhar tão feroz que o outro se intimidou.

— Quero dizer — replicou ele num tom menos rude — é que a tolerância é o melhor modo de atrair as almas para a religião.

— É verdade! É verdade! — concordou o religioso, sentando-se novamente.

Mas não ficou senão dois minutos. Quando partiu, Homais disse ao médico:

— Isso é que se chama arrasar alguém! Viu como o reduzi? Enfim, siga meu conselho, leve madame ao espetáculo, nem que seja para dar raiva a esses corvos pelo menos uma vez na vida. Se eu tivesse quem me substituísse, eu mesmo o acompanharia. Mas vá logo; Lagardy só dará uma representação. Já está contratado para apresentar-se na Inglaterra. Dizem que é um boêmio! Nada em ouro e leva consigo três amantes e um cozinheiro. Todos esses artistas queimam a vela da vida pelos dois lados; precisam de uma existência desregrada para excitar-lhes a imaginação. Mas morrem nos hospitais, porque não têm a sabedoria de economizar quando jovens. Bem, bom apetite. Até amanhã!

Essa ideia do teatro logo tomou conta da cabeça de Bovary. Falou imediatamente à esposa, que recusou, alegando a fadiga, a complicação e a despesa. Inusitadamente, porém, Charles não cedeu, pois julgava que a recreação lhe faria muito bem. Não via nenhum impedimento: sua mãe lhes mandara trezentos francos com os quais ele já não contava, as dívidas correntes não eram grandes, e o vencimento das letras devidas a Lheureux estava ainda tão longe que não valia a pena pensar. Além disso, achando que ela recusava por delicadeza, insistiu mais. Ela então acabou cedendo. E no dia seguinte, às oito horas, embarcavam na Andorinha.

O boticário, a quem nada retinha em Yonville, mas que se julgava obrigado a ficar, suspirou ao vê-los partir.

— Boa viagem! — exclamou ele. — Felizes mortais!

E, dirigindo-se a Emma, que trazia um vestido de seda azul com quatro bordados:

— A senhora está linda como o amor! Vai fazer sucesso em Rouen.

O ponto final da diligência era o Hotel da Cruz Vermelha, na praça Beauvoisine. Era um desses grandes albergues que existem na província, com grandes cavalariças e pequenos quartos de dormir, com galinhas no meio do terreiro beliscando aveia sob os cabriolés dos caixeiros-viajantes e com varandas de madeira bichada que rangem ao vento nas noites de inverno, continuamente cheias de gente, barulho e comedoria, com mesas já por si negras cobertas pelas bebidas, os vidros grossos amarelecidos pelas moscas, os guardanapos úmidos, sujos de vinho; um desses albergues que tresandam a aldeia, como os empregados de fazenda vestidos à burguesa que têm um café na calçada e uma horta nos fundos. Charles imediatamente foi tomar providências. Confundia plateia com galeria, camarotes com frisas; pediu explicações, não as compreendeu, foi mandado do bilheteiro ao diretor, voltou ao hotel, depois foi novamente ao teatro, e assim, diversas vezes, percorreu a distância da cidade, do teatro ao bulevar.

Emma comprou um chapéu, luvas, um ramalhete. O marido temia chegar atrasado para o início; e, sem terem tempo de engolir uma sopa, apresentaram-se diante das portas do teatro, que ainda estavam fechadas.

XV

A multidão permanecia estacionada contra a parede, simetricamente colocada entre as balaustradas. Nas esquinas das ruas vizinhas, anúncios gigantescos repetiam em caracteres barrocos: "Lúcia de Lammermoor... Lagardy... Ópera... etc." O tempo estava bom e morno: o suor escorria pelos cabelos frisados, todos os lenços enxugavam frontes vermelhas. De vez em quando uma brisa quente, vinda do lado do rio, agitava brandamente os toldos. Mais adiante, entretanto, era refrescada por uma corrente de ar glacial que cheirava a sebo, couro e azeite. Era a exalação da rua das Charrettes, cheia de grandes armazéns escuros, atulhados de barricas.

Com medo de parecer ridícula, Emma quis dar uma volta pelo cais antes de entrar, e Bovary, por prudência, segurou as entradas na mão, metida no bolso do paletó, apoiada contra o ventre.

O coração de Emma começou a bater desde o vestíbulo. Sorriu involuntariamente, de vaidade, vendo a multidão que se precipitava à direita pelo outro corredor, enquanto ela ia pela escada para o seu camarote, na primeira fila. Sentiu-se feliz como uma criança ao empurrar com os dedos as portas acolchoadas, aspirou com toda a força o odor poeirento dos corredores e, quando se instalou em seu lugar, fê-lo com o desembaraço de uma duquesa.

A sala começava a encher-se, as pessoas tiravam os binóculos dos estojos, e os assinantes, reconhecendo-se de longe, saudavam-se. Vinham esquecer nas belas-artes as preocupações do comércio; mas, sem deixar de lado os negócios, conversavam sobre algodão e anil. Viam-se cabeças de velhos, inexpressivas e pacíficas, esbranquiçadas na cabeleira e na pele, assemelhando-se a moedas de prata manchadas por vapor de chumbo. Os jovens belos pavoneavam-se na plateia, exibindo na abertura do colete a gravata cor-de-rosa ou verde-clara; madame Bovary, do alto, admirava-os a apoiarem sobre as bengalas de castão de ouro a palma estendida das luvas amarelas.

Enquanto isso, as velas da orquestra eram acesas; o lustre foi arriado do teto, lançando, com o resplandecer de suas facetas, uma alegria súbita no salão; depois entraram os músicos, uns após os outros. Seguiu-se a balbúrdia dos contrabaixos roncando, dos violinos gemendo, dos pistões trombeteando, das flautas e dos fagotes miando. Ouviram-se então três pancadas no palco; houve um rufo dos tímpanos, os instrumentos de metal lançaram seus acordes, e a cortina, erguendo-se, descobriu uma paisagem.

Era um recanto de bosque, com uma fonte à esquerda, à sombra de um carvalho. Camponeses e nobres, com mantos escoceses ao ombro, cantavam juntos uma canção de caça. Depois veio um capitão que invocava o anjo do mal abrindo os braços para o céu; apareceu outro; ambos se foram, e os caçadores recomeçaram a cantar.

Emma reencontrava suas leituras de adolescência em pleno Walter Scott. Parecia-lhe ouvir, através do nevoeiro, o som das gaitas escocesas a repetir-se sobre a bruma. Além disso, a lembrança do romance ajudava-a a seguir o libreto, de modo que ela acompanhava o enredo frase por frase, enquanto pensamentos indizíveis lhe acudiam e se dispersavam rapidamente aos acordes da música. Ela se deixava acalentar pela melodia e vibrava com todo o seu ser, como se os arcos dos violinos tocassem em seus nervos. Não cessava de contemplar os costumes, os cenários, os personagens, as árvores pintadas que tremiam quando se andava, as roupas de veludo, os mantos, as espadas, todas aquelas imaginações que se agitavam na harmonia como na atmosfera de um outro mundo. Uma jovem no palco avançou e atirou uma bolsa a um escudeiro vestido de verde. Ficou sozinha, e ouviu-se então uma flauta que imitava um murmúrio de fonte ou o chilrear de um pássaro. Lúcia começou, com ar grave, sua cavatina em sol maior. Lançava queixas de amor, pedia que lhe dessem asas. Emma desejou também fugir da vida, voando nas asas de um beijo. Súbito apareceu Edgard Lagardy.

Era pálido, com essa palidez esplêndida que confere algo de majestade do mármore às raças ardentes do sul da França. Seu torso vigoroso estava modelado numa malha marrom; pequeno punhal trabalhado batia-lhe na coxa esquerda, e ele lançava olhares langorosos, exibindo os dentes brancos. Dizia-se que uma princesa polonesa, ouvindo-o certa noite cantar na praia de Biarritz, onde ele era calafate, apaixonara-se por ele. Aquele amor a arruinara. O tenor a abandonara por outras mulheres, e essa celebridade sentimental só fazia servir à sua reputação artística. O cabotino diplomata tinha mesmo o cuidado de acrescentar em todos os anúncios uma frase poética sobre a fascinação de sua pessoa e a sensibilidade de sua alma. Uma bela voz, figura simpática, mais temperamento que inteligência e mais ênfase que lirismo acabavam de formar essa admirável natureza de charlatão, onde havia algo de cabeleireiro e algo de toureiro.

Desde a primeira cena, entusiasmou o público. Apertava Lúcia em seus braços, largava-a, voltava, parecia desesperado; tinha acessos de cólera, depois suspiros elegíacos de doçura infinita, e as notas se soltavam de sua garganta cheias de suspiros e de beijos. Emma curvava-se para vê-lo melhor, arranhando com as unhas o veludo do balcão. Seu coração dava guarida àquelas lamentações melodiosas que se arrastavam, acompanhadas pelos contrabaixos, como gritos de náufragos no tumulto da tempestade. Reconhecia todos os paroxismos e a angústia que quase causara sua morte. A voz da cantora não lhe parecia senão o eco de sua consciência, e a ilusão que a encantava, algo de sua própria vida. Mas ninguém na Terra a tinha amado com semelhante amor. Ninguém chorava como Edgard, na última noite, ao luar, enquanto eles se despediam: "Até amanhã... até amanhã..." A sala quase vinha abaixo com "bravo!". Deu-se bis de toda a cena; os apaixonados falavam das flores de seus túmulos, de juramentos, de exílio, de fatalidade, de esperanças; e, quando cantaram o adeus afinal, Emma soltou um grito agudo, que se confundiu com a vibração dos últimos acordes.

— Por que — perguntou Bovary — aquele fidalgo a persegue?

— Não é isso — disse ela —, ele é seu amante.

— Mas ele jura vingar-se da família dela, enquanto o outro, o que entrou há pouco, dizia "Amo Lúcia e creio ser amado" e saiu de braço dado com o pai dela. Não é o pai dela, aquele pequeno e feio que tem uma pena de galo no chapéu?

Apesar das explicações de Emma, desde o duo recitativo em que Gilbert expusera a seu amo Ashton suas manobras abomináveis, Charles, ao ver o falso anel de noivado que enganara Lúcia, acreditara ser uma prova de amor enviada por Edgard. Ele confessava, aliás, não compreender a história, por causa da música, que atrapalhava ouvir as palavras.

— Que interessa? — disse Emma. — Cala-te!

— É que gosto — disse ele, curvando-se sobre o ombro dela — de saber de tudo, tu me conheces.

— Cala-te! Cala-te! — fez ela, impaciente.

Lúcia avançava, acompanhada de suas damas, com uma coroa de flores de laranjeira nos cabelos, mais pálida que o cetim branco do vestido. Emma recordava o dia de seu casamento, revendo-se em meio aos trigais, no caminho que levava à igreja. Por que não resistira, não suplicara, como a noiva do palco? Estava alegre, ao contrário, sem perceber o abismo em que se precipitava... Ah, se, no frescor de sua beleza, antes da profanação do casamento e da desilusão do adultério, ela pudesse ter colocado sua vida num coração sólido, confundindo assim a virtude, a ternura, a volúpia e o dever, jamais tão grande felicidade seria destruída. Mas essa felicidade, sem dúvida, era uma mentira imaginada pelo desespero dos desejos. Ela conhecia agora a pequenez das paixões que a arte exagerava. Esforçando-se, pois, por pensar em outra coisa, Emma não quis mais ver naquela reprodução de seus tormentos senão uma fantasia plástica para divertir os olhos, e sorria mesmo interiormente, numa piedade desdenhosa, quando no fundo do teatro, sob o pórtico de veludo, apareceu um homem de manto negro.

Seu grande chapéu à espanhola caiu num gesto. Imediatamente, os instrumentos e os cantores iniciaram o sexteto. Edgard, espumante de cólera, dominava todos os demais com sua voz mais clara; Ashton lançava-lhe em notas graves sua provocação homicida; Lúcia modulava seus queixumes agudos; Arthur, afastado, cantava em tons médios, enquanto o tom baixo do padre roncava como um órgão, com as vozes do coro feminino repetindo suas palavras, harmoniosamente. Estavam todos na mesma linha, a gesticular; e a cólera, a vingança, o ciúme, o terror, a misericórdia e a estupefação exalavam-se ao mesmo tempo de suas bocas entreabertas. O apaixonado ultrajado brandia a espada nua; seu colarinho de *guipure* erguia-se em sacolejões, conforme os movimentos de seu peito. Caminhava da direita para a esquerda a passos largos, fazendo bater no assoalho as esporas vermelhas das botas negras, que se encolhiam no tornozelo. Ele devia sentir, pensava Emma, um amor inesgotável, para poder assim derramá-lo sobre a multidão em tão vastos eflúvios. Todas as veleidades deprimentes desapareciam sob a poesia do papel que encarnava, e, atraída para o homem pela ilusão do personagem, ela procurava imaginar sua vida, aquela vida fabulosa, extraordinária, esplêndida, que ela também poderia ter vivido, se o destino o quisesse. Talvez se tivessem conhecido e amado! Com ele, ela viajaria, de capital em capital, por todos os reinos da Europa, partilhando de suas fadigas e de seu orgulho, recolhendo as flores que lhe lançassem, bordando ela própria suas roupagens. E todas as noites, no fundo de um camarote, por trás da grade de treliça dourada, ela receberia, absorta, as expansões daquela alma que cantaria apenas para ela; e do palco, enquanto representava, ele a contemplaria. E uma loucura tomou conta dela: Lagardy a olhava, não havia dúvida! Teve vontade de correr para seus braços, a fim de se refugiar em sua força, como na encarnação do próprio amor, e de dizer, de gritar-lhe: "Leva-me, leva-me, partamos! Sou tua, são teus meus ardores e meus sonhos!"

O pano caiu.

O cheiro de gás misturava-se aos hálitos, o vento dos leques tornava a atmosfera mais sufocante. Emma quis sair; a multidão enchia os corredores, e ela deixou-se cair novamente em sua poltrona, com palpitações. Charles, temendo vê-la desmaiar, correu ao bar para trazer-lhe um copo de orchata.

Custou muito a voltar, porque lhe batiam nos cotovelos a cada passo, por causa do copo que trazia nas mãos. Chegou a derramar três quartos do conteúdo nas costas de uma mulher de Rouen, de mangas curtas, a qual, sentindo o líquido frio correr-lhe sobre os rins, lançou gritinhos como se a estivessem assassinando. Seu marido, que era um tecelão, enfureceu-se contra o desastrado; e, enquanto com seu lenço ela enxugava as manchas do belo vestido de tafetá cor de cereja, ele murmurava em tom aborrecido as palavras "indenização", "preço" e "reembolso". Finalmente Charles chegou junto da mulher, dizendo-lhe esbaforido:

— Pensei que fosse ficar lá para sempre! Quanta gente! Que multidão! — E acrescentou: — Adivinha quem encontrei! Monsieur Léon!

— Léon?

— Em pessoa! Vem aqui apresentar-te seus cumprimentos.

E, quando acabava essas palavras, o antigo escrevente de Yonville entrou no camarote.

Estendeu a mão com uma sem-cerimônia de gentil-homem. Madame Bovary, maquinalmente, apresentou-lhe a sua, sem dúvida obedecendo à atração de uma vontade mais forte. Não sentia aquele contato desde a noite de primavera em que chovia sobre as folhas verdes, quando se tinham despedido, de pé junto à janela. Mas, lembrando-se rapidamente da situação, fez um esforço para libertar-se de suas recordações e pôs-se a balbuciar frases rápidas.

— Ah! Bom dia! Então, o senhor está aí?

— Silêncio! — gritou uma voz que vinha das frisas, pois o terceiro ato começava.

— Então está em Rouen?
— Sim.
— Desde quando?
— Fora! Fora!

Todos se voltavam para eles e tiveram de calar-se.

Mas, a partir daquele instante, ela não escutou mais nada. O coro dos convidados, a cena de Ashton e seu criado, o grande duo em ré menor, tudo passou por ela de modo distante, como se os instrumentos se tivessem tornado menos sonoros e os personagens, mais afastados. Lembrava-se dos jogos de cartas na casa do farmacêutico e do passeio à casa da ama, das leituras no caramanchão e das conversas junto à lareira, todo aquele pobre amor, tão calmo e tão longo, tão discreto, tão terno, e que no entanto ela esquecera. Por que voltava ele? Que combinação de aventuras o recolocava em sua vida? O rapaz permanecia atrás dela, de ombros apoiados no tabique; e de vez em quando ela sentia-se estremecer ao sopro morno de suas narinas, que lhe descia pelos cabelos.

— Está se divertindo? — perguntou ele, abaixando-se para junto dela, tão perto que a ponta do bigode tocou-lhe no rosto.

Ela respondeu negligentemente:

— Oh, meu Deus, não! Não muito.

Ele propôs então saírem do teatro para tomarem sorvete em algum lugar.

— Ainda não! Fiquemos! — disse Bovary. — Ela soltou os cabelos; isso promete ficar trágico.

Mas a cena da loucura não interessava a Emma, para quem a representação da cantora parecia exagerada.

— Ela grita muito — disse, voltando-se para Charles, que escutava.

— Sim... talvez... um pouco — replicou ele, indeciso entre apreciar o que agradava e o respeito que tributava às opiniões da mulher.

Mas Léon continuou, suspirando:

— Faz um calor...

— Insuportável! É verdade.

— Não estás gostando? — perguntou Bovary.

— Não, estou abafada! Vamos embora.

Monsieur Léon colocou delicadamente sobre suas espáduas o comprido xale de renda, e foram os três sentar-se junto ao cais, ao ar livre, diante da vitrina de um café. Falaram inicialmente da doença de Emma, embora ela interrompesse de vez em quando a Charles, de medo, ao que dizia, de aborrecer monsieur Léon. Este contou que estava em Rouen para passar dois anos estudando intensamente, a fim de inteirar-se dos segredos da profissão, já que as questões comuns na Normandia eram bem diferentes das suscitadas em Paris. Perguntou por Berthe, pela família Homais, pela viúva Lefrançois. E, como não tinham muito o que dizer na presença do marido, a conversa logo morreu.

As pessoas que saíam do teatro passavam na calçada, recitando ou cantando a plenos pulmões: "O bel ange, ma Lúcia!" Léon então, para fingir-se conhecedor, começou a falar sobre música. Vira Tamburini, Rubini, Persiani, Grisi; diante deles, Lagardy, apesar de sua fama, nada valia.

— No entanto — interrompeu Charles, que sorvia aos golinhos seu sorvete com rum —, dizem que no último ato ele está simplesmente admirável. Lamento ter saído antes do fim, pois começava a divertir-me.

— Bem — disse o escrevente —, ele não tardará a dar nova apresentação.

Mas Charles respondeu que iam embora no dia seguinte.

— A menos — ajuntou ele, voltando para a esposa — que queiras ficar aqui sozinha, minha querida.

Mudando de tática, diante da oportunidade inesperada que se oferecia, o jovem passou a elogiar Lagardy no ato final. Era algo de soberbo, de sublime! Charles então insistiu:

— Voltarás para Yonville no domingo. Vamos, decide-te! Deves ficar, se achas que isso te fará bem.

Enquanto isso, as mesas ao redor começaram a esvaziar-se, e um garçom foi discretamente colocar-se perto deles. Charles compreendeu e puxou a bolsa, mas o escrevente reteve-o pelo braço e não se esqueceu de deixar, além da despesa, duas peças que fez retinir no mármore.

— Ora, não precisava... — começou Bovary.

O outro fez um gesto de desdém e cordialidade e apanhou o chapéu:

— Está combinado então; amanhã às seis horas?

Charles repetiu ainda uma vez que não podia ausentar-se por tanto tempo, mas que nada impediria Emma.

— É que... — balbuciou ela com um sorriso estranho — eu não sei...

— Está bem, tu refletirás. Veremos. A noite é boa conselheira... — e voltando-se para Léon, que os acompanhava: — Agora que está mais perto de nós, espero que de vez em quando vá jantar conosco.

O escrevente afirmou que não faltaria, e que, aliás, tinha de ir a Yonville para ver alguns negócios. Separaram-se diante da passagem Saint-Herbland no instante em que os sinos da catedral tocavam 11 horas.

Terceira parte

I

Enquanto estudava seu direito, Léon frequentara regularmente a Chaumière, onde alcançara muito sucesso com as costureirinhas, que o achavam distinto. Era um estudante moderado; não usava os cabelos muito longos nem curtos demais, não gastava no primeiro dia do mês o dinheiro do trimestre e mantinha-se em boas relações com seus professores. Quanto a praticar excessos, sempre se absteve disso, tanto por timidez quanto por delicadeza.

Muitas vezes, quando ficava lendo no quarto ou quando se sentava à tarde sob as tílias do Luxemburgo, deixava cair por terra o livro e a lembrança de Emma lhe voltava. Mas pouco a pouco esse sentimento enfraqueceu e outras ambições mais importantes se acumularam, embora ele persistisse em acalentar aquela imagem. Não perdera completamente a esperança; para ele, existia como que uma promessa incerta que se balançava no futuro, qual fruto dourado suspenso de alguma árvore fantástica.

Agora, revendo-a depois de três anos de ausência, sua paixão despertou. Era preciso, pensava ele, resolver-se enfim a querer possuí-la.

Afinal de contas, sua timidez desaparecera ao contato das companhias alegres, e ele voltara para a província desprezando tudo o que não contivesse em si algo de afetação. Ao lado de uma parisiense vestida de renda, no salão de algum doutor ilustre, condecorado e possuidor de carruagens, o pobre escrevente tremia, sem dúvida; mas em Rouen, no porto, diante da mulher daquele médico desconhecido, sentia-se à vontade, certo do êxito que teria. A resistência depende do meio em que se está; no porão não se fala como num quarto andar, e a mulher rica parece ter a seu redor, para guardar sua virtude, todas as suas contas bancárias, como uma couraça por sobre as roupas íntimas.

Ao deixar, na véspera do dia anterior, monsieur e madame Bovary, Léon, de longe, seguira-os pela rua. Vendo-os entrar na Cruz Vermelha, voltara as costas e passara a noite inteira a pensar num plano.

No dia seguinte, pois, lá pelas cinco horas, entrou na cozinha do hotel, com um nó na garganta, o rosto pálido com aquela determinação dos covardes que nada consegue dominar.

— Monsieur não está — respondeu um criado.

Aquilo pareceu-lhe de bom augúrio. Subiu as escadas.

Emma não se perturbou com sua chegada; ao contrário, pediu-lhe desculpas por não se ter lembrado de dizer onde estavam hospedados.

— Oh! Eu adivinhei — disse Léon.

— Como?

Ele alegou ter sido guiado para ela por acaso, por instinto. Ela sorriu, e Léon, imediatamente, para consertar sua tolice, disse que passara a manhã inteira a procurá-la sucessivamente em todos os hotéis da cidade.

— Então pretende ficar? — perguntou ele.

— Sim — disse ela —, embora ache que não deva. É errado a gente acostumar-se com prazeres impossíveis, quando tem ao redor mil exigências...

— Oh! Imagino...

— Não, porque o senhor não é mulher.

Mas os homens também tinham suas tristezas, e a conversação passou para algumas reflexões filosóficas. Emma estendeu-se sobre a pobreza das afeições terrestres e sobre o eterno isolamento em que fica encerrado o coração.

Para exibir-se, ou por imitação ingênua daquela melancolia que provocava a sua, o rapaz declarou que se aborrecia intensamente durante todo o tempo em que estivera estudando. Os processos irritavam-no, outras vocações o atraíam, e sua mãe não cessava de atormentá-lo em cada carta. Ambos pormenorizavam cada vez mais os motivos de suas dores à medida que falavam, exaltando-se um pouco naquelas confidências progressivas. Mas paravam às vezes, antes da exposição completa de suas ideias, procurando descobrir uma frase que as pudesse traduzir. Ela não confessou sua paixão por outro; ele não disse que a esquecera.

Talvez ele não se lembrasse de suas ceias depois de um baile em companhia de mundanas. Ela sem dúvida já não se lembrava dos encontros de outrora, quando corria pela manhã no campo em direção ao castelo do amante. O ruído da cidade quase não chegava até eles, e o quarto parecia pequeno, especialmente para aumentar mais sua solidão. Emma, num penhoar de fustão, apoiava a nuca no espaldar da velha poltrona. O papel amarelo da parede parecia um fundo de ouro por trás dela, e sua cabeça nua refletia-se no espelho com o risco branco no meio e com a ponta das orelhas aparecendo por baixo dos cabelos.

— Mas perdão! — disse ela. — Aborreço-o com minhas queixas eternas!

— Não, absolutamente, nunca!

— Se soubesse — continuou ela, erguendo para o teto os belos olhos, de onde rolava uma lágrima — tudo o que tenho sonhado!

— E eu também! Tenho sofrido tanto! Muitas vezes saía, vagando, caminhava pelo cais, aturdindo-me na multidão sem poder fugir da obsessão que me dominava. Há no bulevar, no vendedor de estampas, uma gravura italiana que representa uma Musa, vestida de túnica e contemplando a lua, com miosótis nos cabelos soltos. Algo me impelia incessantemente para lá. E eu permanecia horas inteiras a olhá-la.

Fez uma pausa e completou, com voz trêmula:

— Parecia-se um pouco com a senhora.

Madame Bovary virou a cabeça, para que ele lhe visse nos lábios o irresistível sorriso que aparecera.

— Frequentemente — prosseguiu ele — eu lhe escrevia cartas que em seguida rasgava.

Ela não respondeu. Ele continuou:

— Eu sabia que mais cedo ou mais tarde o acaso a traria de volta. Acreditei reconhecê-la em cada esquina. Corria atrás de todos os fiacres em cuja janela flutuasse um xale, um véu parecido com o seu...

Emma parecia resolvida a deixá-lo falar sem interrompê-lo. Cruzando os braços e baixando os olhos, ela contemplava o enfeite de suas pantufas, fazendo por dentro do cetim pequenos movimentos regulares, com os dedos dos pés.

Pouco depois, suspirou:

— O que há de mais lamentável é levar, como eu, uma existência inútil. Se nossas dores pudessem ser úteis a alguém, pelo menos nos consolaria pensar no sacrifício!

Ele se pôs a elogiar a virtude, o dever e os sacrifícios silenciosos, pois era ele próprio dominado por incrível desejo de devoção a que não podia satisfazer.

— Gostaria — disse ela — de ser irmã de caridade.

— É pena! — disse ele. — Os homens não têm nenhuma dessas missões santas, e não sei de qualquer outra ocupação, a não ser talvez a de médicos...

Encolhendo ligeiramente os ombros, Emma interrompeu-o para queixar-se da doença de que quase morrera; que pena! Agora não sofreria mais. Léon imediatamente invejou a tranquilidade do túmulo, dizendo que certa noite chegara a escrever seu testamento, recomendando que o enterrassem amortalhado no belo manto ornado de veludo com que ela o presenteara, pois era assim que eles desejariam ter estado, um e outro imaginando um ideal em que ajustavam agora sua vida passada. Além disso, a palavra é como um laminador que distende sempre os sentimentos.

— Mas por quê? — perguntou ela àquela invenção do manto.
— Por quê?

Ele hesitava.

— Porque a amei muito!

E, aplaudindo-se por haver vencido a dificuldade, Léon observou-lhe a fisionomia com o canto dos olhos.

Foi como o céu quando a ventania afasta as nuvens. A sombra de pensamentos tristes que escurecia seus olhos azuis pareceu retirar-se; todo o seu semblante resplandeceu.

Léon esperava. Finalmente ela respondeu:

— Eu sempre imaginei...

Contaram então um ao outro pequenos acontecimentos daquela existência longínqua, da qual acabavam de resumir, numa única palavra, os prazeres e as melancolias. Ele se lembrava do berço, dos vestidos que ela usara, dos móveis de seu quarto, de toda a casa.

— E nossos pobres cactos, onde estão?
— O frio matou-os neste inverno.
— Ah! Pensei muito neles, sabe? Muitas vezes revi-os como antigamente, quando, nas manhãs de verão, o sol batia nas janelas... e eu via seus braços nus que passavam entre as flores.

— Pobre amigo! — disse ela, estendendo-lhe a mão.

Léon, rapidamente, beijou-a. Depois respirou profundamente:

— Naquele tempo a senhora era para mim uma força incompreensível que me dominava a vida. Uma vez, por exemplo, fui à sua casa... mas certamente não se recordará.

— Sim — disse ela. — Continue.

— A senhora estava embaixo, na antecâmara, pronta para sair. Usava um chapéu de pequenas flores azuis. Sem qualquer convite de sua parte, contra a sua vontade, acompanhei-a. A cada momento, entretanto, percebia minha tolice, mas continuava a caminhar a seu lado, não ousando segui-la nem ousando deixá-la. Quando a senhora entrou numa loja, permaneci na rua, olhando pela vitrina e vendo-a retirar as luvas e contar o dinheiro no balcão. Depois a senhora foi à casa de madame Tuvache, tocou a campainha, a porta abriu-se, e fiquei como um idiota diante da pesada porta, que se fechara depois de a senhora entrar.

Madame Bovary, ouvindo-o, espantava-se de ser tão velha. Todas essas coisas que reapareciam lhe davam impressão de estender-lhe a existência, criando imensidões sentimentais para onde ela se transportava. E ela dizia de vez em quando, em voz baixa e com as pálpebras cerradas:

— Sim, é verdade!... É verdade!...

Ouviram bater oito horas nos vários relógios do bairro de Beauvoisine, que está cheio de pensionatos, igrejas e grandes hotéis abandonados. Não se falavam mais, porém sentiam, ao se fitarem, uma coisa estranha na cabeça, como se algo de sonoro escapasse reciprocamente de suas pupilas fixas. Deram-se as mãos; o passado, o futuro, as reminiscências e os sonhos, tudo se confundia na doçura daquele êxtase. A noite tornava-se mais escura nas paredes, nas quais brilhavam ainda, meio perdidas na penumbra, as cores de quatro estampas que representavam cenas da Torre de Nesle, com uma legenda embaixo, em espanhol e em francês. Pela janela de guilhotina, via-se um pedaço de céu escuro por entre os tetos pontudos.

Emma levantou-se para acender duas velas na cômoda e voltou a sentar-se.

— Pois é... — disse Léon.

— Pois é... — ecoou ela.

O rapaz procurava um meio de restabelecer o diálogo interrompido quando ela falou:

— Por que ninguém, até hoje, me confessou sentimentos iguais?

O escrevente respondeu que as naturezas idealistas eram difíceis de compreender. Ele a amara à primeira vista; desesperava-se agora ao pensar na felicidade que teriam tido se, por uma bênção do acaso, encontrando-se mais cedo, se tivessem ligado um ao outro de modo indissolúvel.

— Sonhei com isso algumas vezes — disse ela.

— Que sonho! — murmurou Léon.

E, tocando delicadamente na orla azul do cinto branco, prosseguiu:

— Mas o que nos impede de recomeçar?

— Não, meu amigo! — respondeu ela. — Sou muito velha... o senhor é jovem demais... esqueça-me! Outras o amarão... o senhor amará outras...

— Mas não como à senhora! — exclamou ele.

— Que criança! Vamos, tenha juízo, estou mandando!

Ela mostrou-lhe a impossibilidade daquele amor dizendo que deveriam manter-se, como antes, nos termos simples de uma amizade fraternal.

Falaria a sério? Sem dúvida nem a própria Emma sabia, confusa entre o encanto da sedução e a necessidade de defender-se dela; e, contemplando o jovem com olhar terno, recusava suavemente as carícias tímidas que as mãos dele ensaiavam.

— Oh, perdão! — disse ele, recuando.

Emma sentiu-se presa de vago temor diante daquela timidez, mais perigosa para ela do que a ousadia de Rodolphe quando avançava de braços abertos. Nunca homem nenhum lhe parecera tão belo. Uma candura estranha o aureolava. Ela abaixava as pestanas longas e curvas. Seu rosto de pele suave enrubescia — pensava ela — de desejo, e Emma sentia um desejo invencível de beijá-lo. Mas curvou-se para o relógio como para ver as horas:

— Como é tarde, meu Deus! Conversamos muito!

Ele procurou o chapéu, compreendendo a alusão.

— Cheguei a esquecer o espetáculo! E o pobre Bovary, que me deixou ficar especialmente para isso! Monsieur Lormeaux, da rua Grand-Pot, ia levar-me em companhia de sua mulher.

E a ocasião estava perdida, pois ela partiria na manhã seguinte.

— Vai mesmo partir? — perguntou Léon.

— Sim.

— Mas preciso vê-la outra vez. Tenho algo a dizer-lhe...

— O que é?

— Uma coisa... grave, séria. Não, não parta! É impossível! Se soubesse... escute... Não compreendeu ainda? Não adivinhou, por acaso?

— O senhor fala bem — disse Emma.

— Ah! Não brinque! Basta! Por piedade, desejo vê-la... uma vez... uma só.

Ela emudeceu e, de repente, exclamou:

— Oh! Aqui não!

— Onde quiser.

— Quer...

Ela pareceu refletir e acabou dizendo rapidamente:

— Amanhã às 11 horas na catedral.

— Lá estarei! — disse ele, tornando-lhe as mãos, que ela retirou.

E como estavam de pé, ele por trás dela e Emma de cabeça baixa, Léon curvou-se para seu pescoço e beijou-a longamente na nuca.

— Mas o senhor está louco! O senhor está louco! — dizia ela com pequenas risadas sonoras, enquanto os beijos se multiplicavam.

Avançando então a cabeça por cima da dela, Léon procurou o consentimento em seus olhos. Mas o olhar que encontrou estava cheio de uma majestade glacial.

Léon deu três passos atrás, para sair. Depois sussurrou, com voz trêmula:

— Até amanhã.

Ela respondeu com um aceno de cabeça e desapareceu como um pássaro no cômodo adjacente.

Emma, mais tarde, escreveu ao rapaz uma interminável carta onde desmarcava o encontro. Tudo estava terminado, e eles não deviam mais se encontrar, para felicidade de ambos. Mas, quando fechou a carta, ficou embaraçada, pois não sabia o endereço de Léon.

"Entregarei pessoalmente", pensou ela. "Ele irá!"

Léon, no dia seguinte, de janela aberta e cantarolando, lustrou seus sapatos com capricho. Vestiu calças brancas, meias finas, casaco verde; espalhou no lenço todo o perfume de que dispunha e depois, mandando frisar os cabelos, desfrisou-os para dar-lhes mais elegância natural.

"É muito cedo ainda", pensou ele, olhando o cuco do cabeleireiro, que marcava nove horas.

Leu uma revista velha, saiu, fumou um charuto, subiu três ruas, achou que já era tempo e dirigiu-se lentamente para a Notre-Dame.

Era uma bela manhã de verão. Pratarias reluziam nas vitrinas dos joalheiros, e a luz que caía obliquamente sobre a catedral refletia-se nas pedras acinzentadas. Uma revoada de pássaros turbilhonava no céu azul, em volta das torres. A praça, rumorejante de gritos, cheirava às flores que cercavam as calçadas, rosas, jasmins, cravos, narcisos e tuberosas, separadas desigualmente por ervas úmidas; a fonte marulhava ao centro, e os vendedores de frutas, sob grandes guarda-sóis, entre pirâmides de melões, embrulhavam em papel ramos de violetas.

O jovem comprou um. Era a primeira vez que comprava flores para uma mulher, e seu peito, ao aspirá-las, inchou-se de orgulho, como se aquela homenagem que destinava a outra pessoa tivesse sido dedicada a si próprio.

Como tinha medo de ser visto, entrou resolutamente na igreja.

O guarda suíço estava à porta, sob a *Mariana dançando*, de chapéu de plumas, espadas batendo na coxa e bengala na mão, mais majestoso que um cardeal e reluzente como o santo cibório.

Avançou para Léon e falou, com aquele sorriso de benignidade artificial que os eclesiásticos esboçam quando interrogam crianças:

— O senhor, sem dúvida, não é daqui. Deseja ver as curiosidades da igreja?

— Não — disse o outro.

Deu uma volta pelas naves laterais. Depois foi olhar a praça. Emma não chegara. Léon subiu ao coro.

A nave espelhava-se nas pias, que refletiam o começo das ogivas e pedaços dos vitrais. Mas o reflexo das pinturas, quebrando-se no mármore, continuava mais longe, sobre as lajes, como um tapete colorido. O dia claro penetrava na igreja por raios enormes, correspondentes aos três pórticos. De vez em quando, no fundo, passava um sacristão que fazia diante do altar a genuflexão oblíqua dos devotos apressados. Os lustres de cristal pendiam imóveis. No coro, ardia uma lâmpada de prata, e das capelas laterais, das partes obscurecidas da igreja, vinham às vezes como que exalações de suspiros, com o som de uma grade que se fechava e cujo eco repercutia nas abóbadas elevadas.

Léon, medindo os passos, caminhava ao longo das paredes. Nunca a vida lhe parecera tão boa. Emma viria dali a pouco, encantadora, agitada, espiando por cima do ombro para os olhos que a seguiam, com seu vestido de babados; seu *lorgnon* de ouro, seus pés pequenos, toda espécie de elegâncias que ele não gozara, e na inefável sedução da virtude que sucumbe. A igreja, como uma alcova gigantesca, rodeava-a; as abóbadas inclinavam-se para ouvir na penumbra a confissão de seu amor; os vitrais resplandeciam para iluminar seu rosto; os turíbulos ardiam para que ela aparecesse, como um anjo, na fumaça dos perfumes.

Mas ela não vinha. Léon sentou-se numa cadeira, e seus olhos encontraram um vitral azul em que se viam barqueiros conduzindo flores. Olhou-os durante muito tempo, atentamente, contando as escamas dos peixes e os botões das roupas, enquanto seu pensamento vagava à procura de Emma.

O suíço, afastado, indignava-se interiormente contra aquele indivíduo que se permitia admirar sozinho a catedral. Aquilo lhe parecia uma conduta monstruosa, como se ele lhe roubasse alguma coisa, quase cometendo um sacrilégio.

Mas houve um fru-fru de seda nas lajes, a copa de um chapéu bordado... era ela! Léon ergueu-se e correu ao seu encontro.

Emma estava pálida. Caminhava depressa.

— Leia! — disse ela, estendendo-lhe um papel. — Oh!... Não.

E arrebatadamente retirou a mão para entrar na capela da Virgem, onde, ajoelhando-se junto a uma cadeira, pôs-se a rezar.

O jovem irritou-se com aquela fantasia devota. Mas sentiu-se imediatamente encantado por vê-la, em pleno encontro amoroso, perdida assim em orações como uma marquesa andaluza; não tardou, porém, a aborrecer-se, porque ela não terminava.

Emma rezava, ou melhor, esforçava-se por rezar, esperando que descesse do céu alguma resolução súbita. Para atrair o socorro divino, enchia os olhos com o esplendor do tabernáculo, aspirando o perfume das julianas brancas expostas nos grandes vasos e prestando atenção ao silêncio da igreja, o que não fazia senão aumentar o tumulto de seu coração.

Finalmente, ergueu-se, e já iam partir quando o suíço aproximou-se efusivamente, dizendo:

— Madame, sem dúvida, não é daqui! Deseja ver as curiosidades da igreja?

— Não! — disse o escrevente.

— Por que não?! — exclamou ela.

Emma apoiava sua virtude claudicante na Virgem, nas esculturas, nos túmulos, em todas as oportunidades.

Então, para proceder "com ordem", o suíço levou-os até a entrada, junto à praça, onde, mostrando com a bengala um grande círculo de pedras negras sem inscrições nem enfeites, disse, majestosamente:

— Eis aqui a circunferência do belo sino de Amboise. Pesava quarenta mil libras. Não havia igual em toda a Europa. O operário que o fundiu morreu de alegria...

— Vamo-nos daqui — disse Léon.

O homem pôs-se a caminhar e, voltando à capela da Virgem, estendeu os braços num gesto sintético de demonstração, mais orgulhoso que um proprietário camponês mostrando seus pomares:

— Esta lousa simples cobre Pierre de Brézè, senhor de Varenne e de Brissac, grande marechal de Poitou e governador da Normandia, morto na Batalha de Monthléry, em 16 de julho de 1465.

Léon, mordendo os lábios, batia o pé.

— E, à direita, este cavalheiro de armadura sobre um cavalo empinado é seu neto, Louis de Brézè, senhor de Breval e Montchauvet, conde de Maulevrier, barão de Mauny, camareiro do rei, cavaleiro da Ordem e igualmente governador da Normandia, morto em 23 de julho de 1531, num domingo, como diz a inscrição; e, abaixo dele, aquele homem prestes a descer ao túmulo representa exatamente o mesmo cavalheiro. Não acham que é impossível haver representação mais perfeita do nada?

Madame Bovary apanhou o *lorgnon*; Léon, imóvel, olhava-o, sem dizer uma só palavra nem fazer um só gesto, tão desanimado se sentia daquele duplo desafio de tagarelice e de indiferença.

O eterno guia continuava:

— Junto dele, aquela mulher ajoelhada que chora é sua mulher, Diane de Poitiers, condessa de Brézè, duquesa de Valentinois, nascida em 1499 e falecida em 1566; e, à direita, a que traz uma criança nos braços é a Santa Virgem. Agora, voltem-se: eis os títulos de Amboise. Foram ambos cardeais e arcebispos de Rouen. Aquele era um ministro de Luís XII. Foi um benfeitor da catedral. Deixou em testamento trinta mil escudos para os pobres.

E sem parar, sempre falando, impeliu-os para uma capela cheia de balaustradas, desarrumando-as para descobrir uma espécie de bloco, que poderia muito bem ser uma estátua malfeita.

— Decorava outrora — disse ele com um gemido longo — a tumba de Ricardo Coração de Leão, rei da Inglaterra e duque na Normandia. Foram os calvinistas, senhor, que a reduziram a este estado. Enterraram-na por espírito de destruição, sob o trono episcopal do monsenhor. Eis a porta que conduz à morada de monsenhor. Vamos ver agora os vitrais de Gargouille.

Mas Léon tirou com energia uma moeda de prata do bolso e segurou o braço de Emma. O suíço ficou estupefato, sem compreender aquela generosidade intempestiva, já que ainda faltava muito para ver. Chamou-o então:

— Monsieur! A torre! A torre!

— Obrigado — disse Léon.

— O senhor deve vê-la! Tem 440 pés, nove menos que a grande pirâmide do Egito. A parte superior é toda fundida. É...

Léon fugia, pois lhe parecia que seu amor, que desde havia duas horas se tinha imobilizado na igreja, como as pedras, estava pronto a evaporar-se como fumaça, por aquela espécie de tubo truncado, como uma caixa oblonga, que se ergue grotescamente na catedral, como a tentativa ridícula de algum caldeireiro fantasista.

— Aonde vamos? — perguntava ela.

Sem responder, o jovem continuava a passos rápidos, e madame Bovary já mergulhava os dedos na água benta quando ouviram por trás um suspiro ofegante, entrecortado regularmente pela batida de uma bengala. Léon voltou-se.

— Monsieur!

— O que é?

Reconheceu o suíço, que trazia debaixo do braço, equilibrando-os no ventre, cerca de vinte grossos volumes. Eram as obras que tratavam da catedral.

— Imbecil! — resmungou Léon, saindo da igreja.

Um menino vagabundeava na praça.

— Vai buscar-me um fiacre!

O menino partiu como uma bala pela rua dos Quatro-Ventos. Ficaram os dois a sós alguns minutos, frente a frente, um pouco embaraçados.

— Oh, Léon... Creia... eu não sei... se devo... — Torcia-se toda. Depois disse, com ar sério: — É muito inconveniente, não acha?

— Por quê? — replicou o escrevente. — Isso se faz em Paris!

Essas palavras, como um argumento irrespondível, decidiram-na. Mas o fiacre não chegava. Léon temia que ela entrasse na igreja. Finalmente surgiu o veículo.

— Saia ao menos pelo portão norte! — gritou-lhe o suíço, que ficara à soleira. — Assim verá a Ressurreição, o Juízo Final, o Paraíso, o Rei Davi e os condenados nas chamas do inferno.

— Aonde quer ir? — perguntou o cocheiro.

— Aonde quiser! — disse Léon, empurrando Emma para o veículo.

E o pesado fiacre pôs-se a caminho.

Desceu a rua Grand-Pont, atravessou a praça das Artes, o Cais Napoléon, a Pont Neuf e parou subitamente diante da estátua de Pierre Corneille.

— Continue! — ordenou uma voz que vinha do interior.

O fiacre prosseguiu, deixando-se atrair pelos declives a partir da rua La Fayette e entrando a galope na gare da estrada de ferro.

— Não, vá em frente! — comandou a mesma voz.

O fiacre abandonou as grades e logo chegou ao parque, trotando lentamente por entre os grandes olmos. O cocheiro enxugou o rosto, pôs o chapéu de couro entre as pernas o guiou o carro, evitando as contra-aleias, à beira d'água, junto à grama.

Acompanhou o rio pela estrada que o margeava, coberta de cascalho, permanecendo durante muito tempo do lado de Oyssel, além das ilhas.

Mas de repente se lançou num salto através de Quatremares, Sotteville, Grande Chaussée e rua de Elbeuf, parando pela terceira vez diante do Jardim das Plantas.

— Continue andando! — exclamou a voz, mais furiosamente.

Imediatamente, retomando o rumo, passou por Saint-Sever, pelo cais dos Curandeiros, pelo cais do hospital, novamente pela ponte, pela praça do Campo de Marte e por trás dos jardins do hospital, onde anciãos vestidos de preto passeavam ao sol, num terraço verdejante de heras. Subiu novamente o bulevar Bouvreuil, seguiu pelo bulevar Cauchoise, pelo Mont-Riboudet até a encosta de Deville.

Voltou dali; e então, sem sentido nem direção, andou ao acaso. Foi visto em Saint-Pol, em Lescure, no monte Gargan, em Rouge-Mare e na praça de Gaillard-bois, rua Malandrerie, rua Dinanderie, Saint-Romais, Saint-Vivien, Saint-Maclou, Saint-Nicaise, em frente à Alfândega, à Torre Basse-Vielle, à Trois Pipes e ao cemitério Monumental. De vez em quando, o cocheiro, na boleia, lançava aos botequins olhares desesperados. Não compreendia que furor de locomoção impelia aquelas criaturas a não desejarem parar. Quando tentava fazê-lo, ouvia partirem do carro exclamações de cólera. Chicoteava então seus dois cavalos suados, sem se importar com os solavancos, esbarrando aqui e ali, sem se incomodar, desmoralizado, quase a chorar de sede, de fadiga e de tristeza.

E no porto, entre milhares de fardos e barricas, nas ruas, parados nas portas, os burgueses arregalavam os olhos espantados diante daquela aparição extraordinária na província; um fiacre de cortinas abaixadas que ia e voltava continuamente, mais fechado que tumba e balouçante como um navio.

Certo momento, no meio-dia, em pleno campo, quando o sol dardejava mais forte seus raios contra as lanternas prateadas, uma mão nua passou por entre as cortinas de lona amarela e lançou ao vento pedacinhos de papel, que se dispersaram e foram cair longe, como borboletas brancas, sobre um campo de trevos vermelhos em flor.

Depois, cerca das seis horas, o veículo parou numa ruela do bairro Beauvoisine e saltou uma mulher de véu abaixado, afastando-se sem olhar para trás.

II

Voltando ao hotel, madame Bovary espantou-se por não ver a diligência. Hivert, que a esperara durante 53 minutos, acabara por ir-se embora. Nada a obrigava a partir; dera, porém, a palavra de que voltaria naquela noite. Além disso, Charles a esperava. Ela já sentia no coração aquela docilidade covarde que é, para muitas mulheres, ao mesmo tempo o castigo e o preço do adultério.

Rapidamente fez a mala, pagou a conta e tomou um cabriolé na praça; e, incentivando o cocheiro, informando-se a todo momento da hora e dos quilômetros percorridos, conseguiu alcançar a Andorinha perto das primeiras casas de Quicampoix.

Logo que se sentou em seu canto, Emma fechou os olhos, só os abrindo quando chegaram ao sopé da encosta, onde divisou ao longe Félicité, à porta do ferreiro. Hivert fez parar os cavalos, e a cozinheira, alçando-se às janelas, disse misteriosamente:

— Madame, a senhora deve ir imediatamente à casa de monsieur Homais. É algo muito importante.

A aldeia estava silenciosa como de hábito.

Emma entrou. A grande poltrona estava virada, e até mesmo o *Farol de Rouen* jazia no chão, entre dois almofarizes. Ela empurrou a porta do corredor e, no meio da cozinha, entre jarros marrons cheios de groselha, açúcar em pó, balanças na mesa e tachos no fogo, viu todos os Homais, grandes e pequenos, com aventais até os queixos e garfos nas mãos. Justin estava de pé, a cabeça baixa, e o farmacêutico gritava:

— Quem te mandou buscá-lo no *cafarnaum*?
— Que foi? Que fez ele?
— Que foi? — perguntou o boticário. — Estávamos fazendo as compotas, que ferviam e estavam quase transbordando porque a calda subia; mandei por isso trazer outro tacho. Ele então, por preguiça e moleza, foi buscar no prego do meu laboratório, a chave do cafarnaum!

O boticário batizara com esse nome um gabinete no sótão, cheio de utensílios e mercadorias de sua profissão. Frequentemente passava ali longas horas, a etiquetar, a trocar frascos e embalar coisas. Considerava aquilo não como parte da loja, mas como verdadeiro santuário, de onde provinham, fabricadas por suas mãos, todas as espécies de pílulas, comprimidos, tisanas, loções e poções que iriam espalhar sua celebridade pelos arredores. Ninguém no mundo punha os pés lá; venerava tanto o lugar que o varria ele próprio. Enfim, se a farmácia, aberta ao público, era o lugar onde ele exibia seu orgulho, o cafarnaum era o refúgio onde, concentrando-se egoisticamente, Homais se deleitava no exercício de suas predileções. Assim, o estouvamento de Justin parecia-lhe monstruosa irreverência, e o farmacêutico repetia, mais vermelho que a groselha:

— Sim, do cafarnaum! A chave que encerra os ácidos e os álcalis cáusticos! Ir buscar um tacho de reserva! Um tacho com tampa, do qual talvez eu nunca mais me sirva! Tudo tem sua importância nas operações delicadas de nossa arte! Mas que diabo! É preciso estabelecer distinções e não empregar para usos quase domésticos o que está destinado aos usos farmacêuticos! É como se se degolasse uma galinha com um escalpelo, como se um magistrado...

— Mas acalma-te! — disse madame Homais.

E Athalie, puxando-o pelo casaco:

— Papai! Papai!

— Não, deixem-me! — prosseguiu o boticário. — Era melhor que eu fosse ser vendeiro! Palavra de honra! Vamos, anda! Não respeita nada! Quebra! Arrebenta! Solta as sanguessugas, queima a alteia, faz conservas nos frascos, rasga as ataduras!

— Mas o senhor tinha... — começou Emma.

— Um instante! Sabes a que te arriscaste? Não viste nada no canto, à esquerda, na terceira prateleira? Fala, responde, articula alguma coisa.

— Eu... eu não sei... — balbuciou o rapazinho.

— Ah! Não sabes! Pois bem, eu sei! Viste uma garrafa de vidro azul, fechada com cera amarela e contendo um pó branco, na qual eu mesmo escrevi "Perigoso"? Sabes o que há lá dentro? Arsênico! E tu foste tocá-la! Apanhar um tacho que estava ao lado!

— Ao lado! — exclamou madame Homais, juntando as mãos. — Arsênico! Poderias envenenar-nos a todos!

As crianças começaram a gritar, como se já sentissem dores atrozes nas entranhas.

— Ou então envenenar um doente! — continuou o farmacêutico. — Querias então que eu me sentasse no banco dos réus, nos tribunais? Querias ver-me na forca? Ignoras o cuidado que tenho nas manipulações, apesar de minha grande prática? Às vezes eu próprio me espanto, quando penso na minha responsabilidade. Pois o governo nos persegue, e a absurda legislação que nos rege é como uma espada de Dâmocles suspensa sobre nossa cabeça!

Emma já não queria mais saber o que desejavam dela, e o farmacêutico continuava a vociferar, em frases ofegantes:

— É assim que me pagas a bondade que te prodigalizo? Eis como me recompensas por meus cuidados paternais! Sem mim, que serias? Quem te dá alimento, educação, roupas e todos os meios para figurar um dia, com honra, na sociedade? Mas para isso é preciso muito trabalho, e adquirir, como se diz, calos nas mãos. *Fabricando fit faber, age quod agis.*

Fazia citações latinas, de tal forma estava exasperado. Citaria chinês e groenlandês se conhecesse essas duas línguas, pois estava numa dessas crises em que a alma mostra indistintamente tudo o que encerra, como o oceano, que, nas tempestades, entreabre-se desde a espuma de suas margens até a imensidão de seus abismos.

E continuou:

— Começo a arrepender-me terrivelmente de me haver encarregado de tua pessoa! Teria feito melhor se te tivesse deixado na miséria em que andavas e em que nasceste! Tu só serves para pastor de ovelhas! Não tens aptidão para as ciências! Mal sabes colar uma etiqueta! E vives aqui, em minha casa, como um cônego, como um galo de missa, a comer do bom e do melhor!

Mas Emma falou, voltando-se para madame Homais:

— Pediram-me que viesse...

— Ah, meu Deus — interrompeu com ar triste a boa senhora —, como vou dizer? Foi uma infelicidade...

Não terminou a frase. O boticário trovejava:

— Esvazia-a! Enxuga-a! Leva-a de volta! Depressa!

E, ao sacudir Justin pela gola, um livro caiu do bolso do rapazinho.

Justin abaixou-se, mas Homais foi mais rápido e apanhou o volume, examinando-o com os olhos semicerrados e a boca aberta.

— "O amor... conjugal"! — disse ele, separando lentamente as dua palavras. — Ah! Muito bem! Muito bonito! E com gravuras!... Ah! É demais!

Madame Homais aproximou-se.

— Não, não toques nisso!

As crianças queriam ver as figuras.

— Saiam! — disse o boticário, imperiosamente.

E todas saíram.

Homais caminhava para cá e para lá, com o livro aberto entre os dedos, rolando os olhos, sufocando, intumescido, apoplético. Depois aproximou-se do pupilo, plantando-se à sua frente de braços cruzados:

— Mas tens então todos os vícios, pequeno desgraçado! Toma cuidado, estás sobre um abismo. Não refletiste então que este livro infame poderia cair nas mãos de meus filhos, pondo ideias em suas cabeças, poderia manchar a pureza de Athalie, corromper Napoléon? Ele já é homem feito. Tens certeza de que ele não o leu? Podes dar-me certeza...

— Mas, enfim — disse Emma —, o senhor tinha algo a me dizer...

— Ah, sim, madame... Seu sogro morreu!

Com efeito, monsieur Bovary pai morrera repentinamente na antevéspera, de um ataque de apoplexia, ao sair da mesa. Por excesso de precaução para com a sensibilidade de Emma, Charles pedira a monsieur Homais que lhe desse com cuidado a terrível notícia.

O farmacêutico meditara a frase, arredondara-a, polira-a, ritmara-a; era uma obra-prima de prudência e transição, de finura e delicadeza; mas a cólera vencera a retórica.

Emma, sem querer saber de pormenores, saiu da farmácia, pois monsieur Homais prosseguia em suas censuras. Pouco depois, entretanto, ele acalmou-se e passou a resmungar em tom paternal, abanando-se com seu boné grego.

— Não é que eu desaprove inteiramente a obra! O autor era médico. Há nela alguns pormenores científicos que um homem deve conhecer. Porém, mais tarde, mais tarde! Espera pelo menos que te faças homem e que teu temperamento esteja formado.

Às batidas de Emma na porta, Charles, que a esperava, adiantou-se de braços abertos, dizendo-lhe com a voz embaraçada:

— Ah! Minha querida...

E inclinou-se suavemente para beijá-la. Mas, ao sentir-lhe o contato dos lábios, ela se lembrou do outro e passou a mão no rosto, estremecendo.

Respondeu então a Charles:

— Sim, já sei... já soube de tudo...

O marido mostrou a carta em que a mãe narrava o acontecimento sem qualquer hipocrisia sentimental. Lamentava apenas que o marido não tivesse recebido o conforto da religião, tendo morrido em Doudeville, na rua, à porta de um café, depois de um almoço patriótico com antigos oficiais.

Emma devolveu a carta; depois, ao jantar, para manter as aparências, fingiu alguma relutância. Mas, como ele a encorajasse, pôs-se a comer resolutamente, enquanto Charles, à sua frente, permanecia imóvel, numa atitude de desânimo.

De vez em quando, erguendo a cabeça, olhava-a cheio de angústia. Em dado instante, suspirou:

— Gostaria de tê-lo visto ainda uma vez!

Emma ficou calada. Depois, compreendendo que devia dizer algo:

— Que idade tinha teu pai?

— Cinquenta e oito anos!

— Ah!

E isso foi tudo.

Quinze minutos depois, ele acrescentou:

— Minha pobre mãe...? Que vai ser dela, agora?

Emma fez um gesto vago.

Vendo-a assim tão calada, Charles supunha-a aflita e continha-se para nada dizer, a fim de não avivar a dor que a dominava. Finalmente, sacudiu a cabeça, dizendo:

— Divertiste-te muito ontem?

— Sim.

Quando a toalha foi tirada, ele não se levantou. Emma ficou também sentada, e, quanto mais olhava o marido, mais a mediocridade do espetáculo bania a piedade de seu coração. Ele lhe parecia fraco, pusilânime, nulo, um pobre coitado, enfim, em todos os pontos de vista. Como livrar-se dele? Que noite interminável! Algo de entorpecente, como vapor de ópio, tornava-a sonolenta.

Ouviram no vestíbulo o ruído seco de uma muleta no assoalho. Era Hippolyte, que trazia a bagagem de madame.

Para colocá-la no chão, descreveu penosamente um arco de círculo com a muleta.

"Ele nem pensa mais no que aconteceu!", disse Emma para si mesma, olhando o pobre-diabo, cuja cabeleira ruiva gotejava suor.

Bovary procurou uma moeda no fundo da bolsa. Depois, sem dar mostras de compreender toda a humilhação que lhe devia ser a simples presença daquele homem que ali estava, como a afirmação personificada de sua insensatez incurável, ele falou:

— Trouxeste um belo ramalhete.

Acabara de ver sobre a lareira as violetas de Léon.

— Sim — disse ela, com indiferença. — Eu mesma as comprei... de uma mendiga.

Charles apanhou as violetas e, refrescando os olhos úmidos de lágrimas, aspirou-as delicadamente. Emma retirou-as apressadamente das mãos dele e levou-as para um jarro.

No dia seguinte, madame Bovary mãe chegou. Ela e o filho choraram muito. Emma, a pretexto de precisar dar ordens, desapareceu.

Logo no outro dia foi preciso cuidar dos pormenores do luto. Foram sentar-se, as duas mulheres com as caixas de costura, sob o caramanchão, junto ao rio.

Charles pensava no pai e espantava-se por sentir tanta afeição por aquele homem, a quem até então pensara amar apenas comedidamente. madame Bovary mãe pensava no marido. Os piores dias do passado pareciam-lhe agora dignos de inveja. Tudo se apagava na tristeza instintiva de um hábito tão longo; e de vez em quando, enquanto trabalhava com a agulha, uma grande lágrima lhe descia pelo nariz e ficava suspensa algum tempo. Emma pensava que, menos de 48 horas antes, ela e ele tinham estado juntos, na embriaguez do amor, longe do mundo, sem se cansarem de se contemplar. E procurava recordar os mais imperceptíveis pormenores daquele dia fugaz. Mas a presença da sogra e do marido embaraçava-a. Ela desejaria não ver nem ouvir nada, a fim de que nada perturbasse o recolhimento de seu amor, que se perdia, apesar de seus esforços, nas sensações exteriores.

Descosia a gola de um vestido, cujos retalhos se empilhavam à sua volta; a mãe Bovary, sem erguer os olhos, fazia gemer a tesoura, e Charles, de pantufas de lã e com o velho casaco marrom que lhe servia de roupão, permanecia com as mãos nos bolsos sem nada dizer. Perto deles, Berthe, de avental branco, brincava com a areia das alamedas.

De repente, viram entrar pelo portão monsieur Lheureux, o comerciante.

Vinha oferecer seus serviços, em vista da circunstância fatal. Emma respondeu que achava não precisar de nada. O comerciante não se deu por vencido:

— Peço desculpas — disse ele —, mas eu desejava uma conversa em particular. — E baixando a voz: — É sobre aquele negócio... lembra-se?

Charles enrubesceu até as orelhas.

— Ah, sim... efetivamente. — E, em seu embaraço, voltou-se para a esposa: — Não poderias, minha querida...

Ela pareceu compreender, pois levantou-se, e Charles disse para a mãe:

— Não é nada! Deve ser alguma coisa tola da casa.

Não queria que ela soubesse da história da letra, temendo suas observações.

Quando ficaram a sós, monsieur Lheureux pôs-se a felicitar Emma, em termos bastante claros, pela herança, passando a conversar sobre coisas indiferentes, como as colheitas e sua própria saúde, que ia assim, assim. Na verdade, ele trabalhava muito, embora não ganhasse, ao contrário do que se dizia, senão o suficiente para usar manteiga no pão.

Emma deixou-o falar. Aborrecia-se tanto, havia dois dias que andava terrivelmente entediada!

— E a senhora já está completamente restabelecida? — continuava ele. — Vi seu marido tão desesperado! É um bom rapaz, embora tenhamos tido algumas dificuldades.

Ela perguntou o que acontecera, pois Charles lhe escondera o não pagamento das encomendas.

— Mas a senhora bem sabe! — disse Lheureux. — Foi por causa das suas pequenas fantasias, as valises de viagem.

Baixara o chapéu sobre os olhos e, com as mãos atrás das costas, sorridente e assobiando, olhava-a de frente, de maneira insuportável. Suspeitaria de alguma coisa? Emma sentiu-se perdida em toda sorte de apreensões. Finalmente, entretanto, ele prosseguiu:

— Mas nós nos reconciliamos, e vim propor um acordo.

Era a renovação da letra assinada por Bovary. Lheureux propunha, entretanto, que o médico fizesse como achasse melhor; não devia inquietar-se, ainda mais agora que ia ter uma série de contrariedades.

— Faria mesmo melhor em entregar a alguém, como a senhora, por exemplo, os seus negócios; com uma procuração isso seria fácil, e nós dois poderíamos ter nossos negócios...

Ela não compreendia. Lheureux calou-se. Depois, passando ao objeto de sua visita, Lheureux declarou que madame não podia deixar de ficar com alguma coisa. Ele mandaria um tecido preto, 12 metros, para um vestido.

— Esse que a senhora tem é bom para usar em casa. Mas precisa de outro para as visitas. Vi isso logo que entrei. Tenho olho americano.

Não mandou o tecido; levou-o pessoalmente. Depois voltou para medi-lo e voltou ainda sob outros pretextos, mostrando-se sempre amável, serviçal, enfeudando-se, como diria Homais, e sempre dando a Emma conselhos sobre a procuração. Nunca falava da letra. Ela não pensava no caso; Charles, no início de sua convalescença, contara-lhe algo sobre o fato, mas tanta agitação lhe passara na mente que ela já não se lembrava. Além disso, evitava começar uma discussão de interesses; a mãe Bovary surpreendeu-se e atribuiu sua mudança de temperamento aos sentimentos religiosos que contraíra durante a doença.

Mas, quando a sogra se foi, Emma não demorou a maravilhar o marido com seu senso prático. Era preciso tomar informações, verificar as hipotecas, ver se era caso de licitação ou de liquidação.

Ela citava termos técnicos ao acaso, pronunciava palavras impressionantes e continuamente exagerava os aborrecimentos do inventário. Certo dia, enfim, mostrou ao marido o modelo de uma autorização legal para "gerir e administrar os negócios, fazer todos os empréstimos, assinar e endossar letras, pagar todas as dívidas etc." Aproveitara bem as lições de Lheureux.

Charles, ingenuamente, perguntou de onde vinha o papel.

— De monsieur Guilaumin. — E, com o maior sangue-frio do mundo, acrescentou: — Não confio muito nisso. Os tabeliães têm tão má reputação! Deveríamos consultar... só conhecemos... Ah, ninguém.

— A não ser Léon... — disse Charles, que refletia.

Mas era difícil entender-se por correspondência. Emma ofereceu-se para fazer a viagem. Ele agradeceu. Ela insistiu. Foi um duelo de delicadezas. Finalmente, ela exclamou, num tom de falso amuo:

— Não, peço-te, vou eu.

— Como és boa! — disse ele, beijando-a na fronte.

No dia seguinte, ela embarcou na Andorinha para ir a Rouen consultar monsieur Léon. Demorou-se por três dias.

III

Foram três dias deliciosos, esplêndidos, uma verdadeira lua de mel. Ficaram no Hotel de Boulogne, no porto. E viviam lá, de persianas corridas, portas fechadas, com flores pelo chão e sorvetes que mandavam buscar pela manhã.

À noite, tomavam uma barca coberta e iam jantar numa ilha.

É a hora em que se ouve, junto aos estaleiros, o ruído dos malhos dos calafates nos cascos dos barcos. A fumaça do alcatrão erguia-se por entre as árvores e viam-se no rio grandes gotas de óleo, ondulando desigualmente sob a cor púrpura do sol, como placas de bronze florentino que flutuavam.

Desciam em meio aos barcos ancorados, cujos longos cabos oblíquos roçavam o casco de barca.

Os ruídos da cidade insensivelmente se afastavam, o rolar das charretes, o tumulto das vozes, o ladrar dos cães na ponte dos navios. Ela desamarrava o chapéu e chegavam à ilha.

Instalavam-se no salão de um cabaré que tinha redes negras de pesca presas à porta. Comiam peixe frito, creme e cerejas. Deitavam-se na grama, beijavam-se sob os pinheiros e desejavam, como dois Robinsons, viver eternamente naquele lugar, que lhes parecia o mais belo da Terra. Não era a primeira vez que viam árvores, céu azul, grama, nem que ouviam a água correr e a brisa farfalhar na folhagem; mas, certamente, jamais tinham admirado tudo aquilo, como se a natureza não tivesse existido antes, ou como se não tivesse começado a ser bela senão depois da satisfação de seus desejos.

Tarde da noite voltavam. A barca margeava as ilhas. Eles ficavam no fundo, escondidos na sombra, sem falar. Os remos quadrados batiam nos ferros, marcando o silêncio como uma batida de metrônomo, enquanto que, à popa, o caíque rebocado não cessava de bater docemente na água.

Uma noite, a lua apareceu, ambos fizeram frases poéticas, achando o astro melancólico e cheio de doçura. Emma pôs-se a cantar:

— Uma noite, lembras-te? Vagávamos... etc.

Sua voz harmoniosa e débil perdia-se sobre as ondas, e o vento levava as notas que Léon ouvia passar, como um bater de asas, à sua volta.

Ela ficou de pé, encostada a uma das janelas da barca por onde entrava o luar. Seu vestido negro, cujos babados se alargavam numa espécie de avental, tornava-a mais esbelta e mais alta. Tinha a cabeça erguida, as mãos juntas, os olhos no céu. Por vezes, a sombra dos chorões a escondia inteiramente; depois ela reaparecia repentinamente, como uma visão sob a luz da lua.

Léon, no chão a seu lado, encontrou de repente uma fita de seda cor de papoula.

O barqueiro examinou-a e disse:

— Ah! Deve ter sido um grupo que levei a passeio outro dia. Eram muitos cavalheiros e damas, com bolos, champanha, instrumentos de música, tudo, enfim! Especialmente um deles, homem forte e simpático, era o mais engraçado e alegre! Os outros diziam assim: "Vamos, conta-nos alguma coisa... Adolphe... Rodolphe...", não me lembro bem do nome.

Emma estremeceu.

— Sentes alguma coisa? — perguntou Léon, aproximando-se dela.

— Não, não é nada. Talvez o frio da noite.

— E a ele não devem faltar mulheres, também — concluiu o velho marinheiro, pensando em ser gentil com o passageiro.

E em seguida, cuspindo nas mãos, retomou o remo.

Mas era preciso que se separassem! Os adeuses foram tristes. Era para a casa da mãe Rolet que ele devia mandar a correspondência, e ela recomendou com tanta exatidão o truque do envelope duplo que Léon admirou sua astúcia amorosa.

— Afirmas-me que está tudo bem? — perguntou ela, num último beijo.

— Certamente!

E, enquanto voltava pela rua, Léon conjeturava por que ela se preocupava tanto com a procuração!

IV

Em pouco tempo, Léon assumiu um ar de superioridade sobre seus colegas. Absteve-se de sua companhia e negligenciou completamente seus deveres.

Esperava as cartas dela; relia-as muitas vezes. Escrevia-lhe. Pensava nela com toda a força de seu desejo e de suas lembranças. Em lugar de diminuir com a ausência, a vontade de revê-la crescia tanto que certa manhã de sábado escapuliu do cartório. Quando, do alto da encosta, viu no vale o campanário da igreja com a bandeira de ferro fundido, que rodava ao vento, sentiu aquela satisfação, misturada com vaidade triunfante, que devem experimentar os milionários quando regressam de visita à aldeia natal.

Foi rondar a casa dela. Havia luz acesa na cozinha. Procurou sua sombra por trás da cortina. Nada apareceu.

A velha Lefrançois, ao vê-lo, foi muito efusiva, achando-o mais crescido e mais magro, enquanto que Artémise, ao contrário, achou-o mais robusto e moreno.

Jantou na saleta, como antigamente, mas a sós, sem o cobrador, pois Binet, cansado de esperar a Andorinha, adiantara definitivamente em uma hora sua refeição e jantava agora às cinco em ponto, afirmando sempre que "a velha traquitana vivia atrasada".

Léon acabou decidindo bater à porta da casa do médico. Madame estava no quarto, de onde não desceu senão 15 minutos depois. Charles pareceu encantado em revê-lo, mas não apareceu à noite nem durante o dia seguinte.

Léon só esteve com ela muito tarde, atrás do jardim, no beco — no beco, como com o outro! Chovia a cântaros, e eles conversavam sob um guarda-chuva debaixo do temporal.

A separação tornava-se intolerável para eles.

— Prefiro morrer! — disse Emma.

Ela se torcia em seus braços, chorando.

— Adeus, adeus! Quando poderei rever-te?

Voltaram sobre seus próprios passos para se beijarem ainda, e foi então que ela prometeu encontrar depressa, de qualquer maneira, uma oportunidade permanente de estar em liberdade, ao menos uma vez por semana. Tinha certeza absoluta de que conseguiria. Estava, aliás, cheia de esperança. Ia receber dinheiro.

Assim, comprou para seu quarto um par de cortinas amarelas de listras largas, cujo preço barato monsieur Lheureux gabara; sonhava com um tapete de Lheureux, afirmando que "não era um desejo absurdo", prontificou-se delicadamente a fornecer-lho. Ela já não podia mais dispensar-lhe os serviços. Vinte vezes por dia mandava chamá-lo, e imediatamente ele impingia suas coisas, sem permitir uma observação. Ninguém compreendia por que a mãe Rolet almoçava em casa de Emma todos os dias, indo mesmo visitá-la em particular.

Foi nessa época, isto é, no princípio do inverno, que grande ardor musical a dominou.

Uma noite em que Charles a escutava tocar, ela recomeçou quatro vezes o mesmo pedaço, errando sempre, enquanto que, sem notar a diferença, ele exclamava:

— Bravo! Muito bem! Não pares! Continua!

— Oh, está horrível! Tenho os dedos enferrujados.

No dia seguinte ele pediu que ela tocasse alguma coisa.

— Seja, para te agradar!

E Charles confessou que ela piorara um pouco. Enganava-se de compasso, atrapalhava-se e terminou por dizer, parando repentinamente:

— Ah! Chega! Eu precisaria tomar aulas, mas... — Mordeu os lábios e acrescentou: — Vinte francos por lição é muito caro!

— Sim... realmente... um pouco... — disse Charles, com um riso idiota. — Mas parece-me que poderemos encontrar por menos, pois há artistas sem cartaz que muitas vezes são melhores que os medalhões.

— Procure-os — disse Emma.

No dia seguinte, ao entrar, ele a olhou com ar sabido e não pôde reter esta frase:

— Como és teimosa às vezes! Estive em Barfeuchères hoje. Madame Liégard assegurou-me que suas três filhas, que estão no convento da Misericórdia, tinham aulas a cinquenta soldos cada uma e de professora famosa.

Ela encolheu os ombros e não abriu mais o instrumento.

Mas, quando passava perto dele (se Bovary estivesse presente), suspirava:

— Ah, meu pobre piano!

Quando recebiam visitas, nunca deixava de dizer que abandonara a música e não podia, no momento, voltar a dedicar-se à arte, por motivos de força maior. As visitas lamentavam. Que pena! Ela, que tinha tanto talento! Falaram no assunto a Bovary. Envergonhavam-no, especialmente o farmacêutico:

— O senhor faz mal! Não se devem esquecer as faculdades naturais. Além disso, pense, meu amigo, que fazendo madame estudar estará economizando mais tarde, quando chegar a hora da educação musical de sua filha! Acho que as próprias mães devem instruir as filhas. É uma ideia de Rousseau, talvez ainda um pouco nova, mas que acabará por triunfar, estou certo, como a amamentação materna e a vacina.

Charles voltou pois ao problema do piano. Emma respondeu com dureza que seria melhor vendê-lo. Perder aquele pobre piano, que lhe tinha dado tanta satisfação vaidosa, era como que o indefinível suicídio de uma parte de si própria.

— Se tu quisesses... — dizia ele — uma lição de vez em quando não nos iria arruinar.

— Mas as aulas — replicava ela — só são proveitosas quando seguidas.

E foi assim que ela conseguiu obter do marido permissão para ir à cidade, uma vez por semana, para ver o amante. Ao fim de um mês, chegaram a achar que ela fizera progressos consideráveis.

V

Era quinta-feira. Ela se levantava, vestia-se silenciosamente para não acordar Charles, que lhe faria observações, dizendo que se preparava cedo demais. Em seguida ia mais devagar, punha-se diante das janelas e contemplava a praça. A madrugada iluminava as pilastras do mercado, e a casa do farmacêutico, cujas janelas estavam fechadas, deixava entrever na palidez da aurora as maiúsculas da tabuleta.

Quando o relógio marcava 7h15, ela ia para o Leão de Ouro; Artémise, bocejando, ia abrir-lhe a porta. Desenterrava para madame os carvões ocultos nas cinzas. Emma ficava só na cozinha. De vez em quando, saía. Hivert atrelava os cavalos sem pressa, escutando a velha Lefrançois, que, passando por uma abertura da janela a cabeça coberta com a carapuça de algodão, lhe fazia encomendas e dava explicações capazes de perturbar qualquer outro homem. Emma batia a sola dos sapatos nas pedras do pátio.

Finalmente, depois que tomava a sopa, arrumava a diligência, acendia o cachimbo e empunhava o chicote, o cocheiro instalava-se tranquilamente na boleia.

A Andorinha partia a trote, parando de espaço em espaço, durante três quartos de légua, para apanhar os viajantes que a avistavam de longe, de pé na beira do caminho, diante da cerca dos terreiros. Os que tinham marcado a viagem na véspera faziam-se esperar; alguns estavam mesmo na cama ainda. Hivert chamava, gritava, praguejava, depois descia da boleia e ia bater com força na porta. O vento assobiava nos postigos quebrados.

Os quatro bancos iam-se enchendo, o veículo rodava, as macieiras sucediam-se; e a estrada, entre as duas valas cheias de água amarelada, estendia-se continuamente para o horizonte.

Emma conhecia-a de ponta a ponta; sabia que depois de uma pastagem vinha um marco, depois um álamo, um silo e uma cabana de zelador da estrada. Às vezes, para surpreender-se, fechava os olhos. Mas nunca perdia a noção exata da distância a percorrer.

Finalmente, as casas de tijolos aproximavam-se, a terra ressoava sob as rodas, a Andorinha deslizava entre jardins, onde se viam, pelas aberturas das cercas, estátuas, canteiros cuidados e balanços. Em seguida, repentinamente, aparecia a cidade.

Descendo em anfiteatro e mergulhada no nevoeiro, alargava-se além das pontes, confusamente. Mais além reaparecia a campina, num movimento monótono, até tocar ao longe a base indecisa do céu pálido. Assim, vista do alto, a paisagem inteira tinha a aparência imóvel de um quadro. Os navios de âncoras amontoavam-se a um canto, o rio arredondava suas curvas ao pé das colinas verdes, e as ilhas, de forma oblonga, pareciam grandes peixes negros parados sobre as águas. As chaminés das fábricas soltavam imensos penachos escuros que se perdiam no espaço. Ouvia-se o barulho das fundições misturar-se às batidas do carrilhão das igrejas que se erguiam na bruma. As árvores das avenidas, sem folhas, formavam manchas violeta entre as casas. Os tetos, reluzentes da chuva, pareciam espelhos desiguais, segundo a altura. Por vezes o vento levava as nuvens para a encosta de Sainte-Cathérine, como espumas aéreas que se quebram em silêncio contra um rochedo.

Algo de vertiginoso se desprendia para ela daquelas existências amalgamadas, e sua alma enchia-se delas, como se as vinte mil vidas que lá palpitavam tivessem enviado ao mesmo tempo o vapor das paixões que ela acreditava terem. Seu amor crescia diante da amplidão, enchendo-se de tumulto aos murmúrios vagos que lhe chegavam. Ela o derramava para fora, nas praças, nos passeios, nas ruas, e a velha cidade normanda estendia-se a seus olhos como capital imensa, como uma Babilônia em que ela penetrasse. Debruçava-se, com as mãos nos postigos, aspirando a brisa. Os três cavalos galopavam. As pedras enterravam-se na lama, a diligência balançava, e Hivert, de longe, gritava para as carruagens que passavam na estrada, enquanto os burgueses que tinham passado a noite no Bois-Guillaume desciam tranquilamente a encosta em suas pequenas charretes de família.

Paravam na barreira. Emma desafivelava os tamanquinhos de viagem, calçava luvas novas, ajustava o xale e, vinte passos adiante, saltava da Andorinha.

A cidade despertava. Caixeiros, de bonés gregos, limpavam a fachada das lojas, e mulheres que levavam cestos no quadril soltavam a intervalos gritos sonoros nas esquinas. Emma caminhava olhando para o chão, junto às paredes, sorrindo de prazer sob o véu negro abaixado.

Temendo ser vista, normalmente não tomava o caminho mais curto. Metia-se em ruelas sombrias, chegando suarenta à parte baixa da rua Nacional, perto da fonte que lá existe. É a zona dos teatros, dos botequins e das meretrizes. Às vezes passava por ela uma carroça carregando um cenário que sacolejava. Rapazes de avental jogavam areia nos paralelepípedos, entre os arbustos verdes. Tudo tresandava a absinto, charuto e ostras.

Dobrava uma esquina e reconhecia Léon pela cabeleira frisada que lhe saía do chapéu.

Léon, na calçada, continuava a caminhar. Ela o seguia até o hotel; ele subia, abria a porta, entrava... Que abraço!

Depois as palavras se precipitavam, então os beijos. Contavam-se as tristezas da semana, os pressentimentos, as inquietações causadas pelas cartas. Mas logo tudo era esquecido, e olhavam-se de frente, com risos de volúpia e tratamentos carinhosos.

A cama era de acaju, em forma de canoa. As cortinas vermelhas, que desciam do teto, uniam-se embaixo, perto da cabeceira côncava. Nada no mundo era tão belo como aquela cabeça castanha e aquela pele branca destacando-se sobre a cor púrpura, quando, num gesto de pudor, ela cruzava os braços nus, escondendo o rosto entre as mãos.

O confortável aposento, com seu tapete discreto, seus enfeites alegres e sua luz tranquila, parecia feito para as intimidades da paixão. Os balaústres terminavam em pontas, as maçanetas de latão e as bolas da lareira reluziam repentinamente quando entrava o sol. Havia na lareira, entre dois candelabros, duas grandes conchas do mar rosadas, dessas em que se ouve o ruído do mar ao encostá-las no ouvido.

Como eles amavam aquela boa alcova cheia de alegria, apesar de seu luxo um tanto fora de moda! Encontravam sempre os móveis nos mesmos lugares, às vezes alguns grampos que ela esquecera, na quinta-feira anterior, sob o pedestal do relógio. Almoçavam junto ao fogo, num banquinho trabalhado. Emma cortava a carne, servia a Léon, fazendo toda sorte de pieguices, e ria um riso sonoro e libertino quando a espuma do champanha transbordava no copo para os anéis que lhe adornavam os dedos. Perdiam-se inteiramente na posse de si mesmos, de tal forma que já se julgavam em sua própria casa, nela devendo habitar até a morte, como dois esposos eternamente jovens. Diziam "nosso quarto, nosso tapete, nossas poltronas"; ela dizia "minhas chinelas" para um presente de Léon, uma fantasia que tivera. Eram pantufas de cetim cor-de-rosa, bordadas. Quando se sentava nos joelhos dele, sua perna não chegava ao chão e ficava balançando no ar; e a microscópica chinelinha prendia-se apenas aos dedos do pé nu.

Léon saboreava pela primeira vez a inexprimível delicadeza dos requintes femininos. Nunca conhecera tanta graça de linguagem, tanta simplicidade na vestimenta, nem poses como aquelas, de pomba adormecida. Admirava a exaltação de sua alma e as rendas de sua saia. Além do mais, não era uma mulher da sociedade, uma mulher casada? Uma verdadeira amante, enfim?

Pela diversidade de seu temperamento, alternadamente místico ou alegre, tagarela ou concentrado, entusiasmado ou indiferente, ela lhe ia despertando mil desejos, evocando instintos e reminiscências. Era a apaixonada de todos os romances, a heroína de todos os dramas, a indefinível "ela" de todos os livros de poesia. Revia em seus ombros a cor de âmbar de odalisca no banho; ela usava o corpete comprido das castelãs feudais; ela se assemelhava à mulher pálida de Barcelona, mas era sobretudo o seu Anjo!

Muitas vezes, contemplando-a, parecia-lhe que sua alma, correndo para ela, estendia-se como uma onda sobre sua cabeça, descendo arrastada para a alvura do peito.

Sentava-se no chão diante dela e, com os cotovelos nos joelhos, contemplava-a sorrindo, a cabeça erguida.

Ela curvava-se para ele e murmurava, como que embriagada:

— Oh, não te movas! Não fales! Olha para mim! Vem de teus olhos algo tão doce, que me faz tanto bem!

Chamava-o "criança":

— Amas-me, criança?

E não esperava a resposta, tal a precipitação com que seus lábios lhe procuravam a boca.

Havia sobre a lareira um pequeno cupido de bronze que segurava, arqueando os braços, uma grinalda dourada. Riam-se muito disso; mas, quando chegava a hora de se separarem, tudo lhes parecia sério.

Imóveis, um diante do outro repetiam:

— Até quinta! Até quinta!

Repentinamente ela agarrava-lhe a cabeça entre as mãos, beijava-o na fronte, exclamando:

— Adeus! — E lançava-se para a escada.

Ia à rua da Comédia, a um cabeleireiro, para arranjar o penteado. A noite caía; na loja acendia-se o gás.

Ela ouvia a sineta do teatro, que chamava os atores para a representação, e via passar à sua frente homens de rosto pálido e mulheres de vestidos gastos, que entravam pela porta dos bastidores.

Fazia calor naquele aposento acanhado e baixo, onde o fogão ronronava entre as perucas e os cosméticos. O odor dos ferros e as mãos engorduradas que lhe massageavam a cabeça não tardavam em atordoá-la, e ela acabava por cochilar no penteador. Frequentemente o rapaz que a penteava oferecia-lha entradas para o baile de máscaras.

Depois partia! Subia as ruas, chegava à Cruz Vermelha, apanhava os tamanquinhos, que escondera de manhã sob um banco, e sentava-se em seu lugar, entre os viajantes impacientes. Alguns desciam no sopé da encosta, e ela ficava só na diligência.

A cada volta, via-se mais claramente a iluminação da cidade, que formava um vapor denso por sobre as casas amontoadas. Emma ajoelhava-se nas almofadas e arregalava os olhos ante aquele deslumbramento. Soluçava, chamava Léon, enviando-lhe palavras ternas e beijos que se perdiam no espaço.

Havia na encosta da montanha um pobre-diabo que errava com seu bastão por entre as diligências. Um monte de farrapos cobria-lhe as costas, e um boné de castor em forma de cuia escondia-lhe o rosto; mas, quando o retirava, mostrava no lugar das pálpebras duas órbitas vazias e ensanguentadas. A carne desfiava-se em lanhos avermelhados de onde escorriam líquidos, formando úlceras verdes até o nariz, cujas narinas escuras se moviam convulsivamente. Para falar, ele virava a cabeça com um riso idiota; então as pupilas arroxeadas, rolando num movimento contínuo, iam de encontro à fronte, na orla da chaga viva.

Cantava uma cançoneta, seguindo os veículos:

Nos dias de muito calor,
Sonham as moças com o amor.

E o resto falava em pássaros, sol e folhagens.

Às vezes ele aparecia de repente por trás de Emma, de cabeça descoberta. Ela recuava com um grito. Hivert vinha troçar com ele. Mandava-o armar uma barraca na feira ou perguntava, às gargalhadas, como ia sua namorada.

Em outras ocasiões, quando já iam a caminho, o chapéu do cego, num movimento súbito, entrava pelos postigos da diligência, enquanto ele se segurava com o outro braço no estribo, sujando-se da lama das rodas. Sua voz, inicialmente fraca e trêmula, tornava-se aguda. Arrastava-se na noite, como o lamento indistinto de uma angústia vaga; e, por entre o som dos guizos, o murmúrio das árvores e o ronco da diligência vazia, aquela voz tinha algo de distante, que perturbava Emma. Descia-lhe ao fundo da alma como um torvelinho num abismo, levando-a pelos espaços de uma melancolia sem limites.

Mas Hivert, que percebia o contrapeso, lançava às cegas golpes de chicote. O couro atingia as chagas e ele tombava na lama, urrando de dor.

Os viajantes da Andorinha acabavam por adormecer, alguns de boca aberta, outros de queixo caído, apoiando-se nos ombros do vizinho, oscilando regularmente às sacudidelas do veículo; e os reflexos da lanterna que se balançava do lado de fora, penetrando no interior pelas cortinas de chita cor de chocolate, punham sombras sanguinolentas sobre todos aqueles indivíduos imóveis. Emma, cheia de tristeza, tiritava sob as roupas e sentia os pés cada vez mais frios, com a morte na alma.

Charles a esperava em casa; a Andorinha sempre se atrasava às quintas-feiras. Finalmente, madame chegava! Mal beijava a filhinha. Se o jantar não estivesse pronto, não fazia caso. Desculpava a cozinheira. Tudo parecia permitido agora à moça.

Frequentemente o marido, notando sua palidez, perguntava-lhe se estava doente.

— Não — dizia Emma.

— Mas — replicava ele — estás estranha esta noite!

— Não é nada! Não é nada!

Em certos dias, mal chegava, ela subia ao quarto; e Justin, que lá estava, caminhava silenciosamente, mais diligente a seu serviço que uma excelente camareira. Preparava os fósforos, o castiçal, um livro, desdobrava a camisola, abria a cama.

— Pronto — dizia ela —, está bem, vai-te!

O dia seguinte decorria-lhe desagradavelmente, e os subsequentes eram ainda mais intoleráveis pela impaciência de Emma em reaver sua felicidade — ambição áspera, cheia de imagens conhecidas, que no sétimo dia se inflamavam às carícias de Léon. Os ardores dele ocultavam-se sob expressões maravilhadas e reconhecidas. Emma saboreava esse amor de modo discreto e absorto, retinha-o com todos os artifícios de sua ternura e temia um pouco perdê-lo mais tarde.

Frequentemente dizia a ele, com voz doce e melancólica:

— Ah! Tu me deixarás! Casar-te-ás... serás como os outros.

Ele perguntava:

— Que outros?

— Os homens, em geral — respondia ela. E acrescentava, afastando-o com um gesto langoroso: — São todos uns sujos!

Um dia em que conversavam filosoficamente sobre as desilusões terrestres, ela chegou a dizer (para experimentar o ciúme dele ou cedendo talvez a um desejo forte de expansão) que outrora, antes de amá-lo, ela amara outro, "não como a ti", acrescentou rapidamente, jurando pela felicidade da filha que "não acontecera nada".

O jovem acreditou, mas mesmo assim quis saber a profissão do outro.

— Era capitão de navio, meu amigo.

Não estaria tomando uma atitude premeditada ante prováveis inquirições, e ao mesmo tempo se colocando numa posição elevada, pela pretensa fascinação por ela exercida sobre um homem cuja natureza deveria ser belicosa e acostumado a homenagens?

O escrevente sentiu então a pequenez de sua posição; invejou as platinas, as condecorações, os títulos. Tudo aquilo deveria agradá-la; estava de acordo com os seus hábitos dispendiosos.

Entretanto, Emma calava grande parte de suas extravagâncias, como o desejo de possuir, para levá-la a Rouen, um tílburi azul puxado por um cavalo inglês e conduzido por um pajem de botas. Fora Justin quem lhe inspirara esse capricho, suplicando-lhe que o aceitasse como criado de quarto; e, se essa privação não atenuava em cada encontro amoroso o prazer da chegada, certamente aumentava o amargor da volta.

Muitas vezes, quando conversavam sobre Paris, ela acabava por murmurar:

— Ah! Lá viveríamos tão bem!

— Mas já não somos felizes? — perguntava docemente o jovem, acariciando-lhe os cabelos.

— Sim, é verdade, sou uma louca. Beija-me!

Para o marido, ela andava mais encantadora do que nunca; fazia-lhe cremes de pistache e tocava valsas depois do jantar. Ele se achava o mais afortunado dos mortais, e Emma vivia tranquila, até que certa noite ele lhe perguntou, de repente:

— Sua professora não é mademoiselle Lempereur?

— Sim.

— Pois bem, estive com ela há pouco — disse Charles —, na casa de madame Liégard. Falei de ti; ela não te conhece.

Foi como um relâmpago. Mas ela replicou com naturalidade:

— Ah! Com certeza esqueceu meu nome!

— Talvez haja em Rouen — continuou o médico — diversas Mademoiselles Lempereur que sejam professoras de piano.

— É possível! — disse Emma. Depois, com veemência: — Mas tenho os recibos dela! Queres ver?

Foi à secretária, remexeu nas gavetas, misturou os papéis e acabou ficando tão confusa que Charles pediu-lhe para não se importar com aquela tolice.

— Eu os encontrarei — disse ela.

Realmente, na sexta-feira seguinte, Charles, ao apanhar uma de suas botas no compartimento em que as guardava, sentiu uma folha de papel entre o couro e a meia. Apanhou-a e leu:

Recebi, por três meses de aulas, mais materiais diversos, a quantia de 65 francos. Félicie Lempereur, professora de música.

— Como diabo veio isto parar na minha bota?
— Certamente — disse ela — caiu da pasta de documentos que fica na gaveta logo acima.

A partir deste momento, sua vida tornou-se um amontoado de mentiras, em que ela envolvia seu amor, como em véus, para escondê-lo.

Era uma necessidade, uma mania, um prazer, a ponto de, se dizia haver passado no dia anterior pelo lado direito de uma rua, dever-se-ia crer que tomara o lado esquerdo.

Uma manhã em que acabara de partir, como de hábito, levemente vestida, começou de repente a nevar; e como Charles, que da janela observava o tempo, avistou o padre Bournisien na charrete, de Tuvache, que o levava a Rouen, desceu e confiou ao eclesiástico um grande xale, para que o entregasse a madame logo que chegasse à Cruz Vermelha. Uma vez no hotel, Bournisien perguntou onde estava a mulher do médico de Yonville, ao que a hoteleira respondeu que Emma frequentava muito pouco seu estabelecimento. Assim, à noite, ao encontrar-se com madame Bovary na Andorinha, o padre contou-lhe o sucedido, sem parece, aliás, atribuir importância ao fato, porque em seguida passou a elogiar um pregador que fazia maravilhas na catedral e que todas as senhoras iam ouvir.

Embora ele não tivesse pedido explicações, Emma achou que outros, mais tarde, poderiam mostrar-se menos discretos. Julgou portanto de bom alvitre descer sempre na Cruz Vermelha para que os bons moradores da aldeia que a vissem na escada não suspeitassem de nada.

Um dia, entretanto, monsieur Lheureux encontrou-a quando saía do Hotel de Boulogne, de braço com Léon. Emma teve medo de que ele comentasse. Mas o comerciante não era tolo.

Três dias depois entrou no quarto dela, fechou a porta e disse:
— Preciso de dinheiro.

Ela declarou que nada poderia dar. Lheureux desfez-se em gemidos, lembrando todas as facilidades que lhe concedera.

Com efeito, das duas letras assinadas por Charles, Emma até então só pagara uma. Quanto à segunda, o comerciante, a pedido dela, consentira em substituir por duas outras, a prazo bem longo. Em seguida tirou do bolso uma grande lista de encomendas não pagas, a saber: as cortinas, o tapete, o forro das poltronas, diversos vestidos e artigos de toalete, cujo valor subia a cerca de dois mil francos.

Ela baixou a cabeça. Ele prosseguiu:
— Mas, se a senhora não tem dinheiro em espécie, possui bens.

E falou de um pardieiro em Barneville, perto de Aumale, que quase nada rendia. A casa fizera parte de pequena fazenda vendida por monsieur Bovary pai, pois Lheureux sabia de tudo, desde a área da propriedade até o nome dos vizinhos.

— Em seu lugar — disse ele —, eu me desfaria da casa e teria ainda um saldo em dinheiro.

Ela objetou com a dificuldade de encontrar comprador, e Lheureux deu-lhe esperança de conseguir; mas ela perguntou como fazer para vender.

— A senhora não tem a procuração? — perguntou ele.

Aquilo foi como uma lufada de ar fresco.

— Deixe a conta comigo — disse Emma.

— Não, não vale a pena! — retorquiu Lheureux.

Voltou na semana seguinte, vangloriando-se de haver encontrado, depois de muitas negociações, um certo Langlois que havia muito tempo cobiçava a propriedade sem dar a conhecer o preço que oferecia.

— Pouco importa o preço! — exclamou ela.

Mas Lheureux disse que era preciso esperar, cozinhar o sabido em fogo lento. A coisa valia uma viagem, e, como ela não podia ir, o comerciante ofereceu-se para conferenciar pessoalmente com Langlois. Ao voltar, anunciou que o comprador propunha quatro mil francos.

Emma alegrou-se com a notícia.

— Francamente — acrescentou ele —, está bem pago.

Emma recebeu a metade da importância imediatamente e, quando quis saldar a conta anterior, o comerciante disse:

— Sinto pena, palavra de honra, em vê-la desembolsar uma soma tão considerável.

Ela olhou então para as notas; e, pensando no número ilimitado de encontros que aqueles dois mil francos representavam, murmurou:

— Mas como? Que fazer?

— Ora! — disse ele, rindo, com ar tranquilo. — Pode-se escrever o que se quiser numa fatura. Então não conheço meu ofício?

Encarou-a fixamente, tendo nas mãos dois pedaços de papel que fazia deslizar entre os dedos. Finalmente abriu a pasta e colocou na mesa quatro notas promissórias, de mil francos cada uma.

— Assine isto — disse ele — e fique com tudo.

Ela escandalizou-se.

— Mas, se lhe dou o excedente — respondeu monsieur Lheureux —, não é um serviço que lhe presto?

E, tomando uma pena, escreveu sob a conta:

"Recebi de madame Bovary quatro mil francos."

— Por que se inquieta, se dentro de seis meses receberá o resto do produto da venda, e o vencimento da última letra cai depois?

Emma atrapalhou-se nos cálculos, sentindo os ouvidos tinirem como se as moedas de ouro, caindo dos sacos, rolassem à sua volta, no chão. Finalmente Lheureux explicou que tinha um amigo chamado Vinçart, banqueiro em Rouen, que descontaria as quatro notas promissórias, remetendo ele próprio a madame a diferença sobre a dívida real.

Mas, em vez de dois mil, levou apenas 1.800, pois o amigo Vinçart, como era justo, ficara com duzentos, a título de comissão e taxa de desconto.

Pediu ainda, com ar de descaso, um recibo.

— A senhora compreende... no comércio... às vezes... E com data, por favor, com data.

Um horizonte de fantasias realizáveis abriu-se então diante de Emma. Foi suficientemente prudente para guardar de reserva mil escudos, com os quais foram pagas, ao se vencerem, as três primeiras letras; mas a quarta, por acaso, chegou numa quinta-feira, e Charles, atrapalhado, esperou o regresso da mulher para receber explicações.

Se ela não lhe falara na nota, fora para poupar-lhe dissabores domésticos. Sentou-se nos joelhos dele, acariciou-o, ronronou, fazendo longa enumeração de todos os artigos indispensáveis comprados a crédito.

— Afinal, hás de concordar que, à vista da quantidade, não foi assim tão caro.

Charles, sem saber o que fazer, acabou recorrendo ao eterno Lheureux, que jurou conciliar as coisas se monsieur lhe assinasse duas letras, uma das quais de setecentos francos, pagável dentro de três meses. Para safar-se, ele escreveu à mãe uma carta patética. Em vez de responder, a velha foi pessoalmente, e, quando Emma perguntou ao marido se conseguira arrancar-lhe alguma coisa, ele respondeu:

— Sim. Mas ela exige que lhe mostrem a fatura.

No dia seguinte, bem cedo, Emma correu à casa de Lheureux, pedindo-lhe que fizesse uma outra fatura, que não excedesse mil francos, pois, para mostrar a de quatro mil, teria de confessar que pagara dois terços, revelando consequentemente a venda do imóvel, negociação bem conduzida pelo comerciante e que só foi efetivamente conhecida mais tarde.

Apesar do preço muito baixo de cada artigo, madame Bovary mãe não deixou de achar exagerada a despesa.

— Não podiam passar sem um tapete? Por que renovaram o forro das poltronas? No meu tempo, havia nas casas apenas uma poltrona, para as pessoas idosas, pelo menos era assim em casa de minha mãe, que era uma senhora digna — assegurou-lhes. — Nem todos podem ser ricos! Nenhuma fortuna aguenta a dissipação! Eu me envergonharia de fazer o que tu e tua mulher fazem! E no entanto estou velha, preciso de cuidados... Olhem só... enfeites... berloques! Como? Seda para forros a dois francos! Quando há fazendas de dez *sous*, e mesmo de oito, que dão o mesmo resultado!

Emma, deitada na poltrona, replicou com a maior tranquilidade possível:

— Eh, madame, basta, basta!

A outra continuava o sermão, predizendo que ambos terminariam no asilo de indigentes. Afinal, a culpa era de Bovary. Felizmente, ele havia prometido anular aquela procuração...

— Como!?

— Ah! Ele me jurou que o faria — disse a boa senhora.

Emma abriu a janela, chamou Charles; e o pobre homem foi obrigado a confessar que prometera aquilo à mãe.

Emma desapareceu e depois voltou repentinamente, estendendo majestosamente à sogra uma grande folha de papel.

— Obrigada — disse a velha.

E lançou ao fogo a procuração.

Emma começou a rir um riso estridente, sonoro, contínuo; tinha um ataque de nervos.

— Ah, meu Deus! — exclamou Charles. — Tu estás errada, também! Vens aqui pra fazer cenas!

A mãe, encolhendo os ombros, replicava que tudo aquilo era puro fingimento.

Mas Charles, revoltando-se pela primeira vez, tomou a defesa da esposa e com tal veemência que a velha resolveu ir-se. Partiu no dia seguinte, dizendo ao filho, já na porta, quando ele tentava retê-la:

— Não, não! Tu a amas mais do que a mim e tens razão. É a ordem natural das coisas. Afinal, o azar será teu! Tu verás! Felicidades, pois não estou disposta, como dizes, a vir aqui fazer cenas.

Charles não ficou em melhor situação diante de Emma, porque esta não lhe escondeu o rancor por ele haver mostrado não lhe ter confiança; só à custa de muitos rogos ela consentiu em retomar a procuração. Charles chegou a acompanhá-la à casa de monsieur Guillaumin para fazer um segundo documento, inteiramente igual.

— Compreendo — disse o tabelião —, um cientista não se deve preocupar com os pormenores práticos da vida.

Charles sentiu-se confortado com aquela reflexão idiota, que dava à sua fraqueza as aparências lisonjeiras de uma preocupação superior.

Que expansão de alegria, na quinta-feira seguinte, no quarto, com Léon! Ela riu, chorou, cantou, dançou, mandou buscar sorvetes, quis fumar cigarros, pareceu-lhe extravagante, mas adorável, soberba.

Ele não sabia que reação de todo o seu ser a impelia para os prazeres da vida. Emma tornava-se irritadiça, gulosa e voluptuosa; e caminhava com ele pelas ruas, de cabeça erguida, sem receio, dizia ela, de comprometer-se. Às vezes, entretanto, Emma estremecia à ideia de encontrar Rodolphe, pois parecia-lhe, embora estivessem separados para sempre, que jamais se conseguiria libertar de sua dependência.

Uma noite ela não voltou a Yonville. Charles perdeu a cabeça, e a pequena Berthe, que não queria dormir sem a mamãe, soluçava terrivelmente. Justin partira pela estrada, ao acaso, e até Homais deixara a farmácia. Finalmente, cerca de 11 horas, não suportando mais, Charles atrelou a charrete, saltou para dentro, fustigou o cavalo e chegou à Cruz Vermelha pelas duas da manhã. Ninguém. Pensou que talvez o escrevente a tivesse visto; mas onde morava? Charles, felizmente, lembrou-se do endereço do patrão de Léon e correu para lá.

O dia começava a nascer. Distinguiu um letreiro numa porta e bateu. Alguém, sem abrir, gritou de dentro a informação pedida, acrescentando uma série de injúrias contra quem vinha incomodar os outros durante a noite.

A casa onde morava o escrevente não tinha nem campainha, nem aldrava, nem porteiro. Charles bateu com os punhos nas janelas. Um policial aproximou-se; Charles teve medo e se afastou.

— Sou um idiota — disse ele para si mesmo. — Sem dúvida convidaram-na para jantar na casa de madame Lormeaux.

Mas a família Lormeaux não morava mais em Rouen.

Deve ter ficado tratando de madame Dubreuil. Ah! Madame Dubreuil morreu há dois meses. Onde estará ela então?

Teve uma ideia. Pediu num café o Anuário e procurou rapidamente o nome de mademoiselle Lempereur, descobrindo que morava na rua Renelle-des-Marroquiniers, nº 74.

Quando entrou nessa rua, Emma apareceu em pessoa do lado oposto; Charles atirou-se sobre ela mais do que a beijou, perguntando:

— Por que não voltaste ontem?

— Estive doente.

— De quê? Onde? Como?

Ela passou a mão pela testa e respondeu:

— Na casa de mademoiselle Lempereur.

— Foi o que pensei! Ia para lá...

— Oh! Não vale a pena — disse Emma. — Ela acaba de sair. Mas, de futuro, tranquiliza-te. Não posso estar descansada sabendo que o menor atraso te transtorna tanto.

Era uma espécie de licença que ela arranjava para não se constranger em suas fugas, de que se aproveitou amplamente. Quando tinha desejos de estar com Léon, partia sob qualquer pretexto, e, como ele não a esperava naquele dia, ia procurá-lo no cartório.

Foi grande a alegria nas primeiras vezes, mas em breve Léon revelou-lhe a verdade: seu patrão não gostava daquelas intromissões.

— Ora bolas! Vem comigo — dizia ela.

E ele deixava o trabalho.

Ela desejou que ele se vestisse de preto e deixasse uma barbicha em ponta, para se parecer com os retratos de Luís XIII. Quis conhecer o lugar onde ele morava, achando-o medíocre. Léon enrubesceu à observação, mas ela não se importou e aconselhou-o a comprar cortinas iguais às suas e, como ele achou demasiada a despesa, ela comentou, rindo:

— Ah! Agarras-te aos teus pequenos escudos!

Exigia que Léon, cada vez, contasse-lhe tudo o que fizera desde o último encontro. Ela pedia versos, poesias de amor em sua homenagem. Ele nunca chegou a completar a rima do segundo verso e acabou copiando um soneto de um álbum de recordações.

Fê-lo menos por vaidade do que com o fim único de agradar a amante. Não discutia suas ideias, aceitava todos os gostos de Emma. Era mais amante dela do que ela o era sua. Beijava-o com palavras ternas que o arrebatavam. Onde aprendera aquela depravação, quase imaterial, de tão profunda e dissimulada?

VI

Nas viagens que fazia para vê-la, Léon jantara muitas vezes na casa do farmacêutico, achando-se na obrigação, por delicadeza, de convidá-lo por sua vez.

— Com muito prazer! — respondeu monsieur Homais. — Aliás, preciso retemperar-me um pouco, pois estou apodrecendo aqui. Iremos ao teatro, ao restaurante, faremos uma farra!

— Ah, meu amigo! — murmurou ternamente madame Homais, assustada com os perigos vagos que ele se dispunha a enfrentar.

— Ora, que tem? Acha que já não arruíno bastante minha saúde vivendo entre as emanações contínuas da farmácia? É assim, eu sei, o caráter das mulheres: têm ciúmes da ciência e, ao mesmo tempo, opõem-se a que se escolham as mais legítimas distrações. Não importa, pode contar comigo; um dia destes caio em Rouen, e nós dois juntos vamos quebrar todas as bancas.

O boticário, em outros tempos, abster-se-ia de tais expressões, mas afetava agora temperamento folgazão e parisiense, que achava de muito bom gosto; e como madame Bovary, sua vizinha, ele interrogava curiosamente o escrevente sobre os costumes da capital, chegando a falar gíria para deslumbrar... os burgueses. Sua conversa estava comumente cheia de expressões populares.

Desse modo, Emma surpreendeu-se ao encontrá-lo, numa quinta-feira, na cozinha do Leão de Ouro. Monsieur Homais vestira-se de viajante, isto é, usava um velho capote com o qual ninguém jamais o vira antes e trazia numa das mãos a valise e na outra as pantufas que usava na farmácia. Não falara a ninguém que ia viajar, temendo inquietar o público com sua ausência.

A ideia de rever os lugares em que passara a juventude certamente o entusiasmava, pois durante todo o percurso não parou de falar. Depois, logo à chegada, saltou rapidamente do veículo para pôr-se à procura de Léon. Não adiantaram os subterfúgios do escrevente; monsieur Homais arrastou-o para o grande Café de la Normandie, onde entrou majestosamente, sem tirar o chapéu, porque achava muito provinciano descobrir-se em lugar público.

Emma esperou 45 minutos por Léon. Em seguida correu ao cartório e, perdida em toda sorte de conjeturas, acusando-o de indiferença e reprovando sua própria fraqueza, passou a tarde com a testa colada nos vidros da janela.

Às duas horas, os dois homens ainda estavam sentados à mesa, um em frente ao outro. O salão se esvaziava; a chaminé do fogão, em forma de tronco de palmeira, arredondava no teto seu penacho dourado. Perto deles, por trás dos vidros e em pleno sol, um repuxozinho marulhava numa bacia de mármore, onde, entre agriões e aspargos, três lagostas entorpecidas se estendiam até umas cordonizes empilhadas ao lado.

Homais divertia-se. Embora o luxo o embriagasse mais do que a boa aguardente, vinho de Pomard excitava-lhe um pouco as faculdades, e, quando veio a omelete ao rum, passou a expor teorias imorais sobre as mulheres. O que nelas o seduzia acima de tudo era o *chic*. Adorava um vestido elegante num apartamento bem mobiliado e, quanto às qualidades físicas, não desprezava um bom "material".

Léon olhava o relógio de parede, desesperado. O boticário bebia, comia, falava.

— O senhor deve estar — disse ele — muito solitário em Rouen. Aliás, seu amor não mora longe. — E como o outro enrubesceu: — Vamos, seja franco! Pode negar que em Yonville...

O jovem gaguejou.

— Na casa de madame Bovary, não cortejava...

— Quem?

— A empregada!

Homais não zombava; mas, vencido pela vaidade e esquecendo a prudência, Léon protestou, malgrado seu. Além disso, declarou, só gostava de mulheres morenas.

— Aprovo seu gosto — disse o farmacêutico. — Elas são mais ardentes.

E, curvando-se aos ouvidos do companheiro, indicou-lhe os sintomas pelos quais se reconhecia o temperamento de uma mulher. Lançou-se numa divagação sobre diversos tipos de mulheres: as alemãs eram vaporosas; as francesas, libertinas; as italianas, apaixonadas.

— E as negras? — perguntou o escrevente.

— São do gosto dos artistas — disse Homais. — Garçom! Duas xícaras de café!

— Vamos embora? — perguntou Léon, impaciente.

— *Yes*.

Mas, antes de partir, quis falar com o dono do estabelecimento e felicitá-lo.

Então o rapaz, para ficar a sós, alegou que tinha um compromisso.

— Ora! Eu o levarei! — disse Homais.

E, caminhando pelas ruas, falava de sua mulher, dos filhos, do futuro e da farmácia, contando a decadência anterior do estabelecimento e a perfeição em que ele o colocara.

Chegando ao Hotel de Boulogne, Léon largou-o subitamente, subiu a escada e encontrou a amante muito perturbada.

Ao ouvir o nome do farmacêutico, zangou-se. Mas Léon tinha razões fortes: não era sua culpa. Pois ela não conhecia monsieur Homais? Poderia crer que ele preferisse a companhia do boticário à dela? Mas ela lhe deu as costas; Léon segurou-a e, ajoelhando-se, abraçou-a pela cintura, numa atitude langorosa, cheia de concupiscência e de súplica.

Ela estava de pé; seus olhos grandes e brilhantes fitavam-no seriamente de um modo quase terrível. Depois as lágrimas os obscureceram, suas pálpebras rosadas se abaixaram; ela abandonou as mãos, que Léon levou aos lábios, quando apareceu um criado para dizer a monsieur que alguém o procurava.

— Vais voltar? — perguntou ela.

— Sim.

— Mas quando?

— Daqui a pouco.

Ao ver Léon, disse-lhe o farmacêutico:

— Foi um truque meu para livrá-lo da sua visita, que me parecia contrariá-lo. Vamos ao Bridoux tomar um trago.

Léon jurou que precisava voltar ao cartório. O boticário zombou dos processos e da papelada.

— Deixe um pouco Cujas e Barthole, que diabo! Quem o impede? Seja valente! Vamos ao Bridoux; poderá ver o cachorro dele. É interessante! — E como o escrevente se obstinava: — Então vou também ao cartório. Esperarei, lendo um jornal ou folheando um código.

Léon, perturbado pela cólera de Emma, pela tagarelice de monsieur Homais e talvez pelo peso do almoço, ficou indeciso, como que sob a fascinação do farmacêutico, que repetia:

— Vamos ver o Bridoux! É logo ali na rua Malpalu.

E então, por covardia, timidez, por esse inqualificável sentimento que nos impele às ações mais antipáticas, deixou-se levar à casa do Bridoux. Encontraram-no em seu jardinzinho, supervisionando três rapazinhos que faziam girar, ofegantes, a roda de uma máquina de fazer água de Seltz. Homais deu-lhes conselhos, abraçando Bridoux. Depois tomaram licor. Vinte vezes Léon quis escapulir, mas o outro segurava-o pelo braço, dizendo:

— Espere um pouco! Já vou também. Iremos ao *Farol de Rouen*, ver o pessoal. Apresentá-lo-ei ao Thomassin.

Mas Léon conseguiu safar-se e correr ao hotel. Emma já não estava mais.

Acabara de partir, exasperada. Detestava-o, agora. A falta à palavra dada no encontro parecera-lhe um ultraje, e ela procurava ainda outras razões para o rompimento: ele era incapaz de heroísmos, fraco, banal, mais tímido que uma mulher e, ainda por cima, avarento e pusilânime.

Depois, acalmando-se, achou que talvez o estivesse caluniando. Mas pensar mal dos entes amados sempre nos afasta deles. Não se deve tocar nos ídolos; o dourado nos fica nas mãos.

Passaram a falar mais frequentemente de coisas indiferentes ao amor; e nas cartas que Emma escrevia havia referências a flores, versos, lua e estrelas, recursos ingênuos de uma paixão enfraquecida, que tentava avivar-se em fontes exteriores. Prometia-se a si mesma, continuamente, uma felicidade profunda na viagem seguinte, e depois confessava nada sentir de extraordinário. Essa decepção apagava-se rapidamente ante nova esperança, e Emma voltava para ele mais inflamada, mais ávida. Despia-se brutalmente, arrancando a renda delicada do corpete, que sibilava em volta de seu quadril como uma cobra rastejando. Ia, na ponta dos pés nus, verificar ainda uma vez se a porta estava fechada, para em seguida, com um gesto único, deixar cair as roupas; e pálida, sem falar, atirava-se ao peito dele, com longo estremecimento.

Entretanto, havia naquela testa coberta de gotas frias, naqueles lábios balbuciantes, naquelas pupilas vagas, no aperto daqueles braços algo de extremo, de impreciso e lúgubre, que parecia a Léon deslizar entre os dois, sutilmente, como para separá-los.

Ele não ousava fazer perguntas, mas sabendo-a experimentada, dizia a si mesmo que ela deveria ter passado por todas as provas do sofrimento e do prazer. O que o encantara outrora passara a amedrontá-lo. Além do mais, revoltava-se contra a absorção, cada dia maior, de sua personalidade. Detestava Emma por aquela vitória permanente. Esforçava-se até por não a amar; mas, ao ruído de seus passos, sentia-se covarde, como os alcoólatras diante de bebidas fortes.

Ela não deixava, é verdade, de prodigalizar-lhe todas as atenções, dos prazeres da mesa às vaidades de costume e à ternura dos olhares. Trazia de Yonville rosas no seio, que lhe lançava ao rosto; mostrava preocupação por sua saúde, dava-lhe conselhos sobre sua conduta; e, para retê-lo mais, esperando que o céu a ajudasse, passou-lhe ao pescoço uma medalha da Virgem. Pedia informações sobre seus companheiros, como uma mãe virtuosa. Dizia-lhe:

— Não os vejas, não saias, não penses senão em nós; ama-me!

Desejou poder controlar sua vida e teve a ideia de mandar segui-lo pela rua. Havia sempre, junto ao hotel, um vagabundo que assediava os viajantes e que não recusaria. Mas seu orgulho revoltou-se.

— Ora, azar! Se me engana, que me importa? Não me incomodo!

Um dia em que se tinham despedido cedo, quando ela voltava sozinha pela avenida, viu os muros de seu convento. Sentou-se então num banco, à sombra dos olmos. Que calma, naquele tempo! Como ela invejava os inefáveis sentimentos de amor que procurara imaginar através dos livros!

Os primeiros meses de sua vida de casada, os passeios a cavalo na floresta, o visconde que valsava, Lagardy cantando, tudo passou diante dos seus olhos... e Léon pareceu-lhe de repente tão distante quanto os outros.

— Mas eu o amo! — exclamou ela.

Não importava. Ela não era feliz, jamais o fora. De onde vinha então aquela insuficiência em sua vida, aquela podridão instantânea das coisas em que ela tocava? Mas, se havia em algum lugar um ser forte e belo, uma natureza valorosa, cheia ao mesmo tempo de entusiasmo e de refinamento, um coração de poeta sob a forma de anjo, lira com cordas de bronze tocando no céu epitalâmios elegíacos, por que, por acaso, não o haveria de encontrar? Oh! Que impossibilidade! Nada, aliás, valia o desgosto de uma busca; tudo era mentira! Cada sorriso escondia um bocejo de aborrecimento; cada alegria, uma maldição; cada prazer, um desgosto; e os melhores beijos não deixavam nos lábios senão um desejo irrealizável de uma volúpia maior.

Uns suspiros metálicos se fizeram ouvir, e os sinos do convento badalaram quatro vezes. Quatro horas! Parecia-lhe ter estado uma eternidade naquele banco. Mas um infinito de paixões cabe num minuto como uma multidão num cubículo.

Emma vivia tão ocupada com seu coração que não se importava mais com dinheiro, como uma arquiduquesa.

Certo dia, entretanto, um homem de corpo franzino, rubicundo e calvo entrou em sua casa, declarando-se enviado de monsieur Vinçart, de Rouen. Retirou os alfinetes que fechavam o bolso lateral de seu casaco verde e comprido, espetou-os na manga e apresentou-lhe polidamente um papel.

Era uma letra de quinhentos francos, assinada por ela e que Lheureux, apesar de seus protestos, endossara para Vinçart.

Ela mandou a empregada buscar Lheureux. A resposta foi que ele não podia vir.

O desconhecido, que ficara de pé, lançando à direita e à esquerda olhares curiosos, dissimulados pelas fartas sobrancelhas louras, perguntou com ar ingênuo:

— Que resposta dou a monsieur Vinçart?

— Bem... — disse Emma. — Diga-lhe que... que não os tenho... que pagarei na próxima semana... que ele espere... sim, na próxima semana.

E o homem partiu sem dizer palavra.

Mas no dia seguinte Emma recebeu um protesto; e à vista do papel timbrado, onde estava impresso diversas vezes, em letras grandes, "Mestre Hareng, meirinho de Buissy", amedrontou-se tanto que ela correu a toda pressa à casa do comerciante.

Encontrou-o na loja, amarrando um pacote.

— Às ordens! — disse ele.

Lheureux não interrompeu o trabalho, em que o ajudava uma mocinha de uns 13 anos, um pouco corcunda, que lhe servia ao mesmo tempo de caixeira e de cozinheira.

Depois, fazendo barulho com os sapatos no assoalho da loja, levou madame ao primeiro andar, introduzindo-a num gabinete estreito onde uma escrivaninha de madeira guardava alguns livros de registro, protegidos transversalmente por uma barra de ferro com correntes. Junto à parede, sob peças de tecido, havia um cofre-forte, mas de tais dimensões que devia conter mais coisas além de letras e dinheiro. Monsieur Lheureux, com efeito, emprestava dinheiro contra penhores e pusera no cofre a corrente de ouro de madame Bovary, além dos brincos do pobre Tellier, o qual, finalmente obrigado a vendê-los, comprara em Quincampoix um miserável fundo de mercearia, onde morria dos pulmões, em meio a velas de sebo menos amarelas que sua cara.

Lheureux sentou-se numa grande poltrona de palha, perguntando:

— Que há de novo?

— Veja.

E mostrou-lhe o papel.

— Muito bem; e que posso fazer?

Ela zangou-se então, lembrando a palavra que ele dera de não endossar suas letras.

— Mas fui obrigado a fazê-lo; tinha a corda no pescoço.

— Que vai acontecer agora? — perguntou ela.

— Oh, é simples; um julgamento no tribunal, depois a penhora.

Emma conteve-se para não agredi-lo. Perguntou, com calma, se não havia meio de contemporizar com Vinçart.

— Ah, contemporizar com Vinçart! A senhora não o conhece, ele é mais feroz que um árabe.

Mas era preciso que Lheureux a ajudasse.

— Escute! Parece-me que até agora tenho sido muito condescendente com a senhora. — E abrindo um de seus registros: — Veja! — Virava as páginas com os dedos. — Vejamos, vejamos... dia 3 de agosto, duzentos francos... 17 de junho, 150... 23 de março, 46... em abril... — Calou-se como se temesse dizer algo errado. — E sem falar nas letras assinadas por seu marido, uma de setecentos francos e outra de trezentos! Quanto às suas pequenas contas, com juros, não se acabam mais, e até se confundem. Não posso fazer nada!

Ela chorou, chegando a chamá-lo de "meu bom monsieur Lheureux". Mas ele culpava sempre o "velhaco do Vinçart". Além do mais, dizia, não tinha um cêntimo, ninguém mais lhe pagava, só tinha a roupa do corpo; um pobre vendeiro como ele não podia fazer extravagâncias.

Emma calou-se. Lheureux, que mordiscava a ponta de uma caneta, sem dúvida inquietou-se com seu silêncio, pois falou:

— Ao menos, se qualquer dia destes entrasse alguma coisa... eu poderia...

— Bem — disse ela —, há os atrasados de Barneville...

— Como?

E, ao ser informado de que Langlois ainda não pagara, pareceu surpreender-se. Depois, disse com voz melosa:

— E a senhora concordaria...?

— Com o que quiser!

Ele fechou os olhos para refletir, escreveu alguns algarismos e, declarando que aquilo era terrível, que a coisa era escabrosa e que lhe representava uma sangria, ditou quatro letras de 250 francos cada uma, com vencimentos a intervalos de um mês.

— Espero que Vinçart queira ouvir-me! Afinal, está combinado, porque não sou de esconder nada; sou claro como a água.

Em seguida mostrou-lhe negligentemente diversas mercadorias novas, das quais nenhuma, em sua opinião, era digna de madame.

— Veja, vestidos de sete *sous* o metro, que os fabricantes dizem ter cores firmes! Eles procuram enganar todo mundo. Não se diz a ninguém o que é isto...

E, com essa confissão da patifaria dos outros, esperava convencê-la de sua probidade.

Mostrou-lhe ainda três peças de renda, que encontrara ultimamente.

— Não é bonita? — perguntou Lheureux. — Usa-se muito agora para poltronas; é a moda.

E, mais rápido que um prestidigitador, embrulhou o tecido em papel azul e meteu-o nas mãos de Emma.

— Pelo menos, diga-me...

— Ah! Mais tarde — disse ele, dando-lhe as costas.

Já naquela noite, Emma insistiu com Bovary para que escrevesse à mãe, a fim de que ela remetesse rapidamente os atrasados da herança. A sogra respondeu que já não restava nada: a liquidação estava encerrada, e sobrava-lhes, além de Barneville, seiscentas libras de renda, que ela reembolsaria oportunamente.

Emma resolveu então expedir faturas para dois ou três clientes, e logo para muitos outros, pois o método dava resultado. Tinha sempre o cuidado de acrescentar um *postscriptum*: "Não diga nada a meu marido... O senhor sabe como ele é orgulhoso. Desculpe. Sempre às ordens..."

Houve algumas reclamações, que ela interceptou.

Para conseguir dinheiro, vendeu suas luvas velhas, chapéus usados, ferragens. Regateava ferozmente, seu sangue de camponesa a impelia ao lucro. Em suas viagens à cidade, comprava bugigangas, que Lheureux, à falta de outra coisa, certamente lhe compraria. Adquiriu para si penas de avestruz, porcelana chinesa e baús. Pedia emprestado a Félicité, a madame Lefrançois, à hoteleira da Cruz Vermelha, a todo mundo, em qualquer lugar. Com o dinheiro que finalmente recebeu de Barneville, pagou duas letras. Os outros 1.500 francos voaram. Ela assinou novas promissórias. Era um nunca acabar!

Às vezes, é verdade, procurava fazer cálculos; mas descobria cifras tão exorbitantes que não podia crer. Recomeçava então, mas logo se atrapalhava e desistia.

A casa estava bem triste, agora! Dela saíam os fornecedores com caras furiosas. Moscas passeavam pelo forno, e a pequena Berthe, para escândalo de monsieur Homais, usava meias furadas. Se Charles, timidamente, ousava fazer uma observação, ela respondia com brutalidade que não era sua culpa!

Por que aquelas raivas? O médico explicava tudo por meio da antiga doença nervosa da mulher; e, recriminando-se por haver tomado como defeito o que na realidade era moléstia, acusava-se de egoísmo, com desejos de correr a beijá-la.

— Oh, não — dizia ele a si mesmo —, eu a aborreceria! E deixava-se estar.

Depois do jantar, passeava sozinho no jardim. Punha a filha nos joelhos e, desdobrando o jornal de medicina, procurava ensiná-la a ler. A menina, que não estudava nunca, não tardava a arregalar os olhos tristes e chorar. Ele a consolava, então; ia buscar água no regador para fazer rios na areia, ou cortava galhos para transplantá-los para as latadas, o que estragava um pouco o jardim, cheio de ervas crescidas. Já deviam tanto a Lestiboudois! Depois a criança sentia frio e chamava pela mãe.

— Chama a criada — dizia Charles. — Sabes bem, minha querida, que mamãe não gosta que a incomodem.

Começava o outono e algumas folhas já caíam — como havia dois anos, quando ela estivera doente! Quando terminaria tudo aquilo? E Charles continuava a caminhar com as mãos atrás das costas.

Madame ficava em seu quarto. Ninguém ia lá. Ela permanecia deitada o dia inteiro, sem quase se vestir, cochilando, e de vez em quando queimava pastilhas de um defumador que comprara em Rouen, na loja de um argelino. Para não ter a seu lado, durante a noite, aquele homem a dormir, conseguiu, à força de caretas, mandá-lo para o segundo andar; e lia até de manhã livros extravagantes em que havia descrições de orgias e cenas de sangue. Muitas vezes sentia terror e gritava. Charles acorria.

— Ora, vai-te daqui! — dizia ela.

Outras vezes, sentindo mais forte aquela chama íntima que o adultério avivava, ofegante, perturbada, cheia de desejos abria a janela, aspirava o ar frio, espalhava ao vento a cabeleira densa e, contemplando as estrelas, suspirava por amores de príncipes. Pensava nele, em Léon. Daria tudo por um só encontro que a saciasse.

Eram seus dias de gala. Ela os desejava esplêndidos! Como o amante não podia pagar, sozinho, suas despesas, ela completava liberalmente a diferença, o que acontecia quase todas as vezes. Ele tentou fazê-la compreender que poderiam estar num hotel mais modesto, mas Emma opôs objeções.

Um dia, tirou da bolsa seis pequenas colheres de *vermeil* (o presente de núpcias do pai Rouault), pedindo-lhe que fosse levá-las imediatamente à casa de penhores. Léon obedeceu, embora a incumbência o desagradasse; tinha medo de comprometer-se.

Depois, refletindo melhor, achou que a amante assumia maneiras estranhas e que não era estranho quererem separá-los.

Realmente, alguém enviara à sua mãe longa carta anônima avisando-a de que o filho "perdia-se com uma mulher casada". A boa dama, entrevendo o eterno espantalho das famílias, isto é, a vaga criatura perniciosa, a sereia, o monstro que habita fantasticamente as profundezas do amor, escreveu a Mestre Dubocage, seu patrão, que agiu com muita correção. Conversou com Léon durante 45 minutos, procurando abrir-lhe os olhos e adverti-lo do perigo. Se houvesse uma intriga, poderia prejudicar mais tarde seu estabelecimento. Suplicou-lhe que rompesse tudo, e, se não quisesse fazer esse sacrifício em seu próprio benefício, pelo menos que o fizesse por ele, Dubocage!

Léon acabara por jurar que nunca mais veria Emma; e reprovava-se por não haver cumprido a palavra, considerando tudo o que aquela mulher lhe poderia trazer em vexames, sem contar as zombarias dos colegas, todas as manhãs, em volta do fogo. Além disso, ia passar a primeiro-escrivão, era o momento de tornar-se sério. Assim, renunciou à música, aos sentimentos exaltados, à imaginação. Pois todo burguês, no calor da juventude, mesmo num único dia ou num fugaz minuto, sempre acredita ter capacidade para imensas paixões e elevadas empresas. O mais medíocre libertino já sonhou com sultanas; cada escrevente traz em si as ruínas de um poeta.

Aborrecia-se agora quando Emma, de repente, soluçava em seu peito. Seu coração, como as pessoas que não podem suportar senão certa dose de música, enchia-se de indiferença no tumulto de um amor cujas delicadezas ele já não distinguia.

Os dois já se conhecem demais para sentirem aquela volúpia da posse que centuplica a alegria. Ela já se cansara dele, como ele dela. Emma encontrava no adultério todo o ramerrão do casamento.

Mas como livrar-se daquilo? Não adiantava sentir-se humilhada pela baixeza de tal felicidade; permanecia assim por hábito ou por corrupção. Cada dia chafurdava-se mais, esgotando toda a ventura por desejá-la maior. Acusava Léon por suas esperanças não realizadas, como se ele a tivesse traído, e chegava a desejar uma catástrofe que levasse à separação, já que não tinha coragem de decidir-se sozinha.

Mas não deixava de escrever-lhe cartas de amor, por causa da ideia de que uma mulher deve sempre escrever ao amante.

Ao fazê-lo, entretanto, pensava em outro homem, em um fantasma feito de suas lembranças mais ardentes, de suas ambições mais raras. E afinal ele se tornava tão real e tão acessível que ela palpitava, maravilhada, sem sequer poder imaginá-lo claramente, pois se perdia, como um deus, na abundância de seus atributos. Habitava o país azul onde as escadas de seda pendem dos balcões, ao perfume das flores, ao luar. Sentia-o junto a si; ele viria e a possuiria num beijo. Em seguida ela caía na realidade, decepcionada, pois aquelas volúpias de um amor vago fatigavam-na mais do que orgias.

Experimentava agora um cansaço incessante e universal. Muitas vezes, Emma recebia intimações, papéis timbrados que quase não lia. Desejava não viver mais, ou dormir eternamente.

Na metade da quaresma, não voltou a Yonville; foi ao baile de máscaras, à noite. Vestiu casaco de veludo e meias vermelhas, com uma cabeleira postiça e uma lâmpada na orelha. Pulou a noite inteira, ao som furioso dos trombones. Todos faziam um círculo à sua volta. Encontrou-se, pela manhã, sob a marquise do teatro, entre cinco ou seis mascarados fantasiados de marinheiro, amigos de Léon, que falavam em ir cear.

Os cafés da vizinhança estavam cheios. Encontraram no porto um restaurante de terceira classe, cujo dono lhes abriu um pequeno quarto, no terceiro andar.

Os homens cochicharam a um canto, certamente consultando-se sobre a despesa. Havia um escrevente, dois estudantes e um caixeiro: que companhia para ela! Quanto às mulheres, Emma percebeu logo que eram prostitutas. Teve medo então, recuou a cadeira e baixou os olhos.

Os outros começaram a comer. Ela não comeu. Tinha a testa em fogo, um formigamento nas pálpebras e um frio de gelo na pele. Em sua cabeça, sentia o assoalho do baile tremendo ainda às pulsações rítmicas dos mil pés que dançavam. O odor da bebida e dos charutos perturbou-a. Desmaiou. Levaram-na à janela.

O dia começava a surgir, e uma grande mancha purpúrea alargava-se no céu pálido do lado de Sainte-Cathérine. O rio, alvacento, arrepiava-se ao vento. Não havia ninguém nas pontes, e os lampiões se apagavam.

Emma reanimou-se e pensou em Berthe, que dormia na aldeia, no quarto da criada. Uma charrete cheia de fitas coloridas passou na rua, lançando contra as paredes das casas uma vibração metálica ensurdecedora.

Esquivou-se repentinamente, tirou a fantasia, disse a Léon que precisava voltar e terminou por ficar sozinha no Hotel de Boulogne. Tudo, mesmo ela própria, lhe era insuportável. Desejou voar como um pássaro, para ir rejuvenescer em alguma parte, bem longe, nos espaços imaculados.

Saiu, atravessou o bulevar, a praça Cauchoise e a avenida, chegando a uma rua que dominava os jardins. Caminhava depressa e o ar livre a acalmava. Pouco a pouco, as figuras da multidão, as máscaras, as quadrilhas, os lustres, a ceia, as mulheres, tudo desapareceu como a névoa levada pelo vento. Voltando à Cruz Vermelha, jogou-se na cama, no pequeno quarto do segundo andar, onde havia as gravuras da Torre de Nesle. Às quatro da manhã, Hivert acordou-a.

Ao chegar à casa, Félicité mostrou-lhe uma folha de papel cinzento, atrás do relógio. Emma leu:

Em virtude da prova dos autos, na forma executória do julgamento...

Que julgamento? Na véspera, com efeito, haviam trazido um papel que ela não lera. Surpreendeu-se com as palavras:

Intimação, por ordem do Rei, da Lei e da Justiça, a madame Bovary...

Saltando diversas linhas, encontrou:

Dentro de 24 horas, o mais tardar... pagar a soma total de oito mil francos.

E mais abaixo havia:

A isso será obrigada, pelas vias de direito, especialmente pela penhora executória de seus móveis e pertences.

Que fazer? Em 24 horas... No dia seguinte! Lheureux, pensou ela, com certeza queria assustá-la novamente. Adivinhou de repente todas as suas manobras, o objetivo de sua solicitude. O que lhe dava alguma esperança era o exagero da importância. À força de comprar, de não pagar, de pedir emprestado, de assinar letras e renová-las com juros em cada vencimento, ela acabara por formar para Lheureux um capital que ele esperava impacientemente para suas especulações.

Apresentou-se na casa dele com ar despreocupado.

— Sabe o que me aconteceu? Trata-se certamente de uma brincadeira.

— Não.

— Como assim?

Ele voltou-se lentamente e disse, cruzando os braços:

— A senhora pensava então que eu iria ser, até a consumação dos séculos, seu fornecedor e banqueiro por caridade? É preciso que eu receba o que me é devido, sejamos justos!

Ela protestou o montante da dívida.

— Ah, que posso fazer? O tribunal reconheceu-a! Houve um julgamento! A senhora foi notificada! Além disso, não fui eu, foi Vinçart.

— Mas o senhor não poderia...?

— Nada posso fazer.

— Mas... espere um pouco... raciocinemos.

Ela procurou contemporizar. Não soubera de nada... fora uma surpresa...

— E de quem é a culpa? — disse Lheureux, ironicamente. — Enquanto eu trabalho como um escravo, a senhora se diverte.

— Ah! Não me venha com lições de moral!

— Isso não me preocupa — disse ele.

Emma abrandou-se, suplicou-lhe, chegando a encostar a mão delicada e branca nos joelhos do comerciante.

— Deixe-me! Poderiam dizer que a senhora quer seduzir-me!
— O senhor é um miserável! — exclamou ela.
— Oh! Oh! Não se zangue! — replicou ele, rindo.
— Todos vão saber quem o senhor é. Direi a meu marido...
— Está bem! E eu mostrarei uma coisa a seu marido!

E Lheureux tirou do cofre-forte o recibo de 1.800 francos que ela lhe dera quando do desconto da letra do estabelecimento de Vinçart.

— Acha que ele não vai compreender seu roubozinho, o pobre homem?

Ela esmoreceu, como se tivesse levado uma pancada. Lheureux caminhava da janela à escrivaninha, repetindo:

— Ah! Eu mostrarei! Hei de mostrar!

Depois, aproximou-se dela, dizendo, com voz doce:

— Não é divertido, bem o sei; afinal, não morreu ninguém, e já que é o único meio que lhe resta de devolver meu dinheiro...

— Mas onde acharei dinheiro? — disse Emma, torcendo as mãos.

— Ora! Quando se tem amigos como a senhora!

E olhava-a com expressão tão perspicaz e terrível que ela estremeceu até as entranhas.

— Prometo-lhe — disse ela. — Assinarei...
— Já tenho muitas assinaturas suas.
— Mas vou vender...
— Ora — disse ele, encolhendo os ombros —, a senhora já não tem mais nada. — E gritou pelo postigo que dava para a loja: — Anette! Não se esqueça dos três títulos do número 14!

A empregada apareceu. Emma compreendeu e perguntou "que quantia seria necessária para cessar todas as ações".

— É tarde demais!
— Mas se eu lhe trouxesse alguns milhares de francos, um quarto do total, um terço, quase tudo?
— Não, é inútil!

E empurrava-a delicadamente para a escada.

— Suplico-lhe, monsieur Lheureux, mais alguns dias! — Emma soluçava.

— Ah! — disse ele. — Lá vêm as lágrimas!

— O senhor me desespera!

— E que me importa? — concluiu ele, fechando a porta.

VII

Ela mostrou-se estoica, no dia seguinte, quando o meirinho Hareng, com duas testemunhas, apresentou-se em sua casa para fazer o processo verbal da penhora.

Começaram pelo consultório de Bovary e não arrolaram a cabeça frenológica, que foi considerada como "instrumento de sua profissão". Mas contaram na cozinha os pratos, as marmitas, as velas, e, no quarto de dormir, todos os enfeites da cômoda. Examinaram os vestidos, a roupa de baixo, os produtos de toalete. Sua existência, até nos aspectos mais íntimos, estendeu-se, como um cadáver na autópsia, diante do olhar daqueles três homens.

Monsieur Hareng, todo abotoado num casaco preto fino, de gravata branca e presilhas nas calças muito esticadas, repetia de vez em quando:

— Com licença, madame! Com licença!

Vez por outra, exclamava:

— Que beleza! Tão bonito!

Punha-se então a escrever, mergulhando a pena num tinteiro de chifre que segurava na mão esquerda.

Quando terminaram os cômodos, subiram ao sótão. Ela guardava ali um cofre em que trancara as cartas de Rodolphe.

— Ah! Correspondência! — disse Hareng com um sorriso discreto. — Permita-me, entretanto. Preciso certificar-me de que não contém mais nada.

E inclinou os papéis levemente, como para fazer tombar notas que pudessem estar ocultas. Emma sentiu-se indignada, ao ver aquelas mãos grosseiras, de dedos vermelhos e úmidos como lesmas, pousarem nas páginas que haviam feito palpitar seu coração.

Finalmente os homens partiram. Félicité voltou. Emma mandara-a vigiar a volta de Bovary, para evitar que ele visse o que se passava. As duas mulheres instalaram no sótão o guardião da penhora, que jurou permanecer lá.

Charles pareceu-lhe preocupado durante a noite. Emma olhava-o cheia de angústia, acreditando ver acusações nas rugas de seu rosto. Depois, quando seus olhos pousavam na lareira guarnecida de telas chinesas, nas grandes cortinas, nas poltronas, em todas aquelas coisas que haviam adoçado o amargor de sua vida, sentia remorso, ou melhor, uma tristeza imensa que irritava a paixão, em lugar de diminuí-la. Charles atiçava placidamente o fogo com os pés nas grades da lareira.

Em dado momento o guardião, certamente aborrecendo-se no esconderijo, fez barulho.

— Quem está lá em cima? — perguntou Charles.

— Não é nada — disse ela. — Com certeza foi o vento que bateu uma janela.

Emma partiu para Rouen no dia seguinte, um domingo, para ir à casa de todos os banqueiros cujo nome conhecia. Estavam quase todos no campo, ou viajando. Ela não se deixou vencer e pediu dinheiro aos que encontrou, assegurando que precisava muito e que devolveria. Alguns riram-lhe no rosto; todos recusaram.

Às duas horas correu para a casa de Léon, batendo à porta. Depois de algum tempo, ele apareceu.

— Por que vieste?

— Perturbo-te?

— Não... mas...

E ele teve de confessar que o proprietário não gostava que se recebessem "mulheres".

— Preciso falar-te — disse ela.

Ele pegou a chave. Ela o impediu:

— Aqui não! Vamos à nossa casa.

E foram para o quarto do Hotel de Boulogne.

Emma, ao chegar, bebeu um grande copo d'água. Estava muito pálida.

— Léon, vais prestar-me um favor. — E segurando-lhe as mãos, que sacudia, ela acrescentou: — Escuta, preciso de oito mil francos!

— Mas estás louca!

— Ainda não!

E, contando a história da penhora, ela expôs sua aflição, pois Charles ignorava tudo, a sogra a detestava, o pai Rouault nada podia fazer, mas ele, Léon, ia pôr mãos à obra para conseguir aquela quantia indispensável...

— Mas como queres tu...

— Como és covarde! — disse ela.

Ele então respondeu, tolamente:

— Tu exageras. Talvez o teu amigo se acalme com mil escudos?

Era uma razão a mais para tentar alguma coisa; não era possível que não conseguissem pelo menos três mil francos. Além disso, Léon poderia assumir em seu lugar.

— Vai! Tenta! É preciso! Corre! Oh! Tenta, tenta! Eu te amarei tanto!

Ele saiu, voltando uma hora depois, e disse com expressão solene:

— Estive na casa de três pessoas... inutilmente!

Ficaram sentados um em frente ao outro, de cada lado da lareira, imóveis, sem falar. Emma encolheu os ombros, batendo o pé. Léon ouviu-a murmurar.

— Se eu estivesse em teu lugar, bem que acharia um meio!

— Onde?

— No cartório em que trabalhas!

E encarou-o.

Uma astúcia infernal luzia em suas pupilas inflamadas, e suas pálpebras aproximavam-se de maneira lasciva e animadora, de tal forma que o jovem sentiu-se enfraquecer sob a vontade muda daquela mulher, que lhe aconselhava um crime. Teve medo, então, e, para evitar o pior, bateu na testa, exclamando:

— Morel deve voltar hoje à noite! Ele não me recusará, espero. — Era um de seus amigos, filho de um negociante muito rico. — Eu te entregarei o dinheiro amanhã — acrescentou.

Emma não pareceu acolher aquela esperança com tanta alegria como ele pensara. Suspeitara de mentira? Ele continuou, enrubescendo:

— Mas, se não me vires às três horas, não me esperes, querida. Preciso ir agora. Adeus!

Apertou-lhe a mão, mas sentiu-a inerte. Emma já não tinha forças para nenhum sentimento.

Os sinos bateram quatro horas e ela ergueu-se para voltar a Yonville, obedecendo ao impulso dos hábitos como um autômato.

O dia estava lindo; era uma dessas tardes do mês de março, claras e exuberantes, em que o sol reluz num céu branco. Os habitantes da cidade, em roupas domingueiras, passeavam com ar satisfeito. Ela chegou ao adro da catedral. As pessoas saíam do ofício das vésperas, escoando-se pelos três pórticos, como um rio pelos três arcos de uma ponte; e no meio, mais imóvel que um rochedo, estava o suíço.

Ela se lembrou então daquele dia em que, ansiosa e cheia de esperança, entrara na grande nave que se estendia à sua frente, menos profunda que seu amor. Continuou a caminhar, chorando sob o véu, confusa, cambaleante, quase desmaiando.

— Arreda! — gritou uma voz que vinha de uma boleia de carruagem.

Ela parou para deixar passar um cavalo negro que puxava um tílburi cujo passageiro era um cavalheiro com um abrigo de peles. Quem seria? Ela o conhecia... a carruagem prosseguiu e desapareceu.

Era ele, o visconde! Emma voltou-se; a rua estava deserta. Ficou tão acabrunhada e triste que se encostou a um muro para não cair.

Depois achou que se tinha enganado. Renunciava a pensar. Tudo, em si mesma e ao seu redor, abandonava-a. Sentiu-se perdida, rolando ao acaso em abismos indefiníveis, e foi quase com alegria que viu, ao chegar à Cruz Vermelha, o bom Homais, que fiscalizava o carregamento na Andorinha de uma grande caixa com apetrechos farmacêuticos. Segurava na mão, embrulhados num lenço, seis pães de leite para sua mulher.

Madame Homais gostava muito daqueles pãezinhos pesados, em forma de turbante, que se comem com manteiga derretida durante a Quaresma. Era o último remanescente das comidas góticas, que remonta talvez ao século das Cruzadas, alimento que os robustos normandos outrora usavam largamente, acreditando ver na mesa, à luz das tochas amareladas, entre os canecões de vinho açucarado e as vitualhas gigantescas, cabeças de sarracenos para serem devoradas. A mulher do boticário mastigava-os como eles, apesar de sua dentição deficiente. Todas as vezes que monsieur Homais ia à cidade, nunca deixava de levar-lhe os pães, que comprava sempre numa confeitaria de luxo na rua Massacre.

— Encantado em vê-la! — disse ele, oferecendo a mão a Emma para ajudá-la a embarcar.

Depois colocou o lenço com os pães na prateleira de fios trançados e deixou-se ficar, de cabeça descoberta e braços cruzados, numa atitude pensativa e napoleônica.

Mas, quando o cego, como de hábito, apareceu na encosta, ele exclamou:

— Não compreendo como as autoridades ainda toleram atividades tão nojentas! Esses infelizes deveriam ser internados e obrigados a alguma espécie de trabalho. O Progresso, palavra de honra, caminha a passos de cágado! Estamos chafurdados em plena barbárie!

O cego estendeu o chapéu, que ficou batendo na beira da portinhola, como um forro de bolso despregado.

— Eis aí — disse o farmacêutico — uma afecção escrofulosa!

E, embora conhecesse o pobre-diabo, fingiu que o via pela primeira vez, murmurando as palavras "córnea", "córnea opaca", "esclerótica", "fácies", perguntando finalmente, em tom paternal:

— Sofres há muito tempo, meu amigo, dessa espantosa moléstia? Em lugar de te embebedares, farias melhor em seguir um regime.

Aconselhou-o a tomar bom vinho, boa cerveja, comer bons assados. O cego continuava sua canção; parecia, aliás, quase idiota. Enfim, monsieur Homais abriu a bolsa.

— Toma um *sou*, mas dá-me o troco. E não esqueças minhas recomendações, que hás de melhorar.

Hivert permitiu-se fazer em voz alta reparos à eficácia dos conselhos. Mas o boticário asseverou que o curaria com uma pomada antiflogística de sua invenção e deu o endereço:

— Monsieur Homais, perto do mercado, bastante conhecido.

— Muito bem — disse Hivert para o cego. — Para pagar a consulta, vais mostrar-nos a comédia.

O infeliz ajoelhou-se e deitou a cabeça para trás, rolando os olhos esverdeados e pondo a língua de fora, enquanto batia no estômago com as duas mãos, dando uivos surdos como um cão faminto. Emma, cheia de nojo, lançou-lhe por cima do ombro uma moeda de cinco francos. Era toda a sua fortuna. Parecia-lhe belo lançá-la assim.

A carruagem reencetara a marcha, quando de repente monsieur Homais debruçou-se na janela e gritou:

— Nada de farináceos nem de laticínios! Usa lã sobre a pele e expõe as partes doentes à fumaça de bagas de gengibre!

O espetáculo das coisas conhecidas que desfilavam diante de seus olhos pouco a pouco fazia Emma esquecer a dor que sentia. Uma fadiga intolerável dominava-a, e chegou em casa desanimada, quase adormecendo.

— Venha o que vier! — disse para si mesma.

Além disso, quem sabe? Por que, de um momento para outro, não poderia surgir um acontecimento extraordinário? O próprio Lheureux poderia morrer.

Às nove horas da manhã, foi despertada por um ruído de vozes na praça. Havia um ajuntamento no mercado para ler um grande cartaz colado numa das pilastras. Emma viu Justin subir num caixote e rasgar o cartaz. No mesmo instante, um guarda-florestal agarrou-o pela gola. Monsieur Homais saiu da farmácia, e madame Homais, no meio da multidão, parecia discursar.

— Madame! Madame! — gritou Félicité, entrando no quarto. — É um horror!

E a pobre moça, emocionada, estendeu-lhe um papel amarelo que acabara de arrancar da porta. Emma leu num relance: todos os seus móveis estavam à venda.

Ambas se entreolharam silenciosamente. Patroa e empregada não tinham segredos uma para a outra. Finalmente, Félicité suspirou:

Se eu fosse a senhora, iria à casa de monsieur Guillaumin.

— Acreditas...?

E essa interrogação queria dizer: "Tu que conheces a casa por intermédio do criado sabes se o patrão alguma vez falou em mim?"

— A senhora deve ir, creio que será bom.

Ela vestiu-se, pondo o costume preto e o capote de vidrilhos. Para que não a vissem (havia ainda muita gente na praça) foi pelo caminho à beira do rio.

Chegou ofegante à porta do tabelião. O céu estava sombrio e caía um pouco de neve.

Ao som da campainha, Théodore, de colete vermelho, apareceu à porta. Veio abrir-lhe o portão quase familiarmente, como a uma conhecida, e introduziu-a na sala de jantar.

Um grande aquecedor de porcelana zumbia sob um cacto que decorava o nicho; em molduras de madeira negra, sobre a parede cujo papel imitava carvalho, havia a *Esmeralda* de Steuben e a *Putifar* de Chopin. A mesa servida, dois aquecedores de prata, as maçanetas de cristal das portas, o assoalho e os móveis, tudo luzia com asseio meticuloso, britânico; as vidraças da janela, em cada ângulo, tinham partes coloridas.

"Eis uma sala de jantar", pensou Emma, "como eu desejaria possuir."

O tabelião entrou com o braço esquerdo segurando junto ao corpo o *robe de chambre*, enquanto retirava e tornava a colocar rapidamente o boné de veludo castanho, pretensiosamente virado para o lado direito, onde caíam as pontas de três melenas louras que, presas à nuca, contornavam-lhe a calva.

Depois de oferecer uma cadeira, sentou-se para almoçar, pedindo desculpas pela falta de delicadeza.

— Monsieur, peço-lhe...

— O quê, madame? Sou todo ouvidos.

Ela pôs-se a explicar a situação.

Guillaumin sabia bem de que se tratava, pois estava secretamente ligado ao comerciante de tecidos, com quem encontrava sempre o capital para os empréstimos hipotecários que lhe pediam para fazer.

Portanto, sabia (e melhor do que ela) a longa história daquelas letras, inicialmente pequenas, trazendo como endossantes nomes diversos, com prazos de vencimento espaçados, e renovadas continuamente, até o dia em que, juntando todos os protestos, o comerciante encarregara seu amigo Vinçart de tomar em seu nome as medidas necessárias, pois não queria passar por desalmado perante seus concidadãos.

Ela entremeava suas palavras com recriminações contra Lheureux, recriminações às quais o tabelião respondia de vez em quando com uma interjeição insignificante. Comendo sua costeleta e tomando seu chá, abaixava o queixo sobre a gravata azul-celeste, com dois alfinetes de diamante espetados, e sorria de modo singular, adocicado e ambíguo. Ao perceber que ela estava com os pés úmidos, disse:

— Mas aproxime-se do fogo... mais alto... encoste os pés na porcelana.

Ela tinha medo de sujá-la. Mas o tabelião observou, em tom galante:

— As coisas belas não sujam nada.

Emma tentou então comovê-lo, emocionando-se ela própria, ao contar o aborrecimento de seu lar, as dificuldades conjugais, seus desejos. Ele compreendia bem; uma mulher elegante! Sem parar de comer, virara-se completamente para ela, encostando o joelho nos sapatos dela, cujas solas se curvavam, fumegando ao calor do forno.

Mas, quando ela pediu mil francos, ele apertou os lábios e declarou lamentar não haver tomado antes a direção de sua fortuna, pois havia cem maneiras, mesmo para uma mulher, de fazer render seu dinheiro. Poderia, nas minas de carvão de Grumesnil ou nos terrenos do Havre, ter realizado, quase com certeza de lucros, excelentes especulações. Deixou-a devorar-se de ódio ao pensar nas somas fantásticas que seguramente teria ganhado.

— Por que não veio falar-me antes? — perguntou ele.

— Não sei — disse ela.

— Por quê, hem? Tinha medo de mim, não? Pois sou eu quem se deve lamentar! Quase não nos conhecemos! Mas tenho-lhe muita afeição; espero que não duvide de mim.

Estendeu a mão, segurando a dela, cobriu-a com um beijo voraz e manteve-a sobre o joelho; brincava com os dedos, delicadamente, falando-lhe gentilezas mil.

Sua voz macia sussurrava como um rio que corre; uma centelha brilhava em sua pupila através dos óculos, e suas mãos avançavam para a manga de Emma, a fim de apalpar-lhe o braço. Ela sentiu no rosto sua respiração ofegante. Aquele homem a embaraçava horrivelmente.

Emma levantou-se de um salto, exclamando:

— Monsieur, estou à espera!

— De quê? — fez o tabelião, empalidecendo repentinamente.

— Do dinheiro.

— Mas... — Em seguida, cedendo à pressão de um desejo mais forte: — Está bem, sim! — Arrastou-se de joelhos para ela, sem se preocupar com o roupão. — Pelo amor de Deus, fique! Eu a amo!

E segurou-a pela cintura.

Uma onda de púrpura subia ao rosto de madame Bovary. Ela recuou com uma expressão terrível, gritando:

— O senhor se aproveita de minha aflição, monsieur! Sou digna de pena, mas não me vendo!

E saiu.

O tabelião ficou estupefato, de olhos fitos em suas pantufas bordadas. Era um presente do amor. Essa visão acabou por consolá-lo. Imaginou que uma aventura daquelas acabaria levando-o longe demais.

— Que miserável! Que bandido! Que infâmia! — dizia ela para si mesma, correndo nervosamente pela estrada.

O desapontamento do insucesso aumentava a indignação de seu pudor ultrajado; parecia-lhe que a Providência dedicava-se a persegui-la, e, consolando-se no orgulho, nunca sentiu tanta estima por si mesma e tanto desprezo pelos outros. Algo de belicoso a invadia. Teve vontade de lutar contra os homens, cuspir-lhes no rosto, dizimá-los todos. Continuava a caminhar rapidamente para a frente, pálida, fremente, enraivecida, fustigando com olhos rasos d'água o horizonte vazio, como que se deleitando no ódio que a sufocava.

Quando viu a casa, o desânimo dominou-a. Não conseguia avançar, mas era preciso. Além disso, para onde fugir?

Félicité esperava-a à porta.

— Então?

— Nada! — disse Emma.

Durante um quarto de hora, as duas conferenciaram sobre as diferentes pessoas em Yonville capazes de ajudá-la. Mas, cada vez que Félicité lembrava um nome, Emma replicava:

— Não é possível! Não vai querer!

— E monsieur Bovary está por chegar!

— Sei disso... deixa-me só.

Tentara tudo. Agora já não havia mais o que fazer e, quando Charles chegasse, ela lhe diria:

— Vai-te daqui. O tapete em que pisas não é mais nosso. De tua casa não tens mais um só móvel, um alfinete, uma palha; e quem te arruinou fui eu, pobre homem!

Charles soluçaria, depois choraria abundantemente, e em seguida, passada a surpresa, perdoá-la-ia.

— Sim — murmurou ela, rilhando os dentes —, ele me perdoará, ele, que não achava suficiente oferecer-me um milhão para que eu o desculpasse por me haver conhecido... nunca, jamais!

Essa ideia da superioridade de Bovary sobre ela exasperava-a. Demais, quer ela o desejasse, quer não, mais cedo ou mais tarde, hoje, amanhã, ele saberia da catástrofe; era pois preciso esperar a horrível cena e sofrer o peso de sua magnanimidade. Pensou em voltar à casa de Lheureux; mas de que adiantaria? Escrever a seu pai; era tarde demais. Talvez já se arrependesse de não ter cedido ao tabelião quando ouviu um trote de cavalo na entrada. Era ele que voltava. Abriu o portão, mais pálido que uma parede caiada. Correndo pela escada, ela fugiu rapidamente pelos fundos, ganhando a praça; e a mulher do prefeito, que conversava com Lestiboudois em frente à igreja, viu-a entrar na casa do fiscal de rendas.

Correu para contar a madame Caron. As duas senhoras subiram ao sótão; e de lá, ocultas pela roupa que secava nos varais, podiam comodamente ver o que se passava no interior da casa de Binet.

Ele estava sozinho em seu sótão, procurando imitar, em madeira, essas peças de marfim indescritíveis, compostas de crescentes, de esferas cortadas umas nas outras, formando um conjunto reto como um obelisco absolutamente sem nenhuma utilidade. Talhava a última peça; teria chegado ao fim? No claro-escuro do ateliê, a poeira amarelada evolava-se na ferramenta, como um leque de fagulhas sob as ferraduras de um cavalo a galope. As rodas giravam, roncando; Binet sorria, de queixo abaixado, narinas abertas, parecendo perdido numa dessas felicidades completas que pertencem exclusivamente, sem dúvida, às ocupações medíocres, que divertem a inteligência com dificuldades simples e saciam por meio de uma realização além da qual é impossível desejar.

— Ah! Ei-la! — disse madame Tuvache.

Mas não era possível ouvir o que ela dizia, por causa da roda.

De qualquer modo, as duas senhoras julgaram distinguir a palavra "francos", e a mãe Tuvache sussurrou:

— Ela pede uma prorrogação do pagamento de seus impostos.

— Pelo menos é o que parece! — disse a outra.

Viram-na caminhar pelo aposento, examinando nas paredes os pratos, os candelabros, os objetos artísticos de Binet, que acariciava a barba de satisfação.

— Terá ido encomendar alguma coisa? — disse madame Tuvache.

— Mas ele não vende nada! — objetou a outra.

O cobrador parecia escutar, abrindo muito os olhos, como se não compreendesse. Ela se aproximou; seu peito fremia; já não falavam mais.

— Será que ela fez propostas? — disse madame Tuvache.

Binet estava vermelho até as orelhas. Ela tomou-lhe as mãos.

— Ah! Isto é demais!

Sem dúvida ela propunha alguma coisa abominável, porque o cobrador — e era um homem valente, que combatera em Bautzen e Lutzen, fizera a campanha da França e chegara a ser recomendado para uma condecoração — de repente, como se tivesse visto uma cobra, recuou para longe, exclamando:

— Madame, como pôde pensar nisso?

— Essas mulheres deviam ser chicoteadas! — disse madame Tuvache.

— Mas onde está ela? — disse madame Caron.

Pois a outra desaparecera enquanto essas palavras eram ditas; em seguida, vendo-a aparecer na rua Grande e virar à direita como para ir ao cemitério, as duas se perderam em conjeturas.

* * *

— Mãe Rolet — disse ela ao chegar à casa da ama —, estou sufocada! Solta meus laços.

Caiu na cama, soluçando. A velha cobriu-a com uma saia e ficou de pé ao seu lado. Depois, como Emma não lhe respondeu, a boa mulher afastou-se, trouxe a roca e pôs-se a fiar.

— Oh! Para com isso! — murmurou ela, acreditando ouvir o ronco da roda de Binet.

"Que aconteceu?", perguntava-se a ama. "Por que terá ela vindo aqui?"

Ela fora para lá impelida por uma espécie de assombração que a expulsava de sua própria casa.

Deitada de costas, imóvel e de olhos fixos, distinguia vagamente os objetos, embora procurasse fitá-los com persistência idiota. Contemplava as rachaduras da parede, dois troncos que fumegavam no canto e uma aranha que caminhava sobre sua cabeça, numa fenda da prateleira. Finalmente, ordenou as ideias. Recordava-se... Um dia, com Léon... Oh, como estava distante! O sol brilhava sobre o rio e as flores exalavam seu perfume... Levada por suas lembranças, como por torrente impetuosa, acabou por lembrar-se do dia anterior.

— Que horas são? — perguntou ela.

A velha saiu, ergueu os dedos da mão direita para o lado em que o céu estava mais claro e voltou lentamente, dizendo:

— Falta pouco para as três.

— Ah! Obrigada! Obrigada!

Ele viria. Era certo! Teria conseguido o dinheiro. Mas iria à sua casa sem saber que ela não estava lá. Mandou a ama ir lá, para buscá-lo.

— Vá depressa!

— Mas, minha senhora, estou indo! Estou indo!

Ela se espantava agora de não haver pensado nele antes, ele dera sua palavra de honra e não faltaria. Emma já se via em casa de Lheureux, jogando as três notas sobre a escrivaninha. Seria preciso inventar uma história para explicar as coisas a Bovary. Que deveria dizer?

A ama custava a vir. Mas, como não havia relógio, Emma temia exagerar a extensão dos minutos. Pôs-se a caminhar para cá e para lá no jardim, pela alameda ao longo da sebe, voltando-se de vez em quando para ver se a velha não retornara por outro caminho. Finalmente, cansada de esperar, cheia de suspeitas que repelia, sem saber se se tinha passado um século ou um minuto, sentou-se a um canto e fechou os olhos, colocando as mãos nos ouvidos. A porteira rangeu. Emma sobressaltou-se, e, antes que pudesse falar, a mãe Rolet lhe disse:

— Não há ninguém em sua casa!

— Como!?

— Ninguém! E seu marido chora. Chama pela senhora. Estão à sua procura.

Emma não respondeu. Respirava fundo, olhando em volta sem nada ver, enquanto a velha, amedrontada pela expressão de seu rosto, recuava instintivamente, acreditando-a louca. De repente Emma bateu na testa, dando um grito, pois a lembrança de Rodolphe, como um relâmpago numa noite escura, passara-lhe na alma. Ele era tão bom, tão delicado, tão generoso! E, além do mais, se hesitasse em prestar-lhe aquele favor, ela saberia compeli-lo, lembrando-lhe em um único piscar de olhos o amor perdido. Partiu pois para Huchette, sem perceber que ia oferecer-se do mesmo modo que pouco antes a exasperava tanto, sem sequer se dar conta daquela prostituição.

VIII

Perguntava-se enquanto caminhava: "Que direi? Como começarei?" E à medida que avançava reconhecia os troncos, as árvores, os juncos aquáticos na colina, o castelo mais além. Reencontrava-se nas sensações de sua primeira ternura, e seu pobre coração constrangido dilatava-se amorosamente. Uma brisa morna acariciava-lhe o rosto; a neve, fundindo-se, caía, gota a gota, dos galhos sobre a relva.

Entrou, como antigamente, pela portinha do parque, chegando ao pátio nobre, ladeado por uma fila dupla de tílias frondosas, que balançavam os longos ramos. Os cães no canil ladravam todos em coro, sem que aparecesse ninguém.

Emma subiu a grande escadaria reta de balaústres de madeira, que levava ao corredor calçado com lajes empoeiradas, no qual se abriam diversos quartos em linha, como nos mosteiros ou nos albergues. O dele era no fundo do corredor, à esquerda. Quando encostou os dedos na fechadura, suas forças abandonaram-na de repente. Tinha medo de que ele não estivesse, desejava-o quase, embora fosse sua única esperança, a derradeira oportunidade de salvação. Esperou um minuto e, retemperando a coragem com a força da necessidade premente, entrou.

Rodolphe estava diante do fogo, com os dois pés no ferro da lareira, fumando um cachimbo.

— Oh! É a senhora! — disse ele erguendo-se no mesmo instante.

— Sim, sou eu! Queria pedir-te um conselho, Rodolphe.

Apesar de todos os esforços, não pôde dizer mais nada.

— Não mudou nada; está linda como sempre!

— Ah! — disse ela, com amargor. — Tristes encantos, meu amigo, pois que tu os desdenhaste.

Ele começou então uma explicação de sua conduta, desculpando-se em termos vagos, por não poder inventar melhores.

Emma deixou-se prender às suas palavras, mais ainda à sua voz e ao espetáculo de sua pessoa, de tal modo que fingiu acreditar, ou talvez acreditasse mesmo, no pretexto da ruptura; era o segredo de que dependia a honra e até mesmo a vida de uma terceira pessoa.

— Não importa! — disse ela. — Sofri muito!

Ele respondeu, filosoficamente:

— A vida é assim!

— E ela pelo menos — continuou Emma — te foi boa depois de nossa separação?

— Oh! Nem boa... nem má.

— Talvez tivesse sido melhor não nos termos separado.

— Sim... talvez!

— Acreditas? — disse ela, aproximando-se, e suspirou: — Rodolphe, se tu soubesses! Amei-te tanto!

Tomou-lhe então a mão e ficaram os dois algum tempo com os dedos entrelaçados, como no primeiro dia, na feira! Por orgulho, ele lutava contra a ternura. Mas, encostando-se em seu peito, ela murmurou:

— Como querias que eu vivesse sem ti? Não se pode perder o hábito da felicidade! Eu estava desesperada! Pensei que fosse morrer! Contar-te-ei tudo, tu verás. E tu fugiste de mim!

Dizia isso porque, durante aqueles três anos, ele a evitara cuidadosamente, levado por essa covardia natural que caracteriza o sexo forte; e Emma continuava, virando ligeiramente a cabeça, mais terna que uma gatinha apaixonada.

— Tu amas outras, confessa. Oh! Eu as compreendo e as desculpo. Tu as seduziste, como fizeste a mim. Tu és um homem, tens tudo o que é preciso para te fazeres amado. Mas nós recomeçaremos, não? Nós nos amaremos! Vê, estou rindo, estou feliz! Fala!

E ela estava linda, com aquele olhar onde tremia uma lágrima como uma gota de chuva numa pétala azul.

Ele puxou-a para seus joelhos, acariciando com as costas da mão os cabelos lisos, onde a claridade do crepúsculo se refletia como uma flecha de ouro, um raio de sol. Ela curvava a fronte, e ele terminou por beijar-lhe as pálpebras, docemente, aflorando-as com os lábios.

— Mas tu choras! — disse ele. — Por quê?

Ela explodiu em soluços. Rodolphe acreditou que era a expressão de seu amor. Como ela se calou, ele tomou o silêncio por um último pudor e exclamou:

— Oh, perdoa-me! És a única que me agrada. Fui idiota e mau! Eu te amo e te amarei sempre! Que tens? Diz-me, anda!

E ele se ajoelhou.

— Bem... estou arruinada, Rodolphe! Vais emprestar-me três mil francos!

— Mas... mas... — disse ele, levantando-se aos poucos, enquanto sua fisionomia assumia uma expressão grave.

— Sabes — continuou ela rapidamente — que meu marido colocara toda a sua fortuna sob a guarda de um tabelião, que fugiu. Pedimos emprestado; os clientes não pagavam. Além disto, o inventário ainda não terminou. Receberemos mais tarde. Mas hoje, por falta de três mil francos, nossos bens serão confiscados agora, neste instante; e, contando com sua amizade, vim aqui.

"Ah!", pensou Rodolphe, empalidecendo, "foi por isso que ela veio!"

E falou com um tom muito calmo:

— Não tenho esse dinheiro, cara senhora.

Não mentia. Se o tivesse, dá-lo-ia, sem dúvida, embora seja geralmente desagradável fazer boas ações. Um pedido de dinheiro é, de todas as tempestades que caem sobre o amor, a mais fria e devastadora.

Ela ficou a encará-lo por alguns minutos.

— Não tens! — E repetiu diversas vezes: — Não tens! Eu devia ter-me poupado esta última vergonha. Tu nunca me amaste! Vales menos do que os outros!

Ela se traía, perdia-se.

Rodolphe interrompeu-a, afirmando que ele próprio "estava em dificuldades".

— Ah! Eu te lamento! — disse Emma. — Sim, e muito!

E, pousando os olhos numa carabina luxuosa, que brilhava na panóplia:

— Mas, quando se é pobre, não se guarnece o fuzil de prata! Não se compra um relógio com incrustações de madrepérola! — continuava ela, mostrando a pêndula. — Nem guizos de ouro para o chicote (ela os mostrava); nem berloques para o relógio de bolso! Oh! Nada te falta! Até um licoreiro no quarto! Tu te cuidas, vives bem, tens um castelo, fazendas, bosques; vais a caçadas, viajas a Paris... E ainda que não fosse senão com isto — e apanhou sobre a cômoda as abotoaduras dele —, ainda que não fosse senão com a menor destas futilidades, poder-se-ia fazer dinheiro! Oh! Não os quero; guarda-os. — E jogou para longe de si os dois botões, cuja corrente se rompeu ao baterem na parede. — Mas eu te daria tudo, venderia tudo, trabalharia com minhas mãos, pediria esmolas nas ruas por um sorriso, um olhar, para te ouvir dizer: "Obrigado!" E ficas aí tranquilamente em tua poltrona, como se já não me tivesses feito sofrer bastante! Se não fosses tu, ouve, eu teria podido ser feliz! O que te obrigava a querer-me? Alguma aposta? Tu dizias que me amavas... disseste-o há pouco... Ah! Devia ter-me expulsado. Tenho as mãos ainda quentes de teus beijos, e ali está o lugar, no tapete, onde juravas amor eterno. Fizeste-me crer nisso; durante dois anos me arrastaste no sonho mais magnífico e mais suave! E nossos planos de viagem, lembras-te? Oh! Tua carta! Tua carta despedaçou-me o coração! E agora, quando volto para te falar, tu, que és rico, feliz, livre, para implorar-te um auxílio, de que logo te reembolsaria, suplicante e trazendo de volta toda a minha ternura, tu me repeles, por que isso te custa três mil francos!

— Não os tenho! — respondeu Rodolphe, com a calma perfeita que cobre, como um escudo, as cóleras resignadas.

Ela saiu. As paredes tremiam, o teto esmagava-a. Ela voltou pela longa alameda, tropeçando nos montes de folhas secas que o vento espalhava. Chegou finalmente à grade, quebrando as unhas na fechadura do portão, tal a sofreguidão com que o abriu. Cem passos além, esbaforida, parou. E voltando-se, então, viu mais uma vez o impassível castelo, com o parque, os jardins, os três pátios e todas as janelas da fachada.

Ficou perdida, estupefata, só tendo consciência de si mesma pela pulsação de suas artérias, que ela acreditava encher a campina como uma música ensurdecedora. O solo, a seus pés, parecia mais movediço que uma onda, e os valados assemelhavam-se a outras imensas vagas escuras que se chocavam. Tudo o que havia de reminiscências, de ideias em sua cabeça escapava-se ao mesmo tempo, de um jato, como as mil peças de fogos de artifício. Viu seu pai, o escritório de Lheureux, o quarto, outra paisagem. A loucura dominava-a, e ela teve medo. Conseguiu acalmar-se, de certa forma, é verdade, pois não se lembrava da causa de seu horrível estado, isto é, o problema do dinheiro. Sofria apenas por seu amor e sentia a alma que a abandonava naquela lembrança, como os feridos, ao agonizarem, que sentem a existência escapar pela ferida sangrenta.

A noite tombava.

Pareceu-lhe de repente que glóbulos cor de fogo estavam no ar, como balas fulminantes que se achatassem, e giravam, giravam, para se irem fundir na neve, entre os galhos das árvores. No meio de cada um, aparecia a figura de Rodolphe. Multiplicavam-se, aproximavam-se, penetrando nela. Tudo desapareceu. Ela reconheceu as luzes das casas brilhando ao longe, no nevoeiro.

E sua situação apareceu-lhe como um abismo. Ela ofegava de romper o peito. Depois, num arroubo de heroísmo que a fez sentir-se quase feliz, desceu, correndo, a encosta, atravessou o curral das vacas, a estrada, o mercado, e chegou diante da loja do farmacêutico.

Não se via ninguém. Ia entrar; mas podia vir alguém ao som da campainha. Deslizando pelo portão, retendo a respiração, tateando o muro, avançou até a porta da cozinha, onde ardia uma vela sobre o forno. Justin, em mangas de camisa, levava um prato.

— Ah! Estão jantando. Esperemos.

O rapazinho voltou. Ela bateu no vidro. Ele saiu.

— A chave! A do sótão, onde estão os...

— Como!?

E ele a contemplava, maravilhado pela palidez de seu rosto, que se destacava contra o fundo negro da noite. Parecia-lhe extraordinariamente bela, majestosa como um fantasma. Sem compreender o que ela queria, Justin pressentia algo terrível.

Mas ela repetiu com energia, em voz baixa e suave, dissolvente:

— Eu a quero! Dê-ma.

Como a cozinha era pequena, ouviam-se os ruídos dos garfos que batiam nos pratos, na sala de jantar.

Ela inventou que precisava matar os ratos que a impediam de dormir.

— Tenho de pedir licença a monsieur Homais.

— Não! Fica aqui! — E completou, com ar indiferente: — Não vale a pena, eu mesma falarei com ele. Vamos, alumia o caminho!

E entrou no corredor para onde dava a porta do laboratório. Havia na parede uma chave com a etiqueta "Cafarnaum".

— Justin! — gritou o boticário impaciente.

— Subamos!

E o rapazinho seguiu-a.

A chave girou na fechadura, e ela avançou diretamente para a terceira prateleira, guiada pela lembrança, agarrou o frasco azul, meteu a mão, retirando-a cheia de um pó branco, que começou a comer ali mesmo.

— Pare! — gritou Justin, atirando-se a ela.

— Cala-te! Pode vir alguém...

Ele, desesperado, queria gritar.

— Não digas nada; culpariam teu patrão!

E ela voltou-se de repente, acalmando-se de súbito quase que com a serenidade do dever cumprido.

* * *

Quando Charles, perturbado pela notícia da penhora, voltara à casa, Emma acabava de sair. Ele gritou, chorou, desmaiou, mas ela não voltava. Onde poderia estar? Mandou Félicité à casa de Homais, de monsieur Tuvache, de Lheureux, ao Leão de Ouro, a toda parte;

e, na intermitência de sua angústia, via sua reputação aniquilada, a fortuna perdida, o futuro de Berthe comprometido! Por que razão... nem uma palavra... Esperou-a até as seis horas da tarde. Finalmente, sem suportar mais, imaginando que ela fora para Rouen, dirigiu-se para a estrada, caminhou meia légua, não encontrou ninguém, esperou mais um pouco e voltou.

Agora ela entrava novamente em casa.

— Que aconteceu? Por quê? Explica-me!

Ela sentou-se à secretária e escreveu uma longa carta e selou lentamente, acrescentando a data e a hora. Depois disse, em tom solene:

— Tu a lerás amanhã. Até lá, peço-te, não me faças perguntas. Nem uma só!

— Mas...

— Oh! Deixa-me!

E deitou-se ao comprido na cama.

Um sabor amargo na boca despertou-a. Entreviu Charles e fechou os olhos.

Observava-se curiosamente, para ver se sofria ou não. Mas nada! Nada ainda. Ouvia o bater do relógio, o estalar do fogo, e a respiração de Charles, que estava de pé junto à cama.

"Ah! Coisa de nada, a morte", pensava ela. "Vou adormecer e tudo estará terminado." Tomou um gole d'água e virou-se para a parede.

O terrível sabor de tinta continuava.

— Tenho sede! Oh! Tenho tanta sede! — suspirou ela.

— Que tens? — perguntou Charles, estendendo-lhe um copo.

— Não é nada... Abre a janela... sufoco-me!

Veio um vômito tão repentino que ela mal teve tempo de apanhar o lenço sob o travesseiro.

— Leva-o daqui! — disse ela com energia. — Joga-o fora!

Ele fez-lhe perguntas que ela não respondeu. Ficava imóvel, temendo que a menor emoção a fizesse vomitar novamente. Enquanto isso, sentia um frio de gelo que subia dos pés até o coração.

— Eis que começa! — murmurou ela.

— Que dizes?

Ela rolava a cabeça lentamente, cheia de angústia, abrindo sem cessar a boca como se tivesse na língua algo pesado. Às oito horas, reapareceram os vômitos.

Charles reparou que ficava no fundo da bacia uma espécie de pó branco, agarrado às paredes de porcelana.

— É extraordinário! É singular! — repetia ele.

Mas ela disse com voz forte:

— Não, tu te enganas!

Então, delicadamente, quase acariciando-a, ele passou a mão sobre seu estômago. Emma soltou um grito agudo. Charles recuou, amedrontado.

Depois ela começou a gemer, a princípio fracamente. Um estremeção lhe sacudia os ombros e ela ficava mais pálida que os lençóis nos quais crispavam os dedos. Seu pulso, desigual, estava agora quase insensível.

Gotas de suor apareciam-lhe no rosto azulado, que parecia cheio da exalação de um vapor metálico. Seus dentes batiam, seus olhos intumescidos vagavam lentamente ao redor, e ela respondia às perguntas sacudindo a cabeça. Chegou a sorrir duas ou três vezes. Deixou escapar um gemido surdo, mas fingiu que se sentia melhor e que ia levantar-se logo. Mas as convulsões assaltaram-na e ela exclamou:

— Ai, que é terrível, meu Deus!

Charles ajoelhou-se junto ao leito.

— Fala! O que foi que comeste? Fala, em nome de Deus!

E olhava-a com uma ternura que ela jamais tinha visto.

— Está bem... ali... ali...

Ele correu à secretária, quebrou o lacre e leu em voz alta: "Não acusem ninguém..." Parou, passou a mão pelos olhos e leu novamente.

— O quê? Socorro! Socorro!

Não parava de repetir a mesma palavra:

— Envenenada, envenenada!

Félicité correu à casa de Homais, que saiu gritando pela praça; madame Lefrançois ouviu-o no Leão de Ouro, algumas pessoas levantaram-se para contar aos vizinhos, e durante toda a noite a aldeia ficou acordada.

Alucinado, balbuciando, quase caindo, Charles andava pelo quarto. Batia nos móveis, arrancava os cabelos. O farmacêutico nunca poderia imaginar que um dia assistiria a espetáculo tão terrível.

Voltou à sua casa para escrever ao dr. Canivet e ao dr. Larrivière. Perdera a cabeça; fez mais de 15 rascunhos. Hippolyte partiu para Neufchâtel, e Justin esporeou tanto o cavalo de Bovary que o deixou no Bois-Guillaume, arrasado, quase arrebentado.

Charles tentou folhear seu dicionário de medicina, mas não via nada, as linhas dançavam-lhe diante dos olhos.

— Calma! — dizia o boticário. — Basta ministrar um antídoto poderoso. Qual é o veneno?

Charles mostrou a carta. Era arsênico.

— Muito bem — disse Homais. — É preciso fazer a análise.

O farmacêutico sabia que é preciso, em todos os casos de envenenamento, fazer uma análise; e o outro, que nada compreendia, respondeu:

— Pois faça, faça... salve-a...

Depois, voltando para junto dela, deixou-se cair no chão, sobre o tapete, apoiando a cabeça na beira da cama e soluçando.

— Não chores! — disse ela. — Breve já não te atormentarei mais!

— Por que fizeste isto? O que te obrigou?

Ela replicou:

— Era preciso, meu amigo.

— Não eras feliz? Foi por minha culpa? Mas fiz tudo o que podia!

— Sim, é verdade... tu és bom!

E ela passou-lhe lentamente as mãos pelos cabelos. A doçura daquela sensação aumentava a tristeza do médico; ele sentia todo o seu ser encher-se de desespero à ideia de perdê-la, quando, ao contrário, ela lhe confessava mais amor que nunca. Não sabia o que fazer, não sabia, não ousava, acabando por perturbar-se pela urgência de uma resolução imediata.

Emma sonhava haver terminado com todas as traições, todas as baixezas e as inumeráveis aflições que a torturavam. Não odiava ninguém agora; uma confusão de crepúsculo abatia-se em seu pensamento, e, de todos os ruídos da Terra, ela só ouvia o intermitente lamento daquele pobre coração, doce e indistinto, como o último eco de uma sinfonia que se perde.

— Tragam-me a pequena — disse ela, erguendo-se sobre o cotovelo.

— Não estás pior, estás? — perguntou Charles.

— Não, não!

A criança chegou nos braços da criada, de camisola, de onde saíam seus pés nus, séria e quase adormecida ainda. Olhou espantada para o quarto em desordem e piscou, os olhos ofuscados pelas velas que ardiam sobre os móveis. Lembravam-lhe, sem dúvida, as manhãs de Ano-Bom ou de Aleluia, quando, despertada cedo pela claridade das velas, ia procurar a mãe no leito para receber seus presentes, pois logo perguntou:

— Onde estão os brinquedos, mamãe? — E diante do silêncio de todos: — Mas não vejo meu sapatinho.

Félicité fazia-a debruçar-se sobre a cama, enquanto a pequena olhava sempre para a lareira.

— Foi a ama quem os levou? — perguntou.

A essas palavras, que lhe recordavam seus adultérios e seus desvarios, madame Bovary virou a cabeça, como se enjoada pelo gosto do veneno mais forte que lhe viesse à boca. Berthe, enquanto isso, continuava junto dela.

— Oh! Como teus olhos estão grandes, mamãe, como estás pálida, como tuas...

A mãe contemplava-a.

— Tenho medo! — disse a menina, recuando.

Emma pegou-lhe a mão para beijar; a menina se debateu.

— Basta! Levem-na daqui! — exclamou Charles, que soluçava no quarto.

Depois os sintomas pararam um pouco e Emma pareceu menos agitada. A cada palavra insignificante, a cada suspiro mais calmo de seu peito, Charles sentia reacender-se a esperança. Finalmente, quando Canivet chegou, lançou-se em seus braços, chorando.

— Ah! É o senhor! Obrigado! O senhor é bom! Mas ela está melhor. Olhe para ela...

O colega não foi absolutamente da mesma opinião e, como não gostasse, segundo ele próprio dizia, de arriscar, receitou emético, para aliviar completamente o estômago.

Ela não tardou a vomitar sangue. Seus lábios cerraram-se mais. Tinha os membros crispados, o corpo coberto de manchas escuras, e o pulso escorregava sob os dedos como um fio esticado, como uma corda e harpa prestes a romper-se.

Depois começou a gritar horrivelmente. Maldizia o veneno, censurava-o, suplicava que agisse mais depressa, repelindo com o braço tudo o que Charles, mais agoniado que ela, lhe dava de beber. Ele estava de pé, o lenço na boca, como num estertor, chorando, sufocado pelos soluços que o sacudiam até os pés. Félicité corria para cá e para lá no quarto; Homais, imóvel, dava grandes suspiros, e monsieur Canivet, mantendo sempre sua fleuma, começava, apesar disso, a preocupar-se.

— Diabo! Afinal ela já está purgada, e desde que a causa cessa...

— O efeito deve cessar — completou Homais. — É evidente.

— Mas salvem-na! — exclamou Bovary.

Assim, sem dar ouvidos ao farmacêutico, que aventara esta hipótese: "É talvez um paroxismo salutar", Canivet ia administrar teríaco, quando se ouviu um estalar de chicote. Todos os vidros estremeceram, e uma carruagem do correio, valentemente puxada por três cavalos enlameados até as orelhas, surgiu de repente na esquina do mercado. Era o dr. Larrivière.

A aparição de um deus não teria causado maior emoção. Bovary ergueu as mãos. Canivet parou, e Homais retirou seu boné grego muito antes que o médico entrasse.

O dr. Larrivière pertencia à grande escola cirúrgica originada por Bichat, àquela geração já desaparecida de médicos filósofos que, adorando seu ofício de modo fanático, exerciam-no com ardor e sagacidade! Tudo tremia em seu hospital quando se enfurecia, e seus alunos veneravam-no tanto que se esforçavam, logo que se estabeleciam, por imitá-lo o mais possível, de modo que se encontrava nos ombros deles, nas cidades vizinhas, a mesma capa comprida de lã e o mesmo casaco preto, cujas mangas desabotoadas cobriam um pouco suas mãos carnudas, belas mãos que nunca usavam luvas, como para estarem mais preparadas para mergulhar nos sofrimentos. Desdenhando os títulos, as condecorações e as academias, hospitaleiro, liberal, paternal com os pobres e praticando a virtude sem nela acreditar, teria quase passado por santo se a finura do seu espírito não o fizesse temido como um demônio. Seu olhar, mais penetrante que os bisturis, mergulhava nas almas e destruía toda mentira feita de alegações e pudores. E assim ia ele, cheio daquela majestade simples conferida pela consciência de um grande talento, pela fortuna e por quarenta anos de uma existência laboriosa e irrepreensível.

Franziu a testa desde a porta, vendo o rosto cadavérico de Emma, estendida de costas, com a boca aberta. Depois, fingindo ouvir Canivet, passava o indicador sob as narinas e repetia:

— Está bem, está bem.

Fez um gesto lento com os ombros. Bovary observou-o; ambos se encararam, e aquele homem, habituado à dor, não pôde reter uma lágrima que lhe caiu na camisa.

Quis levar Canivet para o cômodo contíguo e Charles seguiu-o.

— Ela está muito mal, não? E se usássemos sinapismos? Qualquer coisa! Encontre um meio, o senhor que já salvou tanta gente!

Charles enlaçava-lhe o corpo com os dois braços, fixando-o de modo desvairado, suplicante, meio desfalecido contra o peito do outro.

— Vamos, meu rapaz, coragem! Não há mais nada a fazer.

E o dr. Larrivière voltou-se.

— O senhor vai-se embora?

— Vou voltar.

Saiu, como para dar uma ordem ao postilhão, com monsieur Canivet, que não estava interessado em ver Emma morrer-lhe nas mãos.

O farmacêutico juntou-se a eles na praça. Não podia, por temperamento, ficar longe daquelas pessoas célebres. E insistia com Larrivière para que lhe desse a insigne honra de almoçar com ele.

Mandou buscar rapidamente pombos no Leão de Ouro, todas as costeletas que havia no açougue, creme na casa de Tuvache, ovos com Lestiboudois, e o próprio boticário ajudava nos preparativos, enquanto madame Homais dizia, puxando os cordões da blusa:

— O senhor vai-nos desculpar, mas em nossa infeliz aldeia, quando não se é prevenido na véspera...

— Os cálices de pé! — sussurrou Homais.

— Pelo menos na cidade teríamos outros recursos.

— Cala-te! À mesa, doutor!

Achou a propósito, depois dos primeiros bocados, fornecer alguns pormenores sobre a catástrofe:

— Tivemos inicialmente uma sensação de secura na faringe; depois, dores intoleráveis no epigástrio, superpurgação, coma.

— Como foi que ela se envenenou?

— Ignoro-o, doutor. Nem sei onde pôde conseguir aquele ácido arsenioso.

Justin, que trazia uma pilha de pratos, estremeceu.

— Que tens? — disse o farmacêutico.

O rapazinho, a essa pergunta, deixou cair tudo por terra, com grande estrépito.

— Imbecil! — berrou Homais. — Desastrado! Idiota! Pedaço d'asno! — Mas, de repente, dominando-se: — Eu quis tentar uma análise, doutor, e *primo* introduzi delicadamente num tubo...

— Teria sido melhor — disse o cirurgião — introduzir-lhe os dedos na garganta.

O colega mantinha-se calado, pois havia pouco recebera uma reprimenda por causa de seu emético, de modo que Canivet, tão arrogante e verboso no caso do pé aleijado, estava muito modesto naquele dia. Sorria continuamente de maneira aprovadora.

Homais deleitava-se em seu orgulho de anfitrião, e a aflitiva lembrança de Bovary contribuía vagamente para seu prazer, num ricochete egoísta sobre si mesmo. Além disso, a presença do mestre transportava-o. Exibia sua erudição, citava desordenadamente cantárides, venenos de Java, mancenilheira, víboras...

— Já li que diversas pessoas se intoxicaram, doutor, como que fulminadas por chouriços que haviam sofrido fumigação forte demais! Pelo menos, era um relatório ótimo, escrito por uma de nossas sumidades farmacêuticas, um de nossos mestres, o ilustre Cadet de Gassiocourt!

Madame Homais reapareceu, trazendo uma dessas máquinas vacilantes que ardem com álcool, pois Homais gostava de fazer o café na mesa, torrado e moído por ele mesmo.

— *Sacarum*, doutor? — perguntou ele, oferecendo o açúcar.

Em seguida fez descer seus filhos, curioso de saber a opinião do médico sobre sua constituição.

Finalmente, monsieur Larrivière ia-se embora, quando madame Homais pediu uma consulta para seu marido. Ela sustentava que o esposo, dormindo depois do jantar, teria seu sangue engrossado.

— Oh! Não é o *sens* que o embaraça.[5]

---

[5] Trocadilho intraduzível, com as palavras francesas "sang" (sangue) e "sens" (sentido, entendimento). O médico ironizava a tagarelice de Homais, que considerava sem sentido. (N.T.)

Sorrindo um pouco pelo trocadilho incompreendido, o doutor abriu a porta. Mas a farmácia regurgitava de gente, e foi-lhe difícil livrar-se de Tuvache, que temia que a esposa sofresse de um fluxo de peito, porque tinha o hábito de cuspir nas cinzas; depois, de Binet, que sentia às vezes sobressaltos; de Lheureux, que tinha vertigens; de Lestiboudois, que se queixava de reumatismo; de madame Lefrançois, que tinha azia. Finalmente os três cavalos partiram e todos acharam que o médico não mostrara generosidade.

A atenção pública foi distraída pelo padre Bournisien, que passava pelo mercado com os santos óleos.

Homais, de acordo com seus princípios, comparou os padres a corvos atraídos pelo odor dos mortos; ver um eclesiástico era-lhe pessoalmente desagradável, pois a batina fazia-o pensar na mortalha, e execrava a uma por causa do medo da outra.

Apesar disso, não recuando diante do que chamava "sua missão", voltou à casa de Bovary em companhia de Canivet, que monsieur Larrivière, antes de partir, encarregara disso. O farmacêutico queria levar consigo os dois filhos (o que não fez a rogo da mulher), a fim de acostumá-los às circunstâncias trágicas, para que aquilo lhes servisse de lição, de exemplo; um quadro solene que lhes ficasse mais tarde na cabeça.

Quando entraram, o quarto estava cheio de uma solenidade lúgubre. Havia na mesa de costura, coberta por um pano branco, cinco ou seis bolinhas de algodão numa salva de prata, perto de grande crucifixo entre dois castiçais que ardiam. Emma, de queixo sobre o peito, abria desmesuradamente as pálpebras. Suas pobres mãos arrastavam-se nos lençóis, no gesto horrendo e doce dos agonizantes que parecem já querer cobrir-se com o sudário. Pálido como uma estátua, os olhos vermelhos como brasas, Charles, sem mais chorar, deixava-se estar de pé à frente dela, nos pés da cama, enquanto o padre, apoiado num dos joelhos, murmurava palavras em voz baixa.

Ela virou o rosto lentamente, parecendo muito alegre ao ver de repente a estola roxa, sem dúvida reencontrando, numa paz extraordinária, a volúpia perdida de seus primeiros transes místicos, com visões de beatitude eterna que começavam.

O padre ergueu-se para tomar o crucifixo; ela estendeu o pescoço como quem tem sede e, colando os lábios no corpo do Deus-Homem, depôs com toda a força agonizante o maior beijo de amor que jamais dera. Em seguida Bournisien recitou o "Misereatur" e o "Indulgentiam", mergulhou o polegar direito no óleo e começou as unções: primeiro nos olhos, que tanto haviam cobiçado as suntuosidades mundanas; depois nas narinas, gulosas de brisas mornas e perfumes de amor; na boca, que se abrira para a mentira, que gemera de orgulho e gritara na luxúria; nas mãos, que se tinham deleitado aos contatos suaves, e finalmente na planta dos pés, tão rápidos outrora, quando corriam para a satisfação dos desejos, e que agora não caminhariam mais.

O padre enxugou os dedos, lançou ao fogo o algodão ensopado de óleo e foi sentar-se perto da moribunda para dizer-lhe que deveria juntar seus sofrimentos aos de Jesus Cristo e abandonar-se à misericórdia divina.

Terminando suas exortações, tentou pôr-lhe nas mãos um círio bento, símbolo das glórias celestes que a cercariam em breve. Emma, por demais fraca, não pôde fechar os dedos, e o círio teria caído se não fosse a ajuda do padre.

Já não estava tão pálida, entretanto o seu rosto tinha uma expressão de serenidade, como se o sacramento a tivesse curado.

O padre não deixou de observá-lo, explicando mesmo a Bovary que o Senhor às vezes prolongava a existência das pessoas quando julgava conveniente para sua salvação; e Charles lembrou-se do dia em que, prestes a morrer, ela recebera a comunhão.

— Não devemos desesperar-nos — murmurou ele.

Com efeito, ela olhou em volta lentamente, como quem desperta de um sonho. Depois, com voz clara, pediu o espelho, sobre o qual se curvou durante algum tempo, até o momento em que grossas lágrimas lhe escorreram dos olhos. Virou então a cabeça, suspirando forte, e caiu novamente sobre o travesseiro.

Seu peito começou a ofegar rapidamente. A língua saiu-lhe inteira da boca; seus olhos, rolando, empalideciam como globos de lâmpadas que se apagam. Poder-se-ia crer que já estava morta se não fosse o terrível tremor dos flancos, sacudidos por suspiros furiosos, como se a alma saltasse para sair do corpo. Félicité ajoelhou-se diante do crucifixo, e o próprio farmacêutico dobrou um pouco os joelhos, enquanto monsieur Canivet olhava vagamente para a praça. Bournisien voltara a rezar, o rosto inclinado para a cama e a longa batina negra arrastando-se atrás de si. Charles estava do outro lado, de joelhos, os braços estendidos para Emma. Tomara suas mãos e apertava-as, estremecendo a cada batida de seu coração, como um eco de uma ruína que desaba.

À medida que a respiração se tornava mais ofegante, o eclesiástico precipitava suas orações, que se misturavam aos soluços abafados de Bovary. Às vezes tudo parecia desaparecer no murmúrio surdo das sílabas latinas, que tilintavam como um sino.

Repentinamente, ouviu-se na calçada um bater de sapatos grossos e o tatear de um bordão. Uma voz elevou-se, uma voz rouca, que cantava:

Nos dias de muito calor,
Sonham as moças com o amor.

Emma ergueu-se a meio, como um cadáver galvanizado, os cabelos soltos, a pupila fixa, a boca aberta.

Para colher alegremente
Espigas que a foice ceifou,
Nanette canta docemente
Para a terra que as propiciou.

— O cego! — gritou ela.

E Emma pôs-se a rir um riso atroz, convulso, desesperado, acreditando ver o rosto horrendo do miserável, que se erguia nas trevas como uma assombração.

Um dia o vento soprou
E a saia curta voou!

Uma convulsão lançou-a de novo sobre o colchão. Todos se aproximaram. Já não vivia.

IX

Há sempre, depois da morte de alguém, uma espécie de estupefação, de tal modo é difícil compreender-se a aproximação do nada e resignar-se a crer no sucedido.

Quando percebeu a imobilidade da mulher, Charles atirou-se sobre ela, gritando:

— Adeus! Adeus!

Homais e Canivet levaram-no para fora do quarto.

— Acalme-se!

— Sim — dizia ele, debatendo-se —, serei razoável, não farei nada. Mas deixem-me! Quero vê-la! É minha mulher!

E chorava.

— Chore — disse o farmacêutico —, dê rédeas à natureza, isso o aliviará.

Mais fraco que uma criança, Charles deixou-se levar para baixo, para a sala, e Homais logo voltou para sua própria casa.

Na praça foi abordado pelo cego, que, tendo-se arrastado até Yonville, na esperança da pomada antiflogística, perguntava a cada passante onde morava o boticário.

— Ora essa! Como se eu não tivesse o que fazer! Ora! Agora não; volta mais tarde!

E entrou precipitadamente na farmácia.

Tinha de escrever duas cartas, preparar uma poção calmante para Bovary, encontrar uma mentira que escondesse o envenenamento e redigir um artigo para o *Farol*; isso sem contar as pessoas que o esperavam para obter informações. Depois que os habitantes de Yonville ouviram a história do arsênico que ela tomara por açúcar, ao fazer um creme de baunilha, Homais voltou mais uma vez à casa de Bovary.

Encontrou-o sozinho (monsieur Canivet acabara de partir), sentado na poltrona, perto da janela, contemplando com ar idiota o assoalho da sala.

— É preciso agora — disse o farmacêutico — fixar a hora da cerimônia.

— Por quê? Que cerimônia? — E acrescentou, balbuciando, amedrontado: — Oh! Não, não é preciso! Quero ficar com ela!

Homais, para conter-se, pegou uma garrafa da cômoda e pôs-se a regar os gerânios.

— Ah! Obrigado — disse Charles. — O senhor é muito bom... — Não acabou o que ia dizer, perdido num mundo de lembranças que o gesto do farmacêutico lhe evocara.

Para distraí-lo, Homais julgou conveniente conversar um pouco sobre horticultura; as plantas precisavam de umidade. Charles abaixou a cabeça em sinal de aprovação.

— Afinal, os dias felizes voltarão.

— Ah! — fez Bovary.

O boticário, sem ter mais o que dizer, ficou acariciando as cortinas.

— Veja, lá vai monsieur Tuvache.

Homais não ousava falar novamente nas disposições fúnebres; foi o eclesiástico que conseguiu persuadi-lo.

Charles encerrou-se em seu gabinete, pegou de uma pena e, depois de soluçar algum tempo, escreveu:

Quero que a enterrem vestida de noiva, com sapatos brancos e coroa. Seus cabelos ficarão soltos nos ombros; três caixões, um de carvalho, um de acaju e um de chumbo. Não me falem nada; terei forças. Cubram-na com um manto de veludo verde. É a minha vontade. Cumpram-na.

Todos se espantaram muito com as ideias românticas de Bovary, e o farmacêutico comentou:

— Esse veludo me parece um exagero. A despesa, aliás...

— Que tem o senhor com isso? — exclamou Charles. — Deixe-me! O senhor não a amava! Vá-se daqui!

O padre tomou-lhe o braço para fazê-lo andar no jardim. Discorreu sobre a efemeridade das coisas terrenas. Deus era muito grande, muito bom; todos deviam, sem protestos, submeter-se à Sua vontade e até mesmo agradecer-Lhe.

Charles explodiu em blasfêmias.

— Detesto seu Deus!

— O senhor ainda está com o espírito da revolta. — Suspirou o eclesiástico.

Bovary estava longe. Caminhava rapidamente, ao longo do muro junto ao caramanchão, rilhando os dentes, levantando para o céu olhares de maldição. Mas nem uma só folha se moveu.

Caía uma chuva fina. Charles, que tinha o peito nu, acabou por tiritar e foi-se sentar na cozinha.

Às seis horas, ouviu-se um ruído de ferragens na praça; era a Andorinha que chegava. Charles ficou de rosto colado à janela, vendo descerem, um a um, os viajantes. Félicité estendeu-lhe um colchão na sala; ele deitou-se e dormiu.

* * *

Embora filósofo, monsieur Homais respeitava os mortos. Assim, sem guardar rancor ao pobre Charles, voltou à noite para velar o cadáver. Trouxe consigo três volumes e um bloco para tomar notas.

Monsieur Bournisien lá estava, e dois grandes círios ardiam na cabeceira da cama, que havia sido retirada do quarto.

O boticário, a quem o silêncio perturbava, não tardou em formular lamentações pela "infortunada jovem". O padre respondeu que nada mais restava senão rezar por ela.

— Entretanto — disse Homais —, das duas uma: ou ela morreu em estado de graça (como se exprime a Igreja), e nesse caso não precisa de nossas preces, ou então faleceu impenitente (creio ser a expressão eclesiástica), e nesse caso...

Bournisien interrompeu-o, replicando em tom aborrecido que nem por isso se deveria deixar de rezar.

— Mas — objetou o farmacêutico —, se Deus conhece todos os nossos desejos, de que pode adiantar a prece?

— Como? — fez o padre. — A prece? O senhor então não é cristão?

— Perdão! — disse Homais. — Admiro o cristianismo. Teve a vantagem de libertar os escravos e de introduzir no mundo uma moral...

— Não se trata disso! Todos os textos...

— Oh! Oh! Quanto aos textos, abra a História; todos sabem que foram falsificados pelos jesuítas.

Charles entrou. Avançando para o leito, puxou lentamente as cortinas.

Emma tinha a cabeça caída sobre o ombro direito. O canto da boca, que permanecia aberta, formava como que um buraco negro na parte inferior do rosto, e os dois polegares estavam enterrados na palma das mãos. Uma espécie de poeira branca cobria-lhe os cílios, e seus olhos começavam a desaparecer numa palidez viscosa que se assemelhava a fina teia de aranha. Os lençóis afundavam desde os seios aos joelhos, erguendo-se novamente na ponta dos artelhos. Parecia a Charles que massas infinitas, que um peso imenso a esmagava.

O relógio da igreja bateu duas horas. Ouviu-se o murmúrio do rio que corria nas trevas, nos fundos. Padre Bournisien de vez em quando se assoava ruidosamente, e Homais fazia ranger a pena no papel.

— Vamos, meu amigo, sai daqui — disse ele. — Este espetáculo te deprime!

Depois que Charles se foi, o farmacêutico e o padre recomeçaram as discussões.

— Leia Voltaire! — dizia um. — Leia d'Holbach; leia a Enciclopédia!

— Leia as *Lettres de quelques juifs portugais*! — dizia o outro. — Leia a *Raison du christianisme*, de Nicolas, antigo magistrado!

Exaltavam-se, de rostos afogueados, falando ao mesmo tempo, sem se ouvirem. Bournisien escandalizava-se com tanta ousadia; Homais admirava-se de tanta burrice. Não estavam longe de injuriar-se quando Charles reapareceu de repente. Uma fascinação atraía-o, e ele subia continuamente a escada.

Colocou-se à frente dela para vê-la melhor, perdendo-se naquela contemplação, que já não era mais dolorosa à força de ser profunda.

Lembrava-se das histórias de catalepsia, dos milagres do magnetismo. Dizia a si mesmo que, se o desejasse fortemente, talvez conseguisse ressuscitá-la. Certa feita chegou a curvar-se sobre ela, dizendo em voz baixa: "Emma! Emma!" Seu hálito, expelido com força, fez tremer a chama dos círios.

De madrugada, chegou madame Bovary mãe; Charles, beijando-a, teve nova crise de choro. Ela tentou, como fizera o farmacêutico, fazer algumas observações sobre as despesas do enterro. Mas ele zangou-se tanto que a mãe calou-se; Charles encarregou-a de ir imediatamente à cidade, para comprar o que era preciso.

Ficou sozinho a tarde toda. Berthe fora para a casa de madame Homais, e Félicité ficara no andar de cima, com a velha Lefrançois.

À noite, recebeu visitas. Levantava-se, apertava mãos sem falar e depois sentava-se junto dos outros, que faziam semicírculo em volta da lareira. De cabeça baixa e gorro sobre o joelho, as visitas tamborilavam com os dedos na perna, soltando a intervalos longos suspiros. Cada um se aborrecia mais que o outro, mas ninguém saía.

Homais, quando voltou às nove horas (não se via outra pessoa na praça, havia dois dias), foi encarregado de fornecer cânfora, benjoim e ervas aromáticas. Trouxe também um vaso cheio de cloro, para afugentar os miasmas. Naquele instante, a empregada, madame Lefrançois e a mãe Bovary rodeavam Emma, acabando de vesti-la. Por fim abaixaram o longo véu, que chegava até os sapatinhos de cetim.

Félicité soluçava:

— Ah! Minha pobre patroa! Minha pobre patroa!

— Olhem para ela — disse, suspirando, a hoteleira —, como é linda ainda! Dir-se-ia que se vai levantar daqui a pouco.

Depois, debruçaram-se para colocar-lhe a coroa.

Foi preciso erguer-lhe a cabeça, e, nesse momento, um jato de líquido negro saiu-lhe, como um vômito, da boca.

— Ah! Meu Deus, o vestido, cuidado! — exclamou madame Lefrançois. — Ajude-nos! — disse ela ao farmacêutico. — Tem medo, por acaso?

— Eu, medo? — replicou ele, encolhendo os ombros. — Claro que não! Já vi muitos cadáveres no hospital, quando estudava farmácia. Fazíamos brindes ao anfiteatro de anatomia! O nada não assusta um filósofo; e até mesmo, como digo sempre, tenho a intenção de legar o corpo às instituições científicas, para que sirva mais tarde à ciência.

Ao chegar, o padre perguntou pelo estado de monsieur; depois da resposta do boticário, observou:

— O golpe, compreende, é ainda muito recente!

Homais então felicitou-o por não correr o risco, como todo mundo, de perder uma companheira querida; daí surgiu uma discussão sobre o celibato dos padres.

— Porque — dizia o farmacêutico — não é natural que um homem se prive de mulheres. Já se viram crimes...

— Mas, Deus do Céu! — exclamou o eclesiástico. — Como queria o senhor que um indivíduo casado pudesse guardar, por exemplo, o segredo da confissão?

Homais atacou a confissão. Bournisien defendeu-a, estendendo-se nas reparações que ela operava. Citou diversos casos de ladrões que se tinham tornado repentinamente honestos. Militares aproximando-se do tribunal da penitência haviam sentido desvendarem-se-lhes os olhos. Houve em Friburgo um ministro...

Seu companheiro cochilava. Como sentisse calor, na atmosfera pesada do quarto, o padre abriu a janela, e isso despertou o farmacêutico.

— Vamos, tome uma pitada. Isso faz bem.

Ouviam-se latidos incessantes, ao longe.

— Está ouvindo um cão uivar? — perguntou o farmacêutico.

— Dizem que farejam os mortos — disse o padre. — É como as abelhas, que saem da colmeia quando morre alguém.

Homais não discutiu essas superstições, pois adormecera novamente.

Bournisien, mais robusto, continuou durante algum tempo a resmungar baixinho; depois, insensivelmente, baixou o queixo, largou o livro preto e começou a roncar.

Estavam um em frente ao outro, o ventre empertigado, o rosto intumescido, uma expressão zangada, encontrando-se, depois de tanta discussão, na mesma fraqueza humana. Não se mexiam, como o cadáver a seu lado, que parecia dormir.

Charles, ao entrar, não os acordou. Era a última vez. Vinha fazer as despedidas.

As ervas aromáticas ardiam ainda, e turbilhões de vapor azulado confundiam-se com o nevoeiro que entrava. Havia algumas estrelas na noite tranquila.

A cera das velas caía em grossas lágrimas nos lençóis da cama. Charles olhava-as queimar, fatigando os olhos nos raios de chama amarela.

Os reflexos tremeluziam no vestido de cetim branco como o luar. Emma desaparecia sob ele e Charles imaginava que, expandindo-se para além de si mesma, ela se perdia confusamente nas coisas que a cercavam, no silêncio, na noite, no vento que passava, nos aromas úmidos que se evolavam.

Depois, de repente, via-a no jardim de Tostes, sentada no banco junto à sebe de espinheiros, ou em Rouen, nas ruas, na porta da casa, no terreiro de Bertaux. Ouvia ainda os risos dos meninos alegres que dançavam sob as macieiras. O quarto estava cheio do perfume de sua cabeleira, e seu vestido amarrotava-se-lhe nos braços, num farfalhar de fagulhas. Ela era ainda a mesma!

Durante muito tempo recordou, assim, as venturas perdidas, seus gestos, suas atitudes, o timbre de sua voz. Depois de cada desespero vinha-lhe outro, incessantemente, como as ondas da maré enchente.

Sentiu uma curiosidade terrível; e lentamente, com a ponta dos dedos palpitando, ergueu-lhe o véu. Mas soltou um grito de horror que acordou os outros. Levaram-no para baixo, para a sala.

Depois Félicité foi dizer-lhes que ele pedia um pedaço do cabelo dela.

— Corte-o! — disse o boticário.

E, como ela não se atrevesse, ele próprio se aproximou, com a tesoura nas mãos. Tremia tanto que picou a pele das têmporas em diversos lugares. Finalmente, suplantando a emoção, Homais deu duas ou três tesouradas ao acaso, deixando marcas brancas na bela cabeleira negra.

O farmacêutico e o padre voltaram às suas ocupações, não sem cochilar de vez em quando, coisa de que se acusavam reciprocamente cada vez que acordavam. Nessas ocasiões, Bournisien aspergia água benta no quarto e Homais lançava cloro no chão.

Félicité teve o cuidado de colocar para eles, na cômoda, uma garrafa de aguardente, um queijo e um pão grande.

O boticário, que não aguentava mais, suspirou, lá para as quatro horas da manhã:

— Ora, até que eu me alimentaria com prazer!

O padre não se fez de rogado; saiu para dizer a missa e voltou. Ambos comeram e beberam então, rindo-se um pouco, sem saber por quê, excitados por aquela vaga alegria que nos domina depois dos acontecimentos tristes; e, depois do último cálice, o padre disse ao farmacêutico, batendo-lhe nas costas:

— Acabaremos por nos entender!

Encontraram embaixo, no vestíbulo, os operários que chegavam. Charles teve de sofrer, durante duas horas, o suplício do martelo que batia nas tábuas. Em seguida puseram-na no ataúde de carvalho, que foi colocado dentro dos dois outros; mas, como o último era grande demais, foi preciso encher-lhe os interstícios com a lã de um colchão. Finalmente, quando os três caixões ficaram prontos, pregados e soldados, foram expostos em frente à porta. Abriu-se a casa toda e os habitantes de Yonville começaram a afluir.

O pai Rouault chegou. Desmaiou na praça ao ver o crepe negro.

X

Só recebera a carta do farmacêutico 36 horas depois do falecimento. Em respeito à sua sensibilidade, monsieur Homais escrevera-a de modo que seria impossível saber o que tinha sucedido.

O velho caiu a princípio numa espécie de ataque apoplético. Depois compreendeu que ela não estava morta, mas que podia estar... Finalmente vestiu a blusa, pegou o chapéu, amarrou uma espora na botina e partiu a galope; e durante todo o percurso o pai Rouault, ofegante, sentia-se devorar de angústia. Em dado momento, foi obrigado a apear. Não via mais nada, ouvia vozes a seu redor, sentia-se enlouquecer.

O dia amanhecia. Viu três galinhas pretas que dormiam numa árvore e estremeceu, amedrontado pelo mau presságio. Prometeu então à Santa Virgem três casulas para a igreja e que iria descalço desde o cemitério de Bertaux até a capela de Vassonville.

Entrara em Maromme gritando pelos empregados do albergue, arrombou a porta com os ombros, saltou para o saco de aveia, derramou na manjedoura uma garrafa de sidra doce e voltou a montar o cavalo, que lançava fogo pelas quatro ferraduras.

Dizia a si mesmo que sem dúvida a salvariam; os médicos achariam um remédio, certamente. Lembrava-se de todas as curas miraculosas que ouvira contar.

Em seguida via-a morta. Lá estava ela à sua frente, deitada de costas, no meio da estrada. Puxava a rédea e a alucinação desaparecia.

Em Quincampoix, para reanimar-se, tomou três xícaras de café, uma atrás da outra.

Imaginou que se haviam enganado de destinatário. Procurou a carta no bolso, apalpou-a, mas não ousou abri-la.

Chegou a supor que era pilhéria, vingança de alguém, fantasia de algum desocupado; afinal, se ela estivesse morta, já teria sabido! Mas não! O campo nada tinha de extraordinário: o céu estava azul, as árvores balançavam, um rebanho de carneiros passava. Viu a aldeia e foi visto chegar correndo, curvado sobre o cavalo, o qual chicoteava de rijo e de cuja barrigueira gotejava sangue.

Quando recobrou os sentidos, caiu em prantos nos braços de Bovary:
— Minha filha! Emma, minha filha! Explica-me...

E o outro respondeu, entre soluços:
— Não sei, não sei! Foi maldição!

O farmacêutico separou-os.
— Esses pormenores horríveis são inúteis. Contarei tudo depois. Vem gente aí. Dignidade! Compostura!

O pobre rapaz quis parecer forte e repetiu diversas vezes:
— Sim... coragem!
— Muito bem! — exclamou o velho. — Terei coragem, ora raios! Vou levá-la até o fim.

O sino batia. Tudo estava pronto. Era preciso caminhar.

Sentados num banco do coro, um ao lado do outro, viram passar diante deles, diversas vezes, os três coroinhas, que rezavam. O órgão bufava violentamente. Padre Bournisien, todo paramentado, cantava com voz aguda, reverenciava o tabernáculo, elevava as mãos, estendia os braços. Lestiboudois circulava na igreja com uma régua de barbatana; próximo à estante do coro, a essa repousava entre quatro alas de círios. Charles tinha vontade de levantar-se e apagá-los.

Procurava, entretanto, mergulhar na devoção, esforçando-se por ter a esperança de uma vida futura em que a reveria. Imaginava que ela fora viajar, para muito longe, durante muito tempo. Mas, quando pensava que ela estava dentro do caixão e que tudo estava terminado, que ela seria enterrada, dominava-o uma ira feroz, negra, desesperada. Por vezes acreditava não sentir mais nada e saboreava o alívio de sua dor, sempre achando-se um miserável.

Ouviu-se no chão da igreja o ruído seco de uma bengala ferrada que batia em intervalos iguais. Vinha do fundo e parou repentinamente em um dos lados da igreja. Um homem de casaco grosseiro ajoelhou-se penosamente. Era Hippolyte, o empregado do Leão de Ouro. Pusera a perna nova.

Um dos coroinhas percorreu a nave para recolher esmolas, e as moedas, umas após as outras, tilintavam na salva de prata.

— Andem depressa, que sofro muito! — exclamou Bovary, lançando encolerizado uma peça de cinco francos.

O coroinha agradeceu com longa reverência!

Cantavam, ajoelhavam-se, erguiam-se... aquilo não acabava nunca! Lembrou-se de que uma vez, nos primeiros tempos, tinham assistido juntos à missa, sentados do lado direito, junto à parede. O sino recomeçou a bater. Houve um grande movimento de cadeiras. Os carregadores colocaram os bastões sob o caixão e todos saíram da igreja.

Justin apareceu então à porta da farmácia. Voltou imediatamente para dentro, pálido e cambaleante.

Muitas pessoas estavam às janelas para ver passar o cortejo. Charles, à frente, ia curvado. Fingia coragem e cumprimentava com um aceno de cabeça os que, aparecendo nas transversais ou nas portas, misturavam-se aos demais. Os seis homens, três de cada lado, caminhavam lentamente, ofegando um pouco. Os padres, os coroinhas e sacristães recitavam o "De Profundis"; suas vozes perdiam-se no campo, subindo e descendo em ondulações. Às vezes, desapareciam nas curvas do caminho, mas a grande cruz de prata erguia-se sempre entre as árvores.

As mulheres seguiam, cobertas de mantas negras com capuchos; levavam na mão grande vela acesa, e Charles sentia-se desmaiar diante daquela contínua repetição de preces e de velas, sob os odores enjoativos da cera e da batinas. Soprava uma brisa fresca, os campos pareciam mais verdes do que nunca, gotas de orvalho tremeluziam na beira do caminho, sobre as sebes de espinheiros. Toda espécie de ruídos alegres enchia o horizonte: uma charrete que passava ao longe, o canto de um galo que repetia ou a corrida de um frango que fugia para debaixo das macieiras. O céu claro estava manchado de nuvens róseas, pontos luminosos e azulados pairavam nas choupanas cobertas de orvalho. Charles reconhecia os terreiros enquanto passava. Lembrava-se de manhãs como aquela, quando, depois de visitar um doente, voltava para casa, para ela.

O pano negro, manchado de lágrimas brancas, erguia-se de vez em quando, descobrindo o caixão. Os carregadores, cansados, diminuíam o passo, e o cortejo avançava aos solavancos, como canoa que estremece a cada onda.

Chegaram.

Os homens continuaram até mais além, para um lugar onde uma cova fora escavada.

Todos se arrumaram em volta, e, enquanto o padre falava, a terra vermelha, lançada sobre as bordas, escorria pelos cantos sem ruído, continuamente.

Depois, prepararam-se as quatro cordas, e o ataúde foi colocado sobre elas. Charles contemplou a descida.

Ela descia sempre.

Finalmente, ouviu-se um baque; as cordas voltaram. O padre Bournisien tomou o aspersor que Lestiboudois lhe estendia. Com a mão esquerda, enquanto aspergia com a direita, tomou um punhado de terra e lançou-o na cova. A madeira do caixão, ferida pelos calhaus, fez um ruído retumbante que se nos afigura como o fragor da eternidade.

O eclesiástico passou o hissope ao vizinho. Era Homais, que o sacudiu gravemente, passando-o a Charles. Este caiu de joelhos, lançando mancheias de terra para dentro da cova, gritando "Adeus!". Parecia querer enterrar-se com ela.

Levaram-no dali, e ele não demorou a acalmar-se, sentindo talvez, como todos os outros, a vaga satisfação de haver terminado tudo.

O pai Rouault, ao voltar, pôs-se tranquilamente a fumar seu cachimbo, o que Homais, interiormente, achava muito conveniente. Observou que monsieur Binet não comparecera, que Tuvache "escapulira" depois da missa e que Théodore, o criado do tabelião, usava um casaco azul, "como se não fosse possível encontrar um preto, como é o uso, que diabo!". E, para comunicar suas impressões, ia de um grupo a outro. Lamentava-se nesses grupos a morte de Emma, especialmente Lheureux, que não deixara de comparecer ao enterro.

— Pobre senhora! Que dor para o marido!

O boticário comentava:

— Temo que ele tente algum gesto funesto contra si próprio!

— Era uma ótima pessoa! E dizer que ainda no sábado esteve em minha loja!

— Não tive tempo — disse Homais — de preparar algumas palavras para dizer no momento do enterro.

Ao chegar em casa, Charles despiu-se, e o pai Rouault passou a blusa azul. Por ser nova, e por haver ele, durante a viagem, enxugado os olhos muitas vezes com as suas mangas, ela havia desbotado, manchando-lhe o rosto. O traço das lágrimas formava linha na camada de poeira que a sujava.

Madame Bovary mãe estava em companhia deles. Ficaram os três em silêncio. Finalmente, o velho suspirou:

— Lembra-se, meu amigo, de certa vez em que fui a Tostes, quando morreu sua primeira esposa? Eu o consolei naquela ocasião! Encontrei o que dizer; mas agora... — E, com um gemido longo que encheu o peito: — Ah! É o fim, para mim! Já vi minha mulher... depois meu filho... e agora minha filha!

Queria voltar imediatamente para Bertaux, dizendo que não poderia dormir naquela casa. Recusou-se até a ver a neta.

— Não! Não! Isso me seria penoso. Beije-a por mim. Adeus! És um bom rapaz. Jamais esquecerei isto — concluiu, batendo na perna. — Receberás sempre tua perua.

Mas, quando chegou no alto da encosta, virou-se, como outrora se voltara no caminho de Saint-Victor, ao separar-se dela. As janelas da aldeia estavam em fogo sob os raios oblíquos do sol que se deitava na pradaria. Pôs a mão diante dos olhos e viu lá longe um recinto cercado de muros onde as árvores, aqui e ali, formavam manchas escuras entre lousas brancas; depois continuou seu caminho, a trote curto, pois o cavalinho mancava.

Charles e a mãe, à noite, ficaram muito tempo conversando, apesar da fadiga. Falaram dos dias do passado e do futuro. Ela viria morar em Yonville, cuidaria da casa; não se separariam mais. Foi terna e engenhosa, deleitando-se intimamente por poder reconquistar uma afeição que lhe escapara havia tantos anos. Bateu meia-noite. A aldeia, como de hábito, estava silenciosa. Charles, acordado, pensava sempre em Emma.

Rodolphe, que para distrair-se caminhara pelo bosque o dia inteiro, dormia tranquilamente em seu castelo; Léon, distante, dormia também.

Havia outra pessoa que naquela hora não dormia.

Sobre a campa, entre os pinheiros, um menino chorava ajoelhado, e seu peito, sacudido pelos soluços, ofegava na sombra, sob a pressão de uma tristeza imensa, mais suave que a lua e mais insondável que a noite. O portão rangeu de repente. Era Lestiboudois, para buscar a pá que esquecera ali. Reconheceu Justin escalando o muro e ficou convencido de haver descoberto o malfeitor que lhe roubara as batatas.

XI

Charles, no dia seguinte, mandou buscar a filhinha. Ela perguntou pela mãe. Responderam-lhe que estava ausente em viagem e que traria brinquedos. Berthe falou naquilo diversas vezes, mas depois foi esquecendo. A alegria da criança afligia Bovary, que tinha ainda de sofrer os intoleráveis consolos do farmacêutico.

Os problemas financeiros logo recomeçaram, com monsieur Lheureux excitando novamente seu amigo Vinçart; e Charles assinou letras de importâncias exorbitantes, pois jamais quis consentir em vender um só dos móveis que haviam pertencido a ela. Sua mãe exasperou-se. Ele indignou-se mais ainda. Mudara completamente. A velha abandonou a casa.

Cada qual, então, tratou de aproveitar-se. Mademoiselle Lampereur reclamou seis meses de aulas, embora Emma não tivesse tomado uma só (apesar do recibo que mostrara a Bovary); era uma combinação entre as duas. O livreiro reclamou três anos de assinaturas; a velha Rolet, o porte de vinte cartas, e, como Charles pediu explicações, ela teve a delicadeza de responder:

— Ah! Não sei; eram de seus negócios.

A cada dívida que pagava, Charles acreditava ter acabado. Mas vinham outras, continuamente.

Pediu os atrasados de visitas que fizera. Mostraram-lhe as cartas que a mulher mandara. Foi preciso então pedir desculpas.

Félicité usava agora os vestidos de madame; não todos, pois Charles guardara alguns, que ia ver no quarto de toalete, onde se trancava. A criada era mais ou menos da mesma altura que Emma, e muitas vezes Charles, vendo-a por trás, iludia-se e exclamava:

— Oh! Fica! Fica!

Mas, na época de Pentecostes, Félicité fugiu de Yonville, levada por Théodore, carregando o que restara do guarda-roupa.

Foi por esse tempo que a viúva teve a honra de participar-lhe "o casamento de seu filho monsieur Léon Dupuis, escrevente em Yvetot, com Mademoiselle Léocadie Leboeuf, de Bondeville". Charles, entre as felicitações que endereçou, escreveu esta frase:

Como minha pobre esposa ficaria contente!

Um dia em que, errando a esmo pela casa, subiu ao sótão, sentiu sob a chinela uma bolinha de papel fino. Abriu-a e leu:

Coragem, Emma, coragem! Não desejo fazer a infelicidade de sua existência.

Era a carta de Rodolphe, caída no chão entre caixas, que o vento levara até junto da porta. E Charles ficou imóvel, de boca aberta, naquele mesmo lugar onde, outrora, ainda mais pálida que ele, Emma, desesperada, desejara morrer. Finalmente descobriu um pequeno R embaixo, na segunda página. Quem seria? Lembrou-se da assiduidade de Rodolphe, de sua desaparição súbita e do ar estranho que assumira ao encontrá-lo depois, duas ou três vezes. Mas o tom respeitoso da carta iludiu-o.

"Talvez se tenham amado platonicamente", pensou ele.

Além disso, Charles não era desses que descem ao fundo das coisas; recuava diante das provas, e seu ciúme incerto perdeu-se na imensidão de sua dor.

Todos deveriam tê-la adorado, pensava. Todos os homens, certamente, tinham-na desejado. Ela lhe pareceu ainda mais bela; concebeu assim um desejo permanente, furioso, que inflamava seu desespero e não tinha limites, porque se tornara irrealizável.

Para agradá-la, como se ela vivesse ainda, adotou suas predileções e suas ideias. Comprou botas de verniz e passou a usar gravatas brancas. Usava cosmético no bigode e subscreveu, tal qual ela, notas promissórias. Ela o corrompia até mesmo do túmulo.

Foi obrigado a vender a prataria, peça por peça, e em seguida os móveis da sala. Todos os cômodos se foram desguarnecendo, mas o quarto, o quarto dela, ficou como anteriormente. Depois do jantar, Charles subia. Puxava a mesa redonda para diante do fogo e aproximava a poltrona dela, sentando-se em frente. Uma vela ardia num dos castiçais dourados. Berthe, junto dele, coloria estampas.

Ele sofria, o pobre homem, vendo a filha tão malvestida, sem rendas e com as mangas das blusas rasgadas, pois a nova criada não se incomodava. Mas a menina era tão boa, tão gentil, e sua cabecinha se curvava tão graciosamente, deixando cair sobre o rosto a cabeleira loura, que uma satisfação imensa o invadia, prazer misto de amargura como os vinhos malfeitos, que cheiram a resina. Arrumava os brinquedos, fazia-lhe bonecos de papelão ou cosia a barriga rasgada das bonecas. Depois, se seus olhos encontravam a caixa de costura, uma fita solta ou mesmo um alfinete esquecido numa fenda da mesa, punha-se a sonhar, com ar tão triste, que ela ficava triste como ele.

Ninguém mais ia visitá-los. Justin fora para Rouen, onde se tornara ajudante de padeiro, e os filhos do farmacêutico davam-se cada vez menos com Berthe, já que monsieur Homais não desejava, dada a diferença de condição social, que a intimidade se prolongasse.

O cego, que o farmacêutico não pudera curar com sua pomada, voltara para a encosta de Bois-Guillaume, onde narrava aos viajantes a vã tentativa do outro, de tal forma que quando Homais ia à cidade se escondia atrás das cortinas da Andorinha, a fim de evitar encontrá-lo. Detestava-o; e, para o bem de sua própria reputação, querendo destacar-se dele a qualquer preço, assestou contra ele uma bateria oculta, que mostrava a profundeza de sua inteligência e a baixeza de sua vaidade. Durante seis meses consecutivos, os leitores do *Farol de Rouen* encontravam em suas páginas notícias assim:

> *Todas as pessoas que se dirigem para as férteis regiões da Picardia terão notado, sem dúvida, na encosta de Bois-Guillaume, um pobre-diabo que sofre de terrível chaga facial. Importuna, persegue e causa verdadeiro desassossego aos viajantes. Estaremos ainda nos tempos monstruosos da Idade Média, em que era permitido aos vagabundos exibir em praça pública a lepra e as chagas que haviam trazido das Cruzadas?*

Ou então:

> *Apesar das leis contra a vagabundagem, os arredores de nossas grandes cidades continuam infestados por bandos de mendigos. Há os que circulam isoladamente, e que talvez não sejam os menos perigosos. Em que pensam nossos edis?*

Homais inventava também fatos:

> *Ontem, na encosta de Bois-Guillaume, um cavalo fogoso...*

E seguia-se a descrição de um desastre ocasionado pela presença do cego.

Tanto fez que o pobre foi preso. Mas soltaram-no depois. Ele recomeçou, e Homais recomeçou também. Era uma luta. O farmacêutico venceu, pois seu inimigo foi condenado à reclusão perpétua em um hospício.

Esse sucesso tornou-o mais audaz, e desde então não houve no distrito um cão atropelado, um campo incendiado, uma mulher espancada que ele não levasse ao conhecimento público, sempre guiado pelo amor ao próximo e pelo ódio aos padres. Estabelecia comparações entre as escolas primárias e as confrarias ignorantes,[6] em detrimento destas últimas; lembrava o episódio de São Bartolomeu a propósito de uma doação de cem francos feita à Igreja; denunciava abusos, fazia alusões. Era seu vezo. Ele destruía, tornava-se perigoso.

Mas sentia-se preso nos estreitos limites do jornalismo; logo foi-lhe preciso escrever um livro, ter uma obra! Compôs então uma *Estatística geral do cantão de Yonville, seguida de observações climatológicas*. Da estatística passou à filosofia. Preocupou-se com os grandes problemas: a questão social, a moralização das classes pobres, a piscicultura, a borracha, as estradas de ferro etc. Imitou os artistas, começou a fumar. Comprou duas estatuetas estilo Pompadour para enfeitar sua sala.

Não abandonou a farmácia; pelo contrário, mantinha-se a par das novidades. Seguiu o grande movimento dos chocolates. Foi o primeiro a introduzir no Sena Inferior a *cocoa*. Tomou-se de entusiasmo pelas cadeias hidroelétricas Pulvermacher. Passou a usar uma, e à noite, quando tirava o colete de flanela, madame Homais maravilhava-se diante da espiral de ouro que o cobria todo, sentindo redobrar seu amor por aquele homem mais adornado que um cita e esplêndido como um mago.

Teve lindas ideias sobre a tumba de Emma. Propôs inicialmente um tronco de coluna com uma mortalha, depois uma pirâmide, em seguida um templo de Vesta, uma espécie de cúpula... e até um monte de ruínas. E, em todos os planos, Homais não esquecia o "chorão", que considerava o símbolo obrigatório da tristeza.

Charles e ele fizeram juntos uma viagem a Rouen, para ver túmulos num fabricante de sepulturas, acompanhados por um pintor chamado Vaufrilard, amigo de Bridoux, que fazia trocadilhos o tempo todo. Finalmente, depois de examinar uma centena

---

[6] Designação pejorativa dos religiosos que se ocupavam do ensino nas escolas elementares. (N.E.)

de esboços, encomendar um projeto e ir uma segunda vez a Rouen, Charles decidiu-se por um mausoléu que teria, nas duas fachadas principais, "um gênio transportando uma tocha apagada".

Quanto à inscrição, Homais não achava nada de mais belo que Sta viator e nada mais. Dava tratos à bola, repetindo continuamente, até que descobriu *Amabilem conjugem calcas*!, que foi adotado.

Coisa estranha era que Bovary, embora pensando sempre em Emma, esquecia-a; e desesperava-se ao sentir que sua imagem lhe escapava da memória apesar dos esforços que fazia para retê-la. Todas as noites, entretanto, sonhava com ela. Era sempre o mesmo sonho: ia se aproximando dela, mas, quando ia abraçá-la, ela apodrecia em seus braços.

Viram-no durante uma semana ir à igreja à noite. O padre Bournisien fez-lhe duas ou três visitas, depois o abandonou. Aliás, o pobre eclesiástico se tornava intolerante, fanático, ao que dizia Homais. Fulminava o espírito do século e não deixou, durante 15 dias, no sermão, de narrar a agonia de Voltaire, que morreu devorando seus próprios excrementos, como todos sabem.

Apesar da parcimônia em que vivia, Bovary estava longe de poder amortizar suas antigas dívidas. Lheureux recusou-se a renovar qualquer letra. A penhora tornava-se iminente. Recorreu então à mãe, que consentiu em deixá-lo hipotecar seus bens, mas recriminando fortemente Emma. Pediu, em recompensa por seu sacrifício, um xale que escapara à rapacidade de Félicité. Charles recusou. Incompatibilizaram-se.

A mãe fez as primeiras tentativas de reconciliação, oferecendo-se para ficar com a menina, que a aliviaria em sua solidão. Charles consentiu. Mas, no instante da partida, perdeu a coragem. Houve então o rompimento completo, definitivo.

À medida que seus amigos desapareciam, aferrava-se mais ao amor da filha. Ela o inquietava, entretanto, pois tossia às vezes e tinha placas vermelhas no rosto.

À sua frente crescia, florescente e alvar, a família do farmacêutico, que todos contribuíam para agradar. Napoléon ajudava no laboratório. Athalie bordava bonés para o pai. Irma cortava rodelas de papel para cobrir as guloseimas, e Franklin dizia de memória, de um só fôlego, a tábua de Pitágoras. Homais era o mais feliz dos pais e o mais afortunado dos homens.

Apenas uma surda ambição o minava: desejava uma condecoração. Títulos não lhe faltavam:

Primeiro: Ter-se destacado, quando da epidemia de cólera, por um devotamento sem limites; Segundo: Ter publicado, a expensas próprias, diversas obras de utilidade pública, tais como... (e recordava seu memorial intitulado *Da sidra, sua fabricação e efeitos*, além de observações sobre o pulgão lanígero, enviadas à Academia, seu volume de estatística e até a tese de farmacêutico), sem contar o fato de ser membro de diversas sociedades científicas (só fazia parte de uma).

— Enfim — exclamava ele —, pelo menos porque me destaquei quando dos incêndios!

Homais inclinou-se então para o Poder. Prestou secretamente ao prefeito valiosos serviços nas eleições. Vendeu-se, prostituiu-se. Dirigiu mesmo ao soberano uma petição em que suplicava que lhe "fizesse justiça"; chamava-o "nosso bom rei" e comparava-o a Henrique IV.

Todas as manhãs, precipitava-se para o jornal, para procurar seu decreto de condecoração, mas nada achava. Por fim, sem suportar mais, mandou fazer no jardim um canteiro em forma de estrela da Legião de Honra, com duas pequenas volutas de grama que partiam do topo, para imitar a fita. Caminhava em volta, de braços cruzados, meditando sobre a inépcia do governo e a ingratidão dos homens.

Pelo respeito, ou por uma espécie de sensualidade que o fazia proceder com lentidão em suas investigações, Charles não tinha ainda aberto o compartimento secreto da escrivaninha de que Emma se servia habitualmente. Um dia, finalmente, sentou-se diante dela, pegou a chave e girou-a. Todas as cartas de Léon estavam ali. Desta vez não havia dúvida! Devorou-as até a última, procurou nos cantos, em todos os móveis, em todas as gavetas, soluçando, gemendo, desvairado, louco. Descobriu uma caixa, que abriu com um pontapé. O retrato de Rodolphe saltou-lhe ao rosto, por entre bilhetes de amor misturados.

Todos se espantaram com seu desânimo. Não saía mais, não recebia ninguém, recusava-se até mesmo a ir ver seus doentes. Diziam então que se trancava em casa para beber.

Às vezes, entretanto, um curioso espiava por sobre a sebe do jardim e via, espantado, aquele homem de barba crescida, coberto de molambos sórdidos e olhar feroz, a chorar alto enquanto caminhava.

À tarde, no verão, pegava a filha e levava-a ao cemitério. Só voltavam noite fechada, quando a única luz acesa era a do sótão de Binet.

Mas a volúpia de sua dor estava incompleta, pois não tinha à sua volta quem a partilhasse; fazia então visitas à velha Lefrançois para falar sobre ela. A estalajadeira, porém, não lhe dava muita atenção, porque tinha também suas tristezas: monsieur Lheureux acabara de inaugurar o novo albergue, Favorito do Comércio, e Hivert, que gozava de grande reputação por causa das encomendas, exigia aumento de salário sob a ameaça de empregar-se "no concorrente".

Um dia em que fora ao mercado de Arguiel vender o cavalo — último recurso — Charles encontrou Rodolphe.

Ambos empalideceram ao se verem. Rodolphe, que quando do falecimento apenas mandara um cartão, balbuciou inicialmente algumas desculpas; depois, entretanto, tornou-se mais animado e teve a desfaçatez (fazia muito calor, estavam no mês de agosto) de convidá-lo para tomar uma garrafa de cerveja no cabaré.

Sentado à frente de Charles, mascava o charuto enquanto falava, e o outro perdia-se em devaneios diante daquele rosto que ela amara. Parecia-lhe rever alguma coisa dela. Era um deslumbramento. Desejou ser aquele homem.

Rodolphe continuava a falar de agricultura, animais, adubos, enchendo com frases banais todos os intervalos em que pudesse aparecer uma alusão. Charles não o ouvia; Rodolphe percebeu-o e passou a seguir, na mobilidade do rosto do interlocutor, a passagem das lembranças. O rosto ruborizava-se aos poucos, as narinas fremiam, os lábios estremeciam; houve mesmo um instante em que Charles, cheio de furor sombrio, fixou seus olhos em Rodolphe, que, amedrontado, interrompeu-se. Mas logo a mesma expressão de lassidão fúnebre voltou-lhe.

— Não lhe quero mal — disse ele.

Rodolphe ficara calado. E Charles, com a cabeça entre as mãos, repetiu, com voz débil e com o tom resignado das dores infinitas:

— Não, não lhe quero mais mal! — E disse mesmo uma frase de efeito, a única que jamais lhe veio aos lábios: — A culpa foi da fatalidade!

Rodolphe, que fora o condutor daquela fatalidade, achou-o paciente demais para um homem na sua situação, até mesmo cômico e um pouco vil.

No dia seguinte, Charles foi sentar-se no banco do caramanchão. Raios de sol passavam por entre as folhas, que lançavam sua sombra na areia; os jasmineiros perfumavam o ar, o céu estava azul, besouros zumbiam ao redor dos lírios em flor. Charles sentia-se sufocar, como um adolescente com a vaga fragrância amorosa que subia de seu coração amargurado.

Às sete horas, a pequena Berthe, que não o vira durante toda a tarde, foi chamá-lo para jantar.

Ele estava com a cabeça encostada ao muro, os olhos fechados, a boca aberta, tendo nas mãos uma comprida mecha de cabelos negros.

— Papai, vem! — disse ela.

E, pensando que ele quisesse brincar, empurrou-o devagar. Charles caiu no chão. Estava morto.

Trinta e seis horas depois, a pedido do boticário, monsieur Canivet chegou. Abriu-o e nada encontrou.

Depois que tudo foi vendido, sobraram 12 francos e 75 cêntimos, que serviram para pagar a viagem de mademoiselle Bovary até a casa da avó. A boa velha morreu naquele mesmo ano; como o pai Rouault estava paralítico, a menina ficou sob a guarda de uma tia, que, por ser pobre, mandava-a trabalhar, para ganhar a vida, numa fábrica de tecidos de algodão.

Depois da morte de Bovary, três médicos passaram por Yonville, sem conseguirem fixar-se, contudo, porque monsieur Homais os derrotou logo de saída. Tem uma clientela imensa; as autoridades poupam-no e a opinião pública protege-o.

Acaba de receber a Legião de Honra.

Direção editorial
Daniele Cajueiro

Editora responsável
Ana Carla Sousa

Produção editorial
Adriana Torres
Laiane Flores
Carolina Rodrigues

Revisão
Liciane Corrêa

Diagramação
Henrique Diniz

Este livro foi impresso em 2022
para a Nova Fronteira.